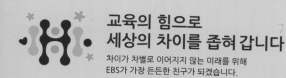

교육의 힘으로
세상의 차이를 좁혀 갑니다

차이가 차별로 이어지지 않는 미래를 위해
EBS가 가장 든든한 친구가 되겠습니다.

KB132598

2025학년도
수능 연계교재
수능완성

☆☆☆

사회탐구영역
한국지리

기획 및 개발

박 민
김은미
박빛나리
여운성

감수

한국교육과정평가원

책임 편집

김유미

본 교재의 강의는 TV와 모바일 APP, EBSi 사이트(www.ebsi.co.kr)에서 무료로 제공됩니다.

발행일 2024. 5. 20. 2쇄 인쇄일 2024. 7. 15. 신고번호 제2017–000193호 펴낸곳 한국교육방송공사 경기도 고양시 일산동구 한류월드로 281
표지디자인 ㈜무닉 내지디자인 다우 내지조판 ㈜하이테크컴 인쇄 팩컴코리아㈜ 사진 게티이미지코리아, ㈜아이엠스톡, 이미지파트너스
인쇄 과정 중 잘못된 교재는 구입하신 곳에서 교환하여 드립니다. 신규 사업 및 교재 광고 문의 pub@ebs.co.kr

정답과 해설 PDF 파일은 EBSi 사이트(www.ebsi.co.kr)에서 내려받으실 수 있습니다.

한성은 **새롭다**
세상엔 **이롭다**

한성대학교가 마주하는
도전과 기회가
글로벌 창의융합교육의
미래를 열어갑니다

트랙제 졸업생
취업률 78.1%

'방학 중 SW·AI
교육캠프 사업'
서울·경기권
최우수대학

'재학생 충원율'
최고 수준
101.1%

개교 이래 최초
외부 재정지원사업
수주 100억 원

고교교육 기여대학 지원사업
연차평가 우수 대학 선정

한성대학교 2025학년도
수시모집

• 원서접수 : 2024. 9. 9.(월) ~ 9. 13.(금) 18:00
• 입시상담 : 02)760-5800

※ 자세한 사항은 입학홈페이지(https://enter.hansung.ac.kr)참고
※ 본 교재 광고의 수익금은 콘텐츠 품질개선과 공익사업에 사용됩니다.
※ 모두의 요강(mdipsi.com)을 통해 한성대학교의 입시정보를 확인할 수 있습니다.

HSU 한성대학교
HANSUNG UNIVERSITY

2025학년도
수능 연계교재

수능완성

★ ★ ★

사회탐구영역
한국지리

이 책의 **차례** CONTENTS

이 책의 **구성과 특징** STRUCTURE

테마별 내용 정리

주제별 핵심 개념을 쉽게 이해할 수 있도록 표, 그림, 모식도 등을 활용하여 체계적이고 일목요연하게 정리하였습니다.

핵심 자료 분석

주제별 핵심 자료를 상세하게 분석하여 자료 분석력을 강화시킬 수 있도록 하였습니다.

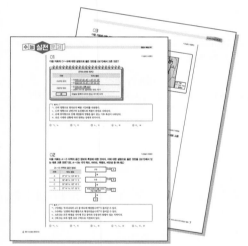

수능 실전 문제

수능에 대비할 수 있는 다양한 유형의 문항들로 구성하여 응용력과 탐구력 및 문제 해결 능력을 향상시킬 수 있도록 하였습니다.

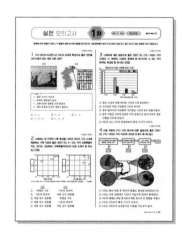

실전 모의고사

학습 내용을 최종 점검하여 실력을 테스트하고, 수능에 대한 실전 감각을 기를 수 있도록 수능 시험 형태로 구성하였습니다.

정답과 해설

정답 도출 과정과 교과의 내용을 연결하여 설명하고, 오답을 분석함으로써 유사 문제 및 응용 문제에 대한 대비가 가능하도록 하였습니다.

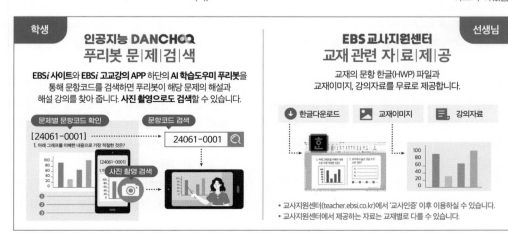

학생

인공지능 DANCHOQ 푸리봇 문|제|검|색

EBS*i* 사이트와 EBS*i* 고교강의 APP 하단의 AI 학습도우미 푸리봇을 통해 문항코드를 검색하면 푸리봇이 해당 문제의 해설과 해설 강의를 찾아 줍니다. **사진 촬영으로도 검색할 수 있습니다.**

문제별 문항코드 확인
[24061-0001]

문항코드 검색
24061-0001

[24061-0001]

사진 촬영 검색

선생님

EBS 교사지원센터 교재 관련 자|료|제|공

교재의 문항 한글(HWP) 파일과 교재이미지, 강의자료를 무료로 제공합니다.

한글다운로드 · 교재이미지 · 강의자료

• 교사지원센터(teacher.ebsi.co.kr)에서 '교사인증' 이후 이용하실 수 있습니다.
• 교사지원센터에서 제공하는 자료는 교재별로 다를 수 있습니다.

우리나라의 위치 특성과 영토

① 우리나라의 위치

구분		의미	특징 및 영향
절대적 위치	수리적 위치	위도와 경도로 표현되는 위치	• 북위 33°~43°(북반구 중위도)에 위치 – 냉·온대 기후가 나타남 – 사계절의 변화가 뚜렷함 • 동경 124°~132°에 위치: 표준 경선을 동경 135°로 정하여 표준시는 본초 자오선이 지나는 영국보다 9시간이 빠름
	지리적 위치	대륙·해양 등 지형지물을 기준으로 표현되는 위치	• 유라시아 대륙 동안에 위치 – 계절풍의 영향을 받음 – 기온의 연교차가 큰 대륙성 기후가 나타남 • 삼면이 바다로 둘러싸인 반도 국가 – 대륙과 해양 양방향으로의 진출에 유리 – 임해 공업 발달
상대적 위치	관계적 위치	주변국과의 정치 및 경제적 관계에 따라 결정되는 위치	• 대륙과 해양 세력의 중간에 위치하여 주변 국가의 정세에 따라 변해 왔음 – 근대: 대륙 세력과 해양 세력의 각축장 – 제2차 세계 대전 이후: 자본주의 진영과 공산주의 진영이 대립하는 공간 – 현재: 태평양 시대의 중심 국가로 성장

② 우리나라의 영역과 배타적 경제 수역

(1) **영역**: 한 국가의 주권이 미치는 공간 범위로 영토, 영해, 영공으로 구성

영토	• 한반도와 그 부속 도서 • 면적은 약 22.3만 km²(이 중 남한의 면적은 약 10만 km²)
영해	• 기선에서 12해리까지의 수역으로 연안국이 주권을 가짐 • 기선은 영해 설정의 기준선으로, 통상 기선은 연안의 최저 조위선, 직선 기선은 영해 기점(주로 최외곽 도서)을 이은 직선을 의미함 • 통상 기선에서 12해리까지의 수역: 동해안 대부분, 울릉도, 독도, 제주도, 마라도 등 • 직선 기선에서 12해리까지의 수역: 서해안, 남해안, 동해안의 영일만과 울산만 • 대한 해협은 직선 기선에서 3해리까지만 설정함
영공	• 영토와 영해의 수직 상공 • 항공·우주 기술의 발달로 중요성이 커짐

(2) **배타적 경제 수역(EEZ: Exclusive Economic Zone)**

① 범위: 기선으로부터 최대 200해리까지의 수역 중 영해를 제외한 수역

② 성격: 해수면에서 해저까지 연안국의 경제적 권리를 인정함
- 연안국의 권리: 천연자원의 탐사·개발·보존 및 관리, 어업 활동, 인공 섬 설치, 해양 환경 보호 및 보전 등의 경제적 권리
- 타국의 행위 보장: 선박과 항공기의 자유로운 통항, 해저 전선의 부설 등

③ 우리나라는 주변국과 배타적 경제 수역이 중첩되어, 이를 조정하기 위해 한·일 중간 수역과 한·중 잠정 조치 수역을 설정하여 어족 자원을 공동으로 보존·관리하고 있음

③ 독도

(1) **지리적 특색**

① 위치 및 구성
- 우리나라의 가장 동쪽에 위치함(131° 52′ E)
- 울릉도에서 동남쪽으로 약 87.4km 지점에 위치함
- 경상북도 울릉군 울릉읍에 속함
- 동도와 서도 및 89개의 부속 도서로 구성됨

② 자연환경
- 지형 특색: 신생대 제3기 말 해저 화산 활동으로 형성된 화산섬으로 울릉도·제주도보다 먼저 형성됨, 전체적으로 경사가 급함
- 기후 특색: 동해의 영향으로 기온의 연교차가 작은 해양성 기후가 나타남

(2) **가치**

영역적 가치	• 동해의 교통 요지로서 해상 전진 기지 역할 • 주변국의 해상·해저 활동에 대한 각종 정보 수집에 유리
경제적 가치	• 주변에 한류와 난류가 교차하는 조경 수역이 형성되어 어족 자원 풍부 • 메테인 하이드레이트(가스 하이드레이트), 해양 심층수 등과 같은 해양 자원 풍부
생태적 가치	• 다양한 동식물의 서식지, 철새들의 중간 휴식처 역할 • 천연기념물 제336호 독도 천연 보호 구역으로 지정(1982년)

④ 동해

(1) **위치 및 특징**

① 아시아 대륙의 북동부에 위치, 한반도와 러시아의 연해주 및 일본 열도로 둘러싸인 바다

② 신생대 제3기에 지각 변동으로 형성된 해저 분지

③ 평균 수심은 약 1,684m, 가장 깊은 곳의 수심은 약 3,762m

(2) **동해 표기의 역사**

① 삼국사기에 기원전부터 동해라는 명칭을 사용하였다는 기록이 있음

② 광개토대왕릉비(414년), 아국총도, 조선일본유구국도 등 우리나라의 수많은 고문헌과 고지도 등에 동해라는 명칭을 사용함

③ 우리가 동해라는 명칭을 사용한 것이 일본국이 성립한 시기보다 700여 년 앞섬

④ 우리나라가 중국을 통해 유럽인들에게 알려지면서 18세기까지 유럽에서 편찬된 세계 지도에는 동해가 대부분 한국해로 표기됨

⑤ 일제 강점기에 국제 수로 기구(IHO) 회의에서 일본이 동해를 일본해로 등록하면서 세계의 지도 제작사들이 이를 토대로 바다의 명칭을 표기함

(3) **주권 확립을 위한 노력**: 최근 정부와 민간단체의 노력으로 동해만 단독으로 표기하거나 동해와 일본해를 함께 표기한 지도가 증가하고 있음

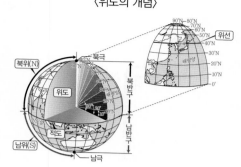

〈위도의 개념〉

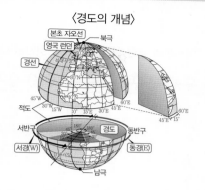

〈경도의 개념〉

〈우리나라의 표준 경선과 표준시〉

〈우리나라의 수리적 위치〉

(국토지리정보원, 2019년)

- 위도는 지구 중심에서 지표면까지 그은 직선과 적도면이 이루는 각도이다. 적도는 0°이고, 북극은 북위 90°, 남극은 남위 90°이다. 경도는 본초 자오선(0°)으로부터의 위치를 나타낸다. 영국 런던을 지나는 본초 자오선을 기준으로 동쪽과 서쪽을 각각 180°로 나누고 동경과 서경으로 표시한다.
- 우리나라 영토의 북쪽 끝은 함경북도 온성군 풍서리의 북단, 서쪽 끝은 평안북도 신도군 비단섬(마안도)의 서단, 동쪽 끝은 경상북도 울릉군 독도의 동단, 남쪽 끝은 제주특별자치도 서귀포시 마라도의 남단이다. 우리나라는 위도상 북위 33° 06′ 45″~43° 00′ 36″에 위치하며, 이에 따라 연중 편서풍의 영향을 받고 사계절의 변화가 뚜렷한 냉·온대 기후가 나타난다. 또한 경도상 동경 124° 10′ 47″~131° 52′ 22″에 위치하며, 표준 경선이 동경 135°이므로 영국보다 9시간 빠른 시간대를 사용한다. 우리나라를 지나는 경선인 동경 127° 30′에 태양이 남중할 때의 시각은 동경 135°에 태양이 남중하는 시각보다 30분이 늦다.

〈영해 및 접속 수역법〉

제1조(영해의 범위) 대한민국의 영해는 ㉠기선으로부터 측정하여 그 바깥쪽 12해리의 선까지에 이르는 수역(水域)으로 한다. 다만, 대통령령으로 정하는 바에 따라 ㉡일정 수역의 경우에는 12해리 이내에서 영해의 범위를 따로 정할 수 있다.

제2조(기선) ① 영해의 폭을 측정하기 위한 ㉢통상의 기선은 대한민국이 공식적으로 인정한 대축척 해도에 표시된 해안의 저조선으로 한다.
② 지리적 특수 사정이 있는 수역의 경우에는 대통령령으로 정하는 ㉣기점을 연결하는 직선을 기선으로 할 수 있다.

제3조(내수) 영해의 폭을 측정하기 위한 ㉤기선으로부터 육지 쪽에 있는 수역은 내수로 한다.

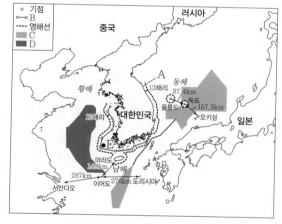

- 영해(㉠)는 기선에서 12해리까지 설정할 수 있다. 다만 일본과 거리가 가까운 대한 해협에서는 ㉡에 근거하여 직선 기선(B)에서 3해리까지만 영해로 설정하였다.
- 통상적인 영해의 기선(㉢)은 해수면의 높이가 가장 낮았을 때 나타나는 해안선(A)이지만, 섬이 많거나 해안선이 복잡한 수역의 경우에는 최외곽 도서 등을 기점으로 하여 각 기점을 연결한 직선 기선(B, ㉣)을 기준으로 영해를 설정하였다.
- 내수(㉤, E)는 기선으로부터 육지 쪽에 있는 수역을 말하는데, 간척 사업은 주로 내수에서 이루어지므로 간척 사업을 한다고 해서 영해의 범위가 달라지지 않는다.
- 배타적 경제 수역은 기선으로부터 최대 200해리까지 설정할 수 있는데, 영해를 포함하지 않는다. 그러나 우리나라와 중국, 일본은 거리가 가까워 200해리까지 배타적 경제 수역으로 설정할 경우 중첩 수역이 발생한다. 이러한 경우에는 합의를 통해 배타적 경제 수역의 경계를 획정해야 하지만, 아직까지 명확한 경계를 획정하지 못하고 있다. 다만 어업 협정을 통해 중첩 수역의 어족 자원을 공동으로 보존·관리하고 있는데, C는 한국과 일본이 공동으로 관리하는 한·일 중간 수역이고, D는 한국과 중국이 공동으로 관리하는 한·중 잠정 조치 수역이다.

▶ 24061-0001

01

다음 자료의 ㉠~㉣에 대한 설명으로 옳은 것만을 〈보기〉에서 고른 것은?

〈우리나라의 위치〉

구분	위치 정보
수리적 위치	• ㉠북위 33° 06′ 45″ ~ 43° 00′ 36″ • ㉡동경 124° 10′ 47″ ~ 131° 52′ 22″
지리적 위치	• ㉢유라시아 대륙 동안 • 삼면이 바다로 둘러싸인 반도 국가
㉣	오늘날 동북아시아의 중심 국가로 도약

┌ 보기 ┐
ㄱ. ㉠의 영향으로 영국보다 빠른 시간대를 사용한다.
ㄴ. ㉡의 영향으로 남반구의 뉴질랜드와 계절이 반대로 나타난다.
ㄷ. ㉢에 위치함으로 인해 계절풍의 영향을 많이 받는 기후 특성이 나타난다.
ㄹ. ㉣은 시대와 상황에 따라 변하는 상대적 위치이다.

① ㄱ, ㄴ　　　② ㄱ, ㄷ　　　③ ㄴ, ㄷ　　　④ ㄴ, ㄹ　　　⑤ ㄷ, ㄹ

▶ 24061-0002

02

다음 자료는 A~D 지역의 공간 정보와 특징에 대한 것이다. 이에 대한 설명으로 옳은 것만을 〈보기〉에서 있는 대로 고른 것은? (단, A~D는 각각 독도, 마라도, 백령도, 비단섬 중 하나임.)

〈A~D 지역의 공간 정보〉

지역	위치 정보
A	37° 57′ N, 124° 40′ E
B	39° 48′ N, 124° 11′ E
C	33° 06′ N, 126° 16′ E
D	37° 14′ N, 131° 52′ E

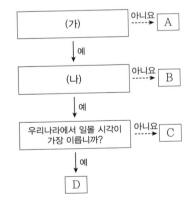

┌ 보기 ┐
ㄱ. (가)에는 '우리나라의 4극 중 하나에 해당합니까?'가 들어갈 수 있다.
ㄴ. (나)에는 '신생대 화산 활동으로 형성되었습니까?'가 들어갈 수 있다.
ㄷ. A와 B는 모두 하천을 사이에 두고 중국과 국경선이 맞닿아 있는 지역이다.
ㄹ. C와 D는 모두 천연 보호 구역으로 지정되어 있다.

① ㄱ, ㄴ　　　② ㄱ, ㄷ　　　③ ㄴ, ㄹ　　　④ ㄱ, ㄴ, ㄹ　　　⑤ ㄴ, ㄷ, ㄹ

03

▶ 24061-0003

다음 자료에 대한 설명으로 옳은 것은?

〈영해 및 접속 수역법〉

제1조(영해의 범위) 대한민국의 영해는 기선으로부터 측정하여 그 바깥쪽 12해리의 선까지에 이르는 수역(水域)으로 한다. 다만, 대통령령으로 정하는 바에 따라 ㉠일정 수역의 경우에는 12해리 이내에서 영해의 범위를 따로 정할 수 있다.

제2조(기선) ① 영해의 폭을 측정하기 위한 ㉡통상의 기선은 대한민국이 공식적으로 인정한 대축척 해도에 표시된 해안의 저조선으로 한다.

② 지리적 특수 사정이 있는 수역의 경우에는 대통령령으로 정하는 기점을 연결하는 직선을 기선으로 할 수 있다.

제3조(내수) 영해의 폭을 측정하기 위한 기선으로부터 육지 쪽에 있는 수역은 내수로 한다.

① A는 영해에 해당한다.
② B에서는 통상적으로 민간 선박의 무해 통항권이 인정된다.
③ C의 수직 상공은 우리나라의 영공에 해당한다.
④ B의 길이는 D의 길이의 3배 이내이다.
⑤ ㉠의 사례가 되는 해역에서는 ㉡을 영해의 기선으로 한다.

04

▶ 24061-0004

지도는 우리나라 주변 수역을 나타낸 것이다. A~D에 대한 설명으로 옳은 것만을 〈보기〉에서 있는 대로 고른 것은?

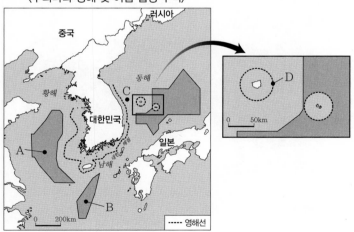

〈우리나라 영해 및 어업 협정 수역〉

┌─ 보기 ┐
ㄱ. A에서는 미국 무역선의 자유로운 통항이 가능하다.
ㄴ. B에서는 우리나라와 중국이 공동으로 어족 자원을 관리한다.
ㄷ. C에서는 일본 정부의 해저 자원 탐사가 가능하다.
ㄹ. D는 울릉도 해안의 저조선에서 12해리 떨어진 지점이다.
└─────────────────────────────────────┘

① ㄱ, ㄷ   ② ㄱ, ㄹ   ③ ㄴ, ㄷ   ④ ㄱ, ㄴ, ㄹ   ⑤ ㄴ, ㄷ, ㄹ

05

▶ 24061-0005

다음 자료는 지도에 표시된 두 지역의 해양 과학 기지에 대한 것이다. (가), (나)에 대한 설명으로 옳은 것은?

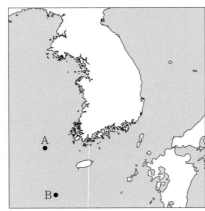

〈우리나라의 해양 과학 기지를 가다〉

구분	(가) 해양 과학 기지	(나) 종합 해양 과학 기지
모습		
위치	가거도 서쪽 47km 지점	마라도 남서쪽 149km 지점
특징	미세 먼지 등이 편서풍을 타고 우리나라로 오는 길목에 위치하므로, 미세 먼지의 영향 등을 파악하는 데 기여한다.	우리나라에 상륙하는 태풍의 60%가 통과하는 길목에 위치하므로, 태풍과 관련된 연구에 기여한다.

① (가)에는 우리나라 영토의 극서 지점이 위치한다.
② (나)의 주변 12해리 해역은 우리나라의 영해이다.
③ (가)는 (나)보다 가장 가까운 영해선까지의 거리가 멀다.
④ (나)는 (가)보다 고위도에 위치한다.
⑤ (가)는 A, (나)는 B이다.

06

▶ 24061-0006

다음 자료에 대한 설명으로 옳은 것은?

〈고지도로 만나는 우리의 땅과 바다〉

팔도총도	㉠아국총도	㉡삼국접양지도
신증동국여지승람에 수록된 지도로 ㉢ 가 우산도로 ㉣ 의 왼쪽에 표시되어 있다.	18세기 후반 조선에서 제작된 지도로 한반도와 일본 열도 사이의 바다를 ㉤ 라고 표기하였다.	일본인 하야시 시헤이가 그린 지도로 ㉢ 와 ㉣ 를 조선과 같은 색으로 그렸으며, 섬 옆에 '조선의 것'이라고 명기하였다.

① ㉤은 최종 빙기에 대부분 육지로 드러났다.
② ㉠은 ㉡보다 지도에 표현된 공간 범위가 넓다.
③ ㉢은 ㉣보다 최고 지점의 해발 고도가 높다.
④ ㉣은 ㉢보다 형성 시기가 이르다.
⑤ 세종실록지리지에서는 "㉢과 ㉣ 두 섬은 날씨가 맑으면 서로 바라볼 수 있다."고 기술하였다.

① 전통적인 국토 인식

(1) 풍수지리 사상

① 의미: 산줄기의 흐름, 산의 모양과 기복, 바람과 물의 흐름 등을 파악하여 좋은 터(명당)를 찾는 전통 지리 사상

② 배경: 지모(地母) 사상과 음양오행설 등이 결합하여 우리 환경에 맞게 체계화됨

③ 영향: 양택 풍수(집터와 마을의 입지, 도읍지 선정)와 음택 풍수 (묘지 선정)로 나타남

(2) 고지도에 나타난 국토 인식

① 혼일강리역대국도지도

- 현존하는 우리나라에서 가장 오래된 세계 지도로 조선 전기 (1402년)에 국가 주도로 제작
- 지도의 중앙에 중국이 위치 → 중화사상 반영
- 조선을 상대적으로 크게 표현 → 주체적 국토 인식
- 중국, 조선, 일본, 인도, 아라비아반도를 포함한 아시아와 아프리카, 유럽까지 표현

② 천하도

- 주로 조선 중기 이후 민간에서 제작된 관념적인 세계 지도
- 지도의 중앙에 중국이 위치 → 중화사상 반영
- 상상의 국가와 지명을 다수 표현 → 도교적 세계관 반영

③ 대동여지도

- 조선 후기(1861년) 실학자 김정호가 제작
- 목판본으로 제작 → 대량 인쇄 및 보급 가능
- 분첩 절첩식 제작 → 휴대와 열람에 편리
- 도로상에 10리마다 방점을 찍음 → 대략적인 거리 파악 가능
- 지도표(범례) 사용 → 다양한 지리 정보 표현
- 하천을 쌍선(가항)과 단선(불가항)으로 구분하여 표현

(3) 고문헌에 나타난 국토 인식

① 조선 시대 지리지의 특징

구분	관찬 지리지	사찬 지리지
특징	• 조선 전기에 제작 • 국가 주도로 제작 • 통치에 필요한 자료를 수집하여 백과사전식으로 기술	• 조선 후기에 제작 • 개인의 관심에 의해 제작 • 국토를 실용적으로 파악하여 주로 설명식으로 서술
예	『세종실록지리지』, 『신증동국여지승람』 등	『택리지』, 『도로고』 등

② 이중환의 『택리지』

- 구성: 사민총론, 팔도총론, 복거총론, 총론
- 가거지(可居地)의 조건: 지리(地理, 풍수지리상의 길지), 생리(生利, 경제적으로 유리한 곳), 인심(人心, 이웃이 온화하고 순박한 곳), 산수(山水, 경치가 좋은 곳)

② 근대 이후 국토 인식의 변화

(1) 일제 강점기: 일제에 의해 소극적·부정적 국토 인식이 강요됨

(2) 산업화 시대의 국토관

① 경제 개발이 본격화된 이후 국토를 경제적 관점에서 바라봄

② 국가 주도로 간척 사업, 댐·고속 국도·공업 단지 등의 대규모 개발 사업 진행

③ 국토 개발로 비약적인 경제 성장을 이루었지만, 지역 간 불균형, 환경 파괴 등의 문제 발생

(3) 최근의 국토관

① 경제 성장 위주의 국토 이용에 따른 부작용 발생으로 환경을 고려한 지속 가능한 발전의 필요성 대두

② 자연과 인간의 조화를 추구하는 생태 지향적 국토 인식 확산

③ 지리 정보와 지역 조사

(1) 지리 정보의 유형

① 공간 정보: 장소나 현상의 위치 및 형태에 관한 정보

② 속성 정보: 장소나 현상의 인문·자연적 특성을 나타내는 정보

③ 관계 정보: 다른 장소나 지역과의 상호 작용 및 관계를 나타내는 정보

(2) 지리 정보의 수집

① 전통적 방법: 종이 지도, 문헌, 통계 자료, 현지답사 등

② 최근의 방법: 원격 탐사 기술 활용 → 접근하기 어려운 지역이나 넓은 지역의 지리 정보를 주기적으로 수집하기에 용이

(3) 지리 정보의 표현

① 도표, 그래프, 수치 지도, 통계 지도 등 다양한 방법으로 표현

② 통계 지도의 유형: 점묘도, 등치선도, 도형 표현도, 단계 구분도, 유선도

(4) 지리 정보 체계(GIS)

① 의미: 컴퓨터를 이용하여 다양한 지리 정보를 사용 목적에 따라 가공·분석·처리하는 종합 정보 시스템

② 활용 분야: 상점 등의 입지 선정, 재난 및 재해 관리, 환경의 변화 예측 등

(5) 지역 조사

① 의미: 지역 특성을 파악하거나 지역의 문제점을 해결하기 위해 지역에 대한 지리 정보를 수집·분석하여 지역성을 파악하는 활동

② 지역 조사 과정

- 조사 계획 수립: 조사 목적과 주제 및 지역 선정
- 지리 정보 수집
  - 실내 조사: 문헌, 인터넷 등을 통해 지리 정보 수집
  - 야외 조사: 조사 지역을 방문하여 관찰, 측정, 면담, 설문, 촬영 등을 통해 지리 정보 수집
- 지리 정보 분석: 수집한 지리 정보를 분석한 후 통계 지도, 그래프, 표 등으로 표현
- 보고서 작성: 조사 목적과 방법, 분석 자료, 결론이 명확하게 드러나도록 체계적으로 작성

(가)

(나)

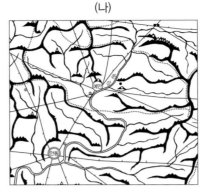

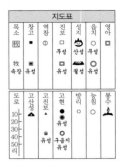

지도표						
목소 🏛	창고 ■	역참 ◉	진보 □ 무성	성치 🔥 산성 유성	읍치 무성 월성 유성	영아 ◻
牧속장	🏛 유성		무성 유성	산성 유성	무성 유성	
도로 10 20 30 40 50 리	고산성 🏔 유성	고진보 ▲ 유성	고현 ● 유성 구읍지 유성	방리 ○	늘침 ○	봉수 🔥

* (가)는 혼일강리역대국도지도로 조선 전기(1402년)에 국가 주도로 제작되었다. 상단(㉠)에는 지도의 제목이 오른쪽부터 왼쪽 끝까지 크게 적혀 있고, 그 아래(㉡)에는 지도에 표현한 것(역대 중국 제왕의 국도(國都) 등)을 설명하고 있으며, 하단(㉢)에는 지도를 제작한 이유를 상세하게 제시하고 있어 국가가 주도하여 제작하였음을 짐작하게 한다. 혼일강리역대국도지도에는 다양한 지리 정보가 담겨 있다. 지도의 가운데에는 중국(㉤)이 크게 자리 잡고 있으며, 동쪽에는 조선(㉣)이 상대적으로 크게 그려져 있어 당시 조상들의 국토관을 엿볼 수 있다. 일본(㉪)은 실제보다 작고 방향도 틀어져 있으며, 인도(㉧)는 중국의 한 편에 실제보다 매우 작게 그려져 있다. 또한 이 지도에는 아라비아반도(㉨), 아프리카 대륙(㉩), 유럽(㉫)까지도 표현되어 있어 당시 조선의 세계관이 넓었음을 알 수 있다.
* (나)는 대동여지도의 일부로 경상북도 안동과 그 주변 지역이 표현되어 있다. 대동여지도는 지도에 제시된 지도표를 이용하여 다양한 지리 정보를 확인할 수 있다. 안동과 예안은 도로를 따라 40리 거리에 있으며, 현재 낙동강의 상류에 해당하는 분강이 두 지역을 지나간다. 분강은 쌍선으로 표현되어 있으므로, 안동과 예안은 배를 타고 왕래할 수 있음을 알 수 있다. 안동에는 성곽이 있지만, 예안에는 성곽이 없다. 하지만 예안은 주변에 산성(고산성)이 있어 당시 지역 방어에 산성을 활용하였음을 알 수 있다. 또한 산지와 하천의 위치를 통해 안동과 예안은 모두 배산임수형의 터에 자리 잡고 있음을 알 수 있다. 현재 예안은 안동댐 건설로 수몰되었다.

지리 정보 ＼ 지역	(가)		(나)	
㉠기상 관측점 위치	37° 45′ N, 128° 53′ E		37° 20′ N, 127° 56′ E	
㉡기온의 연교차, 연 강수량 * 1991~2020년의 평년값임. (기상청)	24.1℃, 1,445mm		28.4℃, 1,299mm	
㉢지역 형태 및 면적(km²)	(1,041)		(868)	
㉣위성 사진				
㉤연령층별 인구(명) (2022년)	유소년층	20,578	유소년층	43,676
	청장년층	145,962	청장년층	258,000
	노년층	48,588	노년층	60,134
㉥두 지역 간 인구 이동(2022년)	전입	569명	전입	789명
	전출	789명	전출	569명
공통 정보	강원도 도(道) 명칭의 유래 지역			

* 두 지역의 특성 파악: 두 지역의 공통 정보를 통해 (가), (나)는 강릉, 원주 중 하나임을 알 수 있으며, ㉠을 통해 (가)는 (나)보다 동쪽에 위치함을 알 수 있다. 따라서 (가)는 강릉, (나)는 원주이다. ㉡으로 두 지역의 기후 특성을 파악할 수 있다. ㉢과 ㉤을 통해 두 지역의 인구 밀도를 비교할 수 있는데, 원주(나)가 강릉(가)보다 인구 밀도가 높다. 또한 ㉤을 통해 두 지역의 인구 부양비, 노령화 지수 등을 산출할 수 있다. ㉥으로 두 지역 간 강릉은 전출 초과, 원주는 전입 초과 지역임을 알 수 있다.
* 지리 정보의 의미와 수집 과정: ㉠, ㉢은 공간 정보, ㉡, ㉤은 속성 정보, ㉥은 관계 정보이다. 또한 지리 정보 수집 과정에서 ㉣은 원격 탐사를 통해 수집할 수 있으며, ㉤과 ㉥은 실내 조사를 통해 수집할 수 있다. 지리 정보를 지도로 표현할 때는 주로 통계 지도를 활용하는데, 그 사례로 점묘도, 등치선도, 도형 표현도, 단계 구분도, 유선도가 있다. ㉤은 도형 표현도로 표현할 수 있으며, ㉥은 유선도로 표현하기에 적절하다.

01

▶ 24061-0007

다음 글의 ㉠~㉤에 대한 설명으로 옳은 것은?

> 풍수지리 사상은 산줄기의 흐름, 산의 모양, 바람과 물의 흐름을 파악하여 좋은 터를 찾는 사상이다. 풍수(風水)는 장풍득수(藏風得水)에서 온 말로 바람을 막고 물을 얻는다는 의미이다. 명당은 ㉠산을 배후로 삼고 앞쪽으로 들이 펼쳐져 있으며, 들 사이로 ㉡물이 감싸고 흐르는 곳으로 인식되었다. 풍수지리 사상은 ㉢지모사상과 음양오행설 등이 결합하여 ㉣양택 풍수, ㉤음택 풍수, 비보 풍수 등 우리 환경에 맞게 체계화되었다.

① ㉠에서 산은 대체로 명당의 남쪽에 위치한다.
② ㉡을 통해 명당을 중심으로 대규모 내륙 수운이 발달하였음을 알 수 있다.
③ ㉢에는 땅을 생명의 근원으로 여기는 사상이 포함되어 있다.
④ ㉣은 묏자리 선정과 관련이 깊다.
⑤ ㉤은 고려와 조선의 도읍지 선정에 영향을 주었다.

02

▶ 24061-0008

다음 자료는 A, B를 기준으로 세 고지도를 구분한 것이다. 이에 대한 설명으로 옳지 않은 것은?

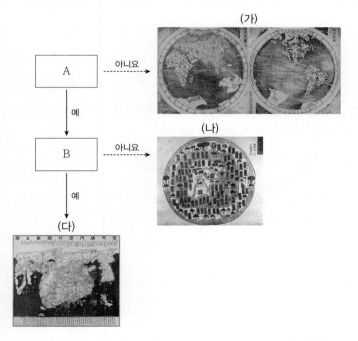

① A에는 '중국 중심의 세계관이 반영되어 있습니까?'가 들어갈 수 있다.
② B에는 '국가 주도로 제작되었습니까?'가 들어갈 수 있다.
③ (가)에는 남·북회귀선이 표현되어 있다.
④ (나)에는 천원지방(天圓地方)의 세계관이 반영되어 있다.
⑤ (다)는 (나)보다 최초 제작 시기가 늦다.

03

▶ 24061-0009

다음은 대동여지도의 일부이다. 이에 대한 설명으로 옳지 <u>않은</u> 것은? (단, ⊙과 ⓒ은 동일한 수계임.)

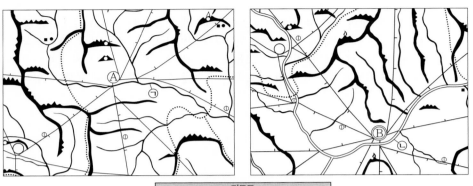

지도표				
읍치		역참	창고	봉수	고산성
무성 ○	유성 ◎	①	■	▲	⛰

* ┄┄┄┄ : 행정 구역 경계

① A는 대체로 분지 지형에 자리 잡고 있다.

② A에서 도로를 따라 행정 구역 경계를 벗어나려면 10리 이상 이동해야 한다.

③ A에서 B까지 배를 타고 이동할 수 있다.

④ B는 A보다 도로를 따라 설치된 교통 · 통신 시설이 가깝다.

⑤ B는 A보다 읍치의 성곽을 이용한 외적의 방어에 유리하다.

04

▶ 24061-0010

다음 자료는 조선 시대에 제작된 지리지의 일부이다. 이에 대한 설명으로 옳은 것은? (단, (가), (나)는 각각 세종실록지리지, 택리지 중 하나이며, ⊙~ⓒ은 각각 강릉, 원주, 춘천 중 하나임.)

(가)	⊙ 은/는 인제 서쪽에 있는데, 서울과는 수로와 육로로 모두 2백 리 길이다. …(중략)… 소양강에 접해 있으며, 그 밖으로는 우두라는 큰 마을이 있다. …(중략)… 산속에는 들이 넓게 펼쳐져 있고 그 복판으로 두 강이 흐른다.
	ⓒ 은/는 영월의 서쪽에 있다. 이곳은 감사가 있는 곳이다. 서쪽으로 서울과는 2백 50리가 된다. 동쪽은 대관령과 두메산골에 가깝고, 서쪽은 지평현과 경계를 이루었다. 산골짜기 중간에는 들이 섞여 있어서, 명랑하고 수려하여 험하거나 막힌 데가 없다.
(나)	ⓒ 대도호부 사방 경계는 동쪽으로 바다 어귀에 이르기 8리, 남쪽으로 삼척에 이르기 70리, 서쪽으로 횡성(橫城)에 이르기 1백 55리, 북쪽으로 양양(襄陽)에 이르기 46리이다. 호수가 1천 25호요, 인구가 3천 5백 13명이다. …(중략)… 토산(土産)은 가는 대와 왕대다. …(중략)… 경포(鏡浦)가 부(府) 동북쪽 10리에 있으며, 옆에 봉우리가 있고, 봉우리 위에 정자가 있다. …(중략)… 관할[所領]은 도호부가 10이니, 양양이요, 군이 20이니, 정선(旌善)과 평창(平昌)이다.

① (가)는 (나)보다 최초 제작 시기가 이르다.

② (나)는 (가)보다 통치를 위한 자료 수집에 유리하다.

③ ⊙에는 혁신 도시가 건설되어 있다.

④ ⓒ은 ⓒ보다 서울과의 최단 거리가 멀다.

⑤ ⊙~ⓒ 중 2023년 기준 인구는 ⓒ이 가장 많다.

05

▶ 24061-0011

표는 (가)~(다) 지역의 지리 정보이다. 이에 대한 설명으로 옳은 것은?

구분	(가)	(나)	(다)
㉠지역 형태 및 면적(km²)	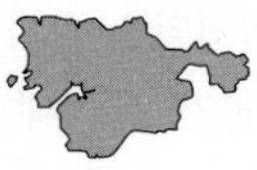 (698.18)	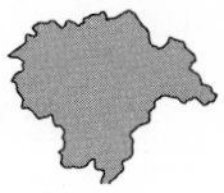 (940.82)	 (268.08)
인구(명)	906,381	856,923	1,049,513
㉡산업 구조(%)	• 1차 산업: 5.7 • 2차 산업: 35.0 • 3차 산업: 59.3	• 1차 산업: 3.3 • 2차 산업: 23.1 • 3차 산업: 73.6	• 1차 산업: 0.4 • 2차 산업: 9.8 • 3차 산업: 89.8
지역 특성	수도권 2기 신도시 입지	충청도 명칭의 유래 지역 중 하나	수도권 1기 신도시 입지

* 산업 구조는 2020년 취업자 수 기준이며, 인구는 2021년 기준임.

(통계청)

① (다)에서는 다양한 카르스트 지형을 볼 수 있다.
② (나)는 (가)보다 인구 밀도가 높다.
③ (다)는 (가)보다 서울로의 통근·통학 인구가 많다.
④ ㉡을 표현하는 데 가장 적합한 통계 지도는 유선도이다.
⑤ ㉠은 속성 정보, ㉡은 공간 정보이다.

06

▶ 24061-0012

다음 〈조건〉만을 고려하여 경상북도의 군(郡) 중에서 외국인 문화 복합 센터를 건설할 지역을 선정하려고 한다. 가장 적합한 지역을 후보 지역 A~E에서 고른 것은?

┌ 조건 ┐
1. 후보 지역의 평가 항목별 점수는 다음과 같고, 합산 점수가 가장 높은 지역을 선정함.

지역 내 총생산 (GRDP)	점수	외국인 주민 중 결혼 이민자 비율	점수	총 외국인 수	점수
1조 원 미만	3	20% 초과	3	1천 명 초과	3
1~2조 원	2	10~20%	2	5백~1천 명	2
2조 원 초과	1	10% 미만	1	5백 명 미만	1

2. 세 항목 중 〈외국인 주민 중 결혼 이민자 비율〉 점수는 2배의 가중치를 부여함.
3. 합산 점수가 같은 후보 지역이 있을 경우 총 외국인 수가 많은 후보 지역을 선정함.

후보 지역	지역 내 총생산 (백만 원)	외국인 주민 중 결혼 이민자 비율(%)	총 외국인 수 (명)
A	1,163,777	36.1	310
B	803,523	43.1	188
C	1,408,077	23.8	509
D	2,071,278	10.9	1,435
E	1,265,197	7.1	1,375

(2020년)

(통계청)

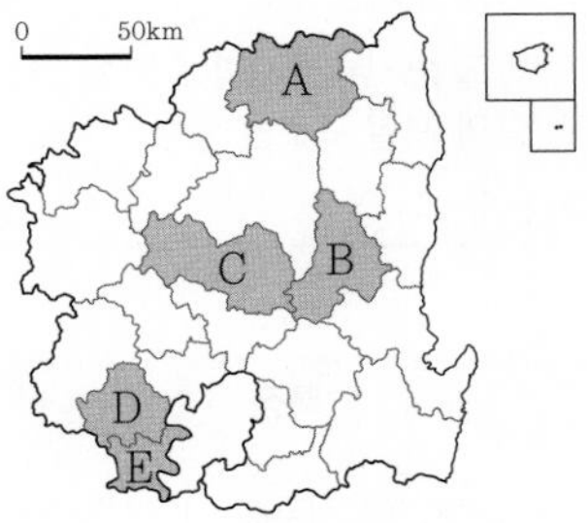

① A   ② B   ③ C   ④ D   ⑤ E

① 한반도의 지체 구조

(1) 한반도의 암석 분포

암석		형성 시기	분포 및 특징
변성암		시·원생대	• 한반도 암석의 약 42.6% 차지 • 편마암이 대표적
화성암	심성암 (관입암)	중생대	• 한반도 암석의 약 30% 차지 • 화강암이 대표적
	화산암 (분출암)	신생대	• 화산 활동으로 형성 • 현무암, 조면암이 대표적
퇴적암		고생대~신생대	• 고생대와 중생대의 퇴적암이 대부분 • 신생대의 퇴적암은 협소하게 분포

(2) 한반도의 지체 구조

지질 시대	지체 구조	특징
시·원생대	평북·개마 지괴, 경기 지괴, 영남 지괴	주로 변성암 분포
고생대	평남 분지, 옥천 습곡대	• 조선 누층군: 해성층, 석회암 분포 • 평안 누층군: 육성층, 무연탄 분포
중생대	경상 분지	경상 누층군: 육성층, 공룡 발자국 화석 분포
신생대	두만 지괴, 길주·명천 지괴	제3계: 갈탄 분포

신생대 1.5
중생대 12.7
중생대 30.0
화성암 34.8
변성암 42.6(%)
퇴적암 22.6
고생대 8.4
신생대 4.8
시생대 40.4(%)
원생대 2.2

(한국지질자원연구원, 2007)

두만 지괴
길주·명천 지괴
평북·개마 지괴
평남 분지
경기 지괴
경상 분지

② 한반도의 지각 변동과 기후 변화

(1) 중생대의 지각 변동

지각 변동	발생 시기	특징	
송림 변동	초기	• 주로 한반도 북부 지방에 영향 • 라오둥 방향의 지질 구조선 형성	마 그 마 관 입
대보 조산 운동	중기	• 주로 한반도 중·남부 지방에 영향 • 중국 방향의 지질 구조선 형성	
불국사 변동	말기	주로 영남 지방에 영향	

(2) 신생대의 지각 변동

지각 변동	발생 시기	특징
경동성 요곡 운동	제3기	융기 축이 동해안에 치우친 비대칭적 융기 운동
화산 활동	제3기 말 ~제4기	백두산, 제주도, 울릉도, 철원·평강 지역 등에 화산 지형 형성

(3) 기후 변화와 지형 발달

① 신생대 제4기에 빙기와 간빙기 반복 → 지형 발달에 영향

② 빙기와 간빙기(후빙기)의 상대적 특성 비교

구분	빙기	간빙기(후빙기)
기후	한랭 건조	온난 습윤
식생 밀도	낮음	높음
풍화 작용	물리적 풍화 작용 우세	화학적 풍화 작용 우세
해수면	하강	상승
하천 길이	긺	짧음
하천 상류	퇴적 작용 활발	침식 작용 활발
하천 하류	침식 작용 활발	퇴적 작용 활발

③ 한반도의 산지 지형

(1) 산지 지형의 특색

① 국토의 약 70%가 산지, 높은 산지는 주로 북동부에 분포

② 동고서저의 비대칭적인 지형

③ 산맥의 방향이 지질 구조선의 영향을 받음

(2) 1차 산맥과 2차 산맥

분류	형성 원인	특징 및 분포
1차 산맥	경동성 요곡 운동의 영 향을 많이 받음	• 해발 고도가 높고 산줄기의 연속성이 강함 • 함경·낭림·태백산맥 등
2차 산맥	지질 구조선을 따라 진 행된 차별적 풍화와 침 식의 영향을 많이 받음	• 해발 고도가 낮고 산줄기의 연속성이 약함 • 멸악·차령·노령산맥 등

(3) 흙산과 돌산

구분	흙산	돌산
기반암	주로 변성암(편마암)	주로 화강암
토양층	두꺼움	정상부에 기반암의 노출이 많음
식생 밀도	높음	낮음
사례	지리산, 덕유산 등	금강산, 북한산 등

(4) 고위 평탄면

① 형성: 오랜 풍화와 침식으로 평탄해진 지형이 융기하면서 높은 해발 고도에서도 평탄한 기복을 유지하는 지형

② 분포: 1차 산맥 주변의 해발 고도가 높은 지역

③ 특징: 동위도의 저지대보다 연평균 기온이 낮고 지형성 강수로 인해 강수량이 대체로 많은 편임

④ 이용: 고랭지 농업·목축업·관광 산업 등 발달, 풍력 발전에 유리

(5) 산지 지형의 이용과 변화

① 과거 농·임·광업 중심에서 최근 관광 및 레저 산업의 비율 증가

② 생태 지향적 산지 이용: 자연 휴식년제 확대, 생태 통로 건설 등

〈한반도의 지질 구조선〉

〈한반도의 산맥 분포〉

- 한반도는 고생대까지 안정을 유지해 왔으나, 중생대에 이르러 송림 변동, 대보 조산 운동, 불국사 변동 등을 겪으며 복잡한 지질 구조선을 형성하였고 마그마의 관입으로 화강암이 생성되었다. 중생대의 지각 운동은 지표면의 기복을 만들었으나 오랜 침식으로 사라져 현재 지형에 직접적인 영향을 주지는 않았다. 중생대 초기의 송림 변동은 주로 한반도 북부 지방에 영향을 주었던 지각 운동으로, 이로 인해 랴오둥 방향의 지질 구조선이 형성되었다. 중생대 중기에 있었던 대보 조산 운동은 한반도 전역에 걸쳐 일어났는데, 특히 한반도 중·남부 지방에 큰 영향을 끼치며 중국 방향의 지질 구조선을 형성하였다. 중생대 말기에는 경상도 지역을 중심으로 소규모의 불국사 변동이 있었다. 송림 변동과 대보 조산 운동으로 만들어진 지질 구조선은 신생대 제3기 한반도가 융기하면서 북부 지방의 랴오둥 방향 산맥 형성에, 중·남부 지방의 중국 방향 산맥 형성에 간접적인 영향을 주게 된다.

- 신생대 제3기 융기 작용으로 한반도의 기본 골격이 완성된다. 이로 인해 동고서저의 비대칭적 지형이 형성되고, 태백·함경산맥 등 1차 산맥이 만들어진다. 또한 해발 고도가 높은 1차 산맥 주변에는 고위 평탄면이 분포하고, 하천의 하방 침식 강화로 감입 곡류 하천이 발달한다.

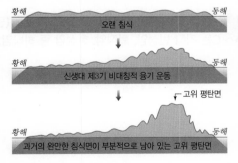

〈고위 평탄면의 형성 과정〉

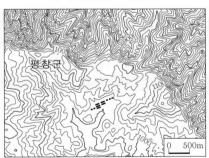

〈고위 평탄면의 지형도〉

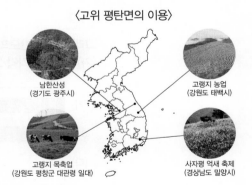

〈고위 평탄면의 이용〉

- 한반도는 오랜 기간 침식으로 평탄화되고, 이후 신생대에 한반도가 융기하면서 과거의 평탄면이 태백산맥을 비롯한 해발 고도가 높은 지대에 남게 된다. 이러한 지형을 고위 평탄면이라고 한다.

- 대관령 일대의 고위 평탄면은 과거 화전민들이 거주하던 곳이었으나 1970년대 영동 고속 도로(고속 도로 제50호선) 개통 등으로 교통 환경이 개선되자 많은 변화가 나타났다. 여름철 서늘한 기후를 이용하여 고랭지 농업이 발달하였고, 넓고 평탄한 지형과 서늘한 기후가 목초 재배에 유리하여 목장이 들어왔으며, 관광 산업도 크게 성장하였다. 눈이 많이 내리므로 스키장 등 겨울 스포츠 시설이 갖추어졌고, 2018년에는 평창 동계 올림픽이 개최되었다. 또한 바람이 많고 풍속이 강해 풍력 발전 단지도 많이 조성되고 있다. 그러나 농경지, 목장 등으로의 토지 개간은 식생 파괴를 동반하였고, 그 결과 호우 시 토양 침식이 심각하게 나타나는 점은 이 지역이 해결해야 할 과제가 되었다.

01

▶ 24061-0013

다음은 〈글자 카드〉를 활용한 한국지리 수업 활동이다. 이에 대한 설명으로 옳은 것은?

교사: 다음 내용이 의미하는 용어를 〈글자 카드〉에서 찾아 하나씩 지우세요.

- 제주도에서 돌하르방의 재료로 사용한 암석 → A
- 오랜 침식으로 평탄해진 지표면이 융기하여 형성된 해발 고도가 높으면서 기복이 작은 지형 → B
- 태백 등 석탄 박물관이 운영되는 지역에서 채굴되어 주로 가정의 난방용 에너지로 이용된 석탄 → C

〈글자 카드〉

탄	면	조	고
위	현	탄	군
무	연	평	무
누	층	선	암

교사: 〈글자 카드〉에 남은 글자를 모두 활용하여 만들 수 있는 용어는 D입니다. D를 설명해 보세요.
학생: _____(가)_____ 입니다.
교사: 예, 맞습니다. 참 잘했습니다.

① A는 변성암으로 분류된다.
② B에서는 고랭지 농업이 발달할 수 있다.
③ C가 매장된 지층은 D보다 형성 시기가 이르다.
④ A 분포 지역은 종유석, D 분포 지역은 주상 절리가 잘 발달한다.
⑤ (가)에는 '현무암질 마그마의 열하 분출로 형성된 지형'이 들어갈 수 있다.

02

▶ 24061-0014

그래프는 한반도의 지질 시대별 암석 구성 비율을 나타낸 것이다. 이에 대한 설명으로 옳은 것은? (단, (가)~(다)는 각각 고생대, 시·원생대, 중생대 중 하나이며, A~C는 각각 변성암, 퇴적암, 화성암 중 하나임.)

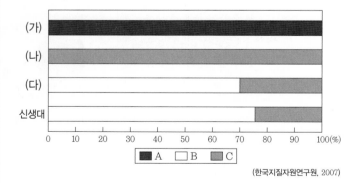

(한국지질자원연구원, 2007)

① A는 B보다 한반도 암석 구성에서 차지하는 비율이 높다.
② B에 속한 암석으로 석회암, C에 속한 암석으로 화강암을 들 수 있다.
③ (가) 지질 시대에 대보 조산 운동이 있었다.
④ (나) 지질 시대에 흙산의 주된 기반암이 형성되었다.
⑤ (다) 지질 시대에 형성된 B에는 공룡 발자국 화석이 분포한다.

03

▶ 24061-0015

다음 글은 한반도의 지각 변동을 서술한 것이다. (가)~(마)에 대한 설명으로 옳은 것만을 〈보기〉에서 고른 것은?

중생대의 지각 변동 중 가장 격렬했던 (가) 은/는 주로 중·남부 지방에 큰 영향을 주었다. 이에 비해 (나) 은/는 북부 지방, (다) 은/는 영남 지방에 주로 영향을 미쳤다. 중생대의 지각 변동은 마그마의 관입을 동반하였고, 그 과정에서 만들어진 암석이 (라) 이다. 중생대의 지각 변동이 만든 한반도의 기복은 이후 장기간에 걸친 침식으로 변형되었다. 따라서 현재 한반도 지형의 근간은 신생대 제3기 동해 지각이 확장되면서 발생한 (마) 의 결과물로 볼 수 있다.

> **보기**
> ㄱ. (가)는 제주도, 울릉도 등에 화산 지형을 형성하였다.
> ㄴ. (라)는 돌리네가 발달한 지역의 주된 기반암이다.
> ㄷ. (마)는 1차 산맥 형성에 영향을 주었다.
> ㄹ. (나)는 (다)보다 발생한 시기가 이르다.

① ㄱ, ㄴ   ② ㄱ, ㄷ   ③ ㄴ, ㄷ   ④ ㄴ, ㄹ   ⑤ ㄷ, ㄹ

04

▶ 24061-0016

다음 자료의 (가)~(다)에 해당하는 암석을 그림의 A~D에서 고른 것은? (단, (가)~(다)는 각각 석회암, 중생대 퇴적암, 현무암 중 하나임.)

강원 ○○ 박물관	강원의 예술품과 독특한 지형을 한 장소에서 볼 수 있다. 특히 동굴 및 종유석 전시실에는 (가) 과 물이 빚어낸 다양한 지형이 전시되어 있다.
제주 □□ 공원	돌, 나무, 덩굴이 어우러진 곶자왈에 자리 잡은 공원에 다양한 돌 조각품이 전시되어 있다. 공원 내 건축물들은 검회색의 (나) 으로 장식되어 있어 제주만의 멋을 더해 준다.
고성 △△ 박물관	(다) 이 분포하는 고성은 국내 최초로 공룡 발자국 화석이 발견된 곳이다. 오비랍토르, 프로토케라톱스 등 진품 화석을 비롯하여 다양한 공룡 전시물을 감상할 수 있다.

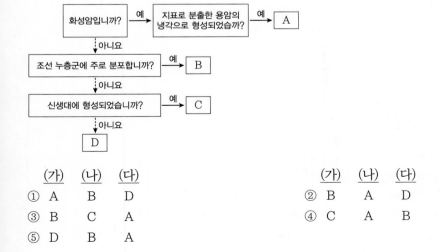

	(가)	(나)	(다)		(가)	(나)	(다)
①	A	B	D	②	B	A	D
③	B	C	A	④	C	A	B
⑤	D	B	A				

05

▶ 24061-0017

지도는 한반도의 지체 구조를 나타낸 것이다. (가)~(라)에 대한 설명으로 옳은 것만을 〈보기〉에서 고른 것은?

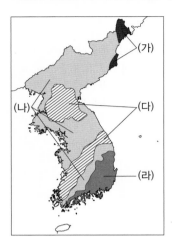

┌ 보기 ┐
ㄱ. (나)에는 퇴적암보다 변성암이 많이 분포한다.
ㄴ. (라)의 퇴적층에서는 심해 생물 화석이 많이 발견된다.
ㄷ. (가)와 (다)에는 모두 석탄이 매장된 퇴적층이 분포한다.
ㄹ. 지체 구조의 형성 시기는 (가) → (나) → (다) → (라) 순으로 이르다.

① ㄱ, ㄴ   ② ㄱ, ㄷ   ③ ㄴ, ㄷ   ④ ㄴ, ㄹ   ⑤ ㄷ, ㄹ

06

▶ 24061-0018

지도는 우리나라의 산맥 분포를 나타낸 것이다. A~D에 대한 설명으로 옳은 것만을 〈보기〉에서 고른 것은?

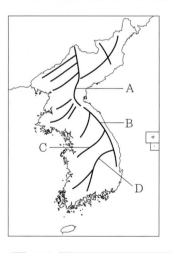

┌ 보기 ┐
ㄱ. A는 대체로 관북 지방과 관서 지방의 경계에 위치한다.
ㄴ. B의 동쪽 사면은 서쪽 사면보다 평균 경사가 완만하다.
ㄷ. D에는 영남 지방의 명칭이 유래된 고개가 있다.
ㄹ. C는 D보다 평균 해발 고도가 높다.

① ㄱ, ㄴ   ② ㄱ, ㄷ   ③ ㄴ, ㄷ   ④ ㄴ, ㄹ   ⑤ ㄷ, ㄹ

07

▶ 24061-0019

다음 자료는 어느 목장의 홈페이지 소개 화면이다. ㉠ 지역에 대해 학생들이 나눈 대화 내용으로 적절하지 <u>않은</u> 것은?

① 갑: 삼림욕장에서 여름철 피서를 즐기기에 좋아.
② 을: 겨울철 스키를 즐기려는 관광객이 많이 방문해.
③ 병: 고랭지 배추를 홍보하기 위해 김장 축제를 개최해.
④ 정: 용암 대지에서 재배된 쌀은 지리적 표시제에 등록되어 있어.
⑤ 무: 동계 올림픽 대회가 열렸던 경기장은 훌륭한 관광 자원으로 활용할 수 있어.

08

▶ 24061-0020

다음 자료는 영화 촬영 장소 및 대본 중 일부이다. ㉠에 들어갈 지문으로 가장 적절한 것은?

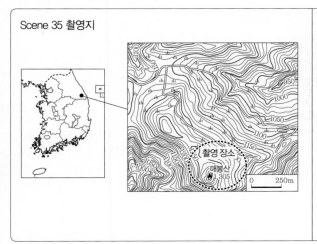

| Scene 35 촬영지 | Scene 35 대본 |

Scene 35 대본
• 여주인공: (안타까운 눈빛으로) 이런 곳에서 혼자 시간을 보내고 있었어요?
• 남주인공: (놀란 표정을 지으며) 어떻게 이곳까지 찾아왔어?
• 여주인공: (강력한 어조로) 힘을 내세요. 아직 끝난 게 아니잖아요. (힘없이 처져 있는 남자 주인공의 오른손을 두 손으로 꼭 감싸 쥔다.)
• 남주인공: 고마워. (이를 악물며) 난 다시 일어설 거야.
• 남주인공, 여주인공: (㉠ 물들어 가는 노을을 바라보며 희망찬 미래를 다짐한다.)

① 모내기가 막 끝난 논길에 걸터앉아
② 쉼 없이 돌아가는 풍력 발전기 앞에서
③ 노랗게 영글어 가는 감귤나무 숲 사이로
④ 용암 동굴 안에서 다정히 손잡고 걸어 나와
⑤ 빽빽이 들어선 비닐하우스를 헤치며 뛰어나와

09

▶ 24061-0021

다음 글의 (가)~(다)에 대한 설명으로 옳은 것만을 〈보기〉에서 고른 것은? (단, (가)~(다)는 각각 지도에 표시된 세 산 중 하나임.)

- 1967년 우리나라 최초의 국립 공원으로 지정된 　(가)　은 경남의 하동, 함양, 산청, 전남의 구례, 전북의 남원 등 3개의 도, 5개의 시·군에 걸쳐 있다. 천왕봉, 반야봉, 노고단 등 수많은 봉우리가 병풍처럼 웅장하게 펼쳐져 있고, 산악형 국립 공원 중 가장 넓은 면적을 보유하고 있다.
- 인제군, 고성군, 양양군과 속초시에 걸쳐 있는 　(나)　은 1970년에 우리나라에서 5번째로 국립 공원으로 지정되었다. 또한 1965년에 천연기념물로, 1982년에는 생물권 보전 지역으로 지정되었다. 대청봉을 비롯하여 소청봉, 중청봉, 화채봉 등 30여 개의 웅장한 산봉우리를 자랑한다.
- 　(다)　은 1970년에 우리나라에서 7번째로 국립 공원으로 지정되었고, 1966년에 천연기념물로, 2002년에는 생물권 보전 지역으로 지정되었다. 백록담, 영실 기암 등의 화산 지형과 물장오리 분화구 습지, 1,100 고지 습지 등 독특한 지형이 많아 지질학적으로 높은 평가를 받고 있다.

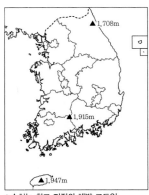

* 수치는 최고 지점의 해발 고도임.

┌ 보기 ┌
ㄱ. (가)는 (다)보다 최고 지점의 해발 고도가 높다.
ㄴ. (나)는 (가)보다 저위도에 위치한다.
ㄷ. (다)는 (나)보다 주된 기반암의 형성 시기가 늦다.
ㄹ. (가)와 (나)는 모두 백두대간에 위치한다.

① ㄱ, ㄴ　　　② ㄱ, ㄷ　　　③ ㄴ, ㄷ　　　④ ㄴ, ㄹ　　　⑤ ㄷ, ㄹ

10

▶ 24061-0022

다음 자료는 기후 변화와 두 시기의 해안선을 나타낸 것이다. 이에 대한 설명으로 옳은 것은? (단, (가), (나)와 ㉠, ㉡은 각각 최종 빙기, 후빙기 중 하나임.)

　신생대 제4기에는 빙기와 간빙기가 여러 차례 반복되었다. 　(가)　는 약 7만 년 전부터 약 1만 년 전 사이의 시기로 해수면이 현재보다 100m 이상 하강하였다. 　(나)　로 접어들면서 점차 해수면이 상승하여 약 6천 년 전에 현재의 해수면에 이르게 되었다.

① (가)는 (나)보다 평균 기온이 높다.
② (나)는 (가)보다 식생 밀도가 낮다.
③ ㉠은 ㉡보다 화학적 풍화 작용이 우세하다.
④ ㉠에서 ㉡으로 진행하면서 동아시아의 난대림 북한계선은 북상한다.
⑤ (가)와 ㉡, (나)와 ㉠은 같은 시기이다.

① 하천의 특징 및 우리나라 하천의 특색

(1) 하천의 일반적인 특징

① 유역과 하계망: 하천으로 빗물이 모여드는 범위를 유역이라고 하며, 하나의 본류와 이에 합류하는 지류로 이루어진 전체적인 수계를 하계망이라고 함

② 하천 상·하류 간 평균값의 상대적 특징

구분	경사	하폭	유량	퇴적물의 입자 크기	퇴적물의 원마도
상류	급함	좁음	적음	큼	낮음
하류	완만함	넓음	많음	작음	높음

(2) 우리나라 하천의 특색

① 하천 유로의 특색

• 동고서저 지형 영향: 두만강을 제외한 대부분의 큰 하천은 황·남해로 흐름

• 황·남해 및 동해로 유입하는 하천 간 평균값의 상대적 특징

구분	유로 길이	경사	유역 면적	하구 퇴적물의 입자 크기
황·남해 유입 하천	긺	완만함	넓음	작음
동해 유입 하천 (두만강 제외)	짧음	급함	좁음	큼

② 유량 변동이 큰 하천

• 강수량의 계절 차가 커서 하천의 유량 변동이 심함 → 하상계수가 큼

• 영향: 여름철 홍수 위험이 큼, 그 외 계절은 강수량이 적어 용수 부족 → 수력 발전과 하천 교통에 불리

• 대책: 댐·저수지·보 등의 수리 시설 확충, 산림녹화 등

③ 조류의 영향을 받는 감조 하천

• 밀물과 썰물의 영향으로 수위가 주기적으로 오르내리는 하천

• 영향: 밀물 때 하천 하류 주변 농경지에 염해 발생, 여름철 집중 호우와 만조가 겹치면 홍수 피해가 커질 수 있음

• 대책: 염해 방지, 용수 확보 등을 위해 하굿둑 건설(금강, 영산강, 낙동강)

② 하천 유역에 발달하는 지형

(1) 하천 중·상류 일대의 지형

① 감입 곡류 하천

• 산지 사이를 곡류하는 하천으로, 주변에 하안 단구 분포

• 신생대 지각 변동의 영향으로 지반 융기량이 많았던 대하천 중·상류의 산지 지역에 발달

② 하안 단구

• 과거의 하천 바닥이나 범람원이 지반 융기 또는 해수면 하강에 따른 하천 침식에 의해 현재의 범람원보다 높은 곳에 위치하게 된 계단 모양의 지형

• 고도가 높고 지면이 비교적 평탄하여 홍수 때에도 침수 위험이 낮아 농경지, 주거지, 교통로 등으로 이용

③ 선상지

• 산지의 골짜기 입구에 형성된 부채 모양의 퇴적 지형

• 하천이 유로가 좁은 산지에서 완만한 평지를 만나면서 유속이 감소함에 따라 토사가 퇴적되어 형성

• 구성: 선정, 선앙, 선단으로 구성

선정	선상지의 정상부로, 계곡물을 이용할 수 있어 소규모의 취락 입지
선앙	선상지의 중앙부로, 하천이 복류(伏流)하므로 지표수가 부족하여 수리 시설이 발달하지 않았던 과거에는 주로 밭이나 과수원 등으로 이용
선단	선상지의 말단부로, 용천이 분포하여 주거지, 논 등으로 이용

④ 침식 분지

• 산지로 둘러싸인 저지대로, 암석이 차별적인 풍화와 침식 작용을 받아 형성

• 변성암이나 퇴적암이 화강암을 둘러싸고 있는 지역이나 하천의 합류 지점에서 주로 발달

• 주거 및 농경 생활의 중심지로 발달 예 한강 유역의 춘천·양구(해안면), 낙동강 유역의 거창 등

• 산지로 둘러싸여 있어 기온 역전 현상이 나타나기도 함

(2) 하천 중·하류 일대의 지형

① 자유 곡류 하천

• 평야 위를 곡류하는 하천으로, 대하천 중·하류의 범람원 위를 흐르는 지류 하천에서 잘 형성

• 측방 침식이 우세하여 유로 변경이 잘 이루어짐 → 하중도, 우각호, 구하도 등 형성

② 범람원

• 하천의 범람으로 운반 물질이 장기간에 걸쳐 반복적으로 퇴적되어 형성

• 지형 특징: 자연 제방과 배후 습지로 구성

구분	해발 고도	퇴적 물질	전통적 토지 이용
자연 제방	높음	주로 모래질	밭, 취락
배후 습지	낮음	주로 점토질	논

③ 삼각주

• 하천이 운반한 물질이 하천 하구에 퇴적되어 형성

• 하천이 운반한 물질의 양이 조류에 의해 제거되는 물질의 양보다 많은 지역에서 잘 형성 예 낙동강 하구

③ 해안과 해안 지형

(1) 해안 지형을 형성하는 작용
① 파랑, 연안류, 조류, 바람 등에 의한 침식 작용과 퇴적 작용
② 지반의 융기, 기후 변화에 따른 해수면 변동

(2) 곶(串)과 만(灣)에서의 지형 형성 작용

구분	곶	만
형태	육지가 바다 쪽으로 돌출한 해안	바다가 육지 쪽으로 들어간 해안
특징	파랑 에너지 집중 → 침식 지형 발달	파랑 에너지 분산 → 퇴적 지형 발달
주요 지형	해식애, 파식대, 시 스택, 해식동 등	사빈, 해안 사구, 석호, 갯벌 등

(3) 우리나라 해안의 특징
① 동해안
  • 태백산맥과 함경산맥이 해안선과 대체로 평행하여 해안선이 단순함
  • 석호 발달, 신생대 지반 융기의 영향으로 해안 단구 분포
② 서·남해안
  • 산맥과 해안선의 방향이 대체로 교차하여 해안선이 복잡함
  • 한강, 금강 등 큰 하천의 운반 물질이 많고 조차가 크며 수심이 얕아 갯벌 발달
  • 큰 조차에 따른 특수 항만 시설 발달 ⑩ 인천의 갑문, 군산 등지의 뜬다리 부두 등

(4) 해안 침식 지형
① 형성: 주로 곶에서 파랑의 침식 작용으로 형성 → 기반암이 노출되어 있는 경우가 많음
② 관련 지형
  • 해식애: 파랑의 침식 작용으로 형성된 급경사의 해안 절벽
  • 파식대: 파랑의 침식 작용으로 형성된 비교적 평탄한 지형, 해식애와 연결되어 있으며 해식애가 육지 쪽으로 후퇴하면서 점점 넓어짐
  • 해식동: 해식애의 약한 부분이 집중적으로 침식되어 형성된 동굴
  • 시 아치: 파랑의 침식 작용으로 바위가 뚫려 형성된 아치 모양의 지형
  • 시 스택: 파랑의 침식 작용으로 주변부가 제거되고 남은 돌기둥 혹은 작은 바위섬
③ 해안 단구
  • 과거의 파식대나 해안 퇴적 지형이 지반 융기나 해수면 변동에 의해 현재 해수면보다 높은 곳에 위치하게 된 계단 모양의 지형
  • 지반 융기량이 많았던 동해안에 주로 발달, 농경지로 이용되거나 취락이 입지

(5) 해안 퇴적 지형
① 형성: 주로 만에서 파랑, 연안류, 조류 등의 퇴적 작용으로 형성
② 관련 지형
  • 사빈: 하천 또는 주변의 암석 해안으로부터 공급되어 온 모래가 파랑 및 연안류에 의해 퇴적되어 형성, 주로 해수욕장으로 이용
  • 해안 사구: 사빈의 모래가 바다로부터 불어오는 바람에 날려 퇴적되어 형성된 모래 언덕, 해일 피해를 완화하는 방파제 역할, 담수 저장 기능
  • 사주: 파랑 및 연안류에 의해 운반된 모래가 퇴적되어 형성된 좁고 긴 모래 지형
  • 육계도: 사주에 의해 육지와 연결된 섬
  • 육계사주: 육계도와 연결된 사주
  • 석호
    – 후빙기 해수면 상승으로 형성된 만의 입구에 사주가 발달하여 형성된 호수
    – 염분이 섞여 있어 농업용수로 활용하기에 어려움
    – 호수로 유입되는 하천의 퇴적 작용으로 규모가 점차 축소됨
    – 동해안에 집중적으로 분포, 관광 자원으로 활용
  • 갯벌
    – 조류의 퇴적 작용으로 형성
    – 밀물 때는 침수되고 썰물 때는 드러남
    – 하천에 의한 토사 공급량이 많고 조차가 크며 수심이 얕고 해안선이 복잡한 곳에서 잘 발달
    – 다양한 종류의 생물이 서식하고, 오염 물질 정화 기능이 있음
    – 태풍이나 해일 등의 피해를 완화해 주며, 주로 양식장이나 염전으로 이용

④ 하천 및 해안의 이용과 변화

(1) 인간 활동에 의한 하천 지형의 변화
① 물 자원 확보 및 전력 생산 등을 위해 댐, 저수지, 보 등 건설 → 수몰 지역 발생, 안개 발생 빈도 증가, 주변 식생 파괴 등
② 농경지 확보 및 시가지 확대를 위해 중·하류의 습지 개간 및 하천 직강화 → 하천 지형과 하천 생태계 파괴, 하류 일대의 홍수 위험 증가
③ 최근 생태 공간으로 하천의 역할이 강조되면서 복개 및 직강화된 하천을 생태 하천으로 복원하는 사업 진행

(2) 인간 활동에 의한 해안 지형의 변화
① 농경지와 산업용지 확보를 위해 간척 사업이 이루어짐 → 해양 생태계 변화, 어족 자원 감소, 해양 오염 심화 등
② 방조제, 방파제, 해안 도로 등 건설 → 바닷물의 흐름에 영향을 주어 해안 지형을 크게 변화시킴 ⑩ 사빈 침식, 해안 사구 파괴 등
③ 해안 보존을 위한 노력
  • 그로인: 일정한 간격을 두고 바다 쪽으로 축조한 구조물
  • 모래 포집기: 모래를 모으기 위해 해안에 설치한 인공 구조물

(가)	(나)	(다)
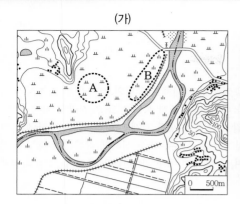	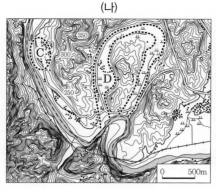	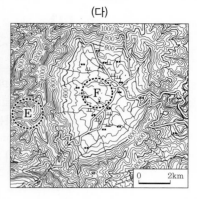

- (가)는 자유 곡류 하천과 그 주변 지역으로, A는 배후 습지, B는 자연 제방이다. 자유 곡류 하천은 중·하류의 저평한 지역을 흐르면서 측방 침식에 의해 유로 변경이 비교적 잘 일어나며, 집중 호우 시 유량이 많아지면 범람이 쉽게 일어나 그 주변에는 범람원이 잘 형성된다. 범람원은 자연 제방(B)과 배후 습지(A)로 구분되는데, 비교적 입자가 큰 물질이 퇴적되어 있는 자연 제방은 배수가 양호하여 주로 밭농사가 이루어지는 반면 입자가 작은 물질이 퇴적되어 있는 배후 습지는 배수가 불량하여 주로 논농사가 이루어진다.
- (나)는 감입 곡류 하천과 그 주변 지역으로, C는 하안 단구, D는 구하도이다. 상류 지역을 흐르는 감입 곡류 하천 역시 곡류 하도를 가지고 있으므로 측방 침식이 일어나 유로 변경이 일어나기도 하며, 하방 침식에 의해 하안 단구가 잘 발달한다. 구하도(D)와 하안 단구(C)는 과거 하천의 직접적인 영향을 받던 곳으로 둥근 자갈과 같은 하천 퇴적물이 쉽게 발견된다.
- (다)는 침식 분지로 주변 산지(E)의 주된 기반암인 변성암과 분지 바닥(F)의 주된 기반암인 화강암이 하천의 차별 침식을 받아 형성되며, 강우 시 주변 산지로부터 분지 바닥으로 하천수가 일시에 집중하므로 분지 바닥에는 충적층이 잘 발달한다.

(가)	(나)	(다)
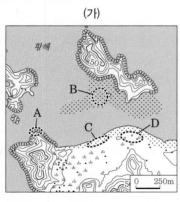	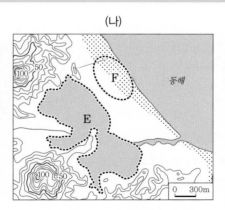	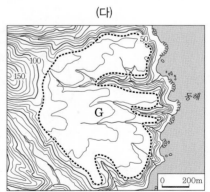

- (가)는 서해안 일대로, 곶(串)에 해당하는 A는 파랑의 침식 작용으로 기반암이 드러난 암석 해안이다. 암석 해안에는 해식애, 파식대 등이 발달한다. B는 조류의 퇴적 작용으로 형성되는 갯벌, C는 파랑과 연안류의 퇴적 작용으로 형성되는 사빈, D는 사빈의 모래가 바람에 이동되어 그 배후에 퇴적된 해안 사구이다. 바람에 이동되는 물질은 입자 크기가 상대적으로 작은 것이므로 사빈(C)보다 해안 사구(D)의 평균 입자 크기가 작다.
- (나)와 (다)는 동해안 일대로, E는 석호, F는 사주, G는 해안 단구의 단구면이다. 석호(E)는 만의 입구를 사주(F)가 막아 형성된 호수로 자연 상태에서 시간이 지나면 하천이 운반한 물질이 퇴적되면서 면적이 점차 줄어들며, 호수의 물은 바닷물이 유입되어 농업용수로 이용하기는 어렵다. 해안 단구는 과거 지반 운동 이전에 파랑의 영향을 받았던 파식대나 해안 퇴적 지형이 지반 융기 또는 해수면 하강으로 현재 해수면보다 높은 곳에 위치하게 된 계단 모양의 지형으로, 단구면(G)에서는 둥근 자갈 등이 발견되기도 한다.

01

▶ 24061-0023

다음 글의 ㉠~㉤에 대한 설명으로 옳지 <u>않은</u> 것은?

우리나라의 하천 중 ㉠<u>동해로 유입하는 하천</u>은 두만강을 제외하고 대체로 유로의 길이가 짧고 경사가 급하지만, 황해로 유입하는 하천은 유로의 길이가 길고 경사가 완만하다. 또한 황해는 조수 간만의 차가 커서 황해로 유입하는 하천의 하류에서는 ㉡<u>바닷물이 역류하는 감조 구간</u>이 제법 길게 나타나며, 이 구간에서 하천의 수위는 ㉢<u>주기적인 변동</u>이 일어난다. 한편, 우리나라의 하천은 상류부터 ㉣<u>심하게 곡류</u>하기 때문에 전체적인 유로의 길이는 유역 면적과 비교할 때 매우 긴 편이며, 유량에 비해 하상(河床)의 폭이 넓고 ㉤<u>하상계수</u>가 크다.

① ㉠은 신생대에 있었던 지각 운동의 결과에 따른 것이다.
② ㉡을 차단하기 위해 한강, 금강, 영산강 하구에 하굿둑이 설치되었다.
③ ㉢의 폭은 하구에 가까울수록 커진다.
④ ㉣의 특징을 보이는 상류 하천은 지반 융기의 영향을 받았다.
⑤ ㉤은 강수량의 계절 차가 크기 때문이다.

02

▶ 24061-0024

그래프는 지도에 표시된 세 지점의 시간대별 수위를 나타낸 것이다. (가)~(다)에 대한 설명으로 옳은 것만을 〈보기〉에서 있는 대로 고른 것은?

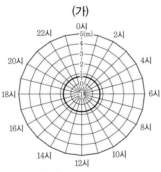 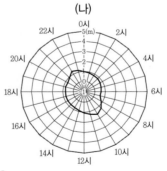 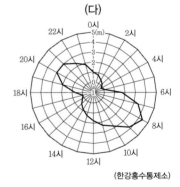

* 2023년 6월 5일의 수위 지표이며, 강수 현상은 없었음.

(한강홍수통제소)

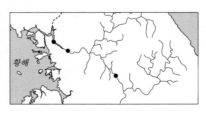

┌ **보기** ┐
ㄱ. (가)는 (다)보다 퇴적물의 평균 입자 크기가 크다.
ㄴ. (나)는 (가)보다 하구와의 거리가 멀다.
ㄷ. (다)는 (가)보다 하상의 해발 고도가 높다.
ㄹ. (다)는 (나)보다 조류의 영향을 크게 받는다.

① ㄱ, ㄴ   ② ㄱ, ㄹ   ③ ㄴ, ㄷ   ④ ㄱ, ㄷ, ㄹ   ⑤ ㄴ, ㄷ, ㄹ

03

▶ 24061-0025

다음 글의 ㉠~㉢ 하천에 대한 설명으로 옳은 것은?

- ㉠오십천은 태백시 동쪽에 위치한 백병산에서 발원하여 북서쪽으로 흐르다 삼척시 도계읍을 거쳐 바다로 들어가는 하천이다. 곡류가 매우 심하여 하류에서 상류까지 가려면 물을 오십번 정도 건너야 한다는 데서 이름이 붙여졌다고 하며, 1969년 이래로 연어 치어 방류 사업이 이루어지고 있다.
- 골지천은 태백시 검룡소에서 발원하여 정선군 여량면에서 송천과 합쳐지면서 조양강이 되고, 조양강은 다시 정선읍 가수리에서 지장천과 합쳐지면서 동강이 되고 …(중략)… 최종적으로 골지천의 물은 ㉡ 이 되어 바다로 들어간다. 정선군 임계면 골지리라는 마을명에서 이름이 유래하였는데, 골지는 골짜기의 방언이라고 한다.
- 황지천은 태백시 북서쪽에 위치한 금대봉에서 발원하여 남쪽으로 흘러 경상북도 봉화군 석포면에서 송정리천과 만나 ㉢ 이 되고, 이후 500여 km를 흘러 바다로 들어간다. 황지(黃池)라는 지명에서 이름이 유래되었는데, 황지는 황동지라는 부자의 집터가 연못이 되었다는 전설에서 비롯되었다고 한다.

① ㉠은 ㉡보다 하구에서의 조수 간만의 차가 크다.
② ㉠은 ㉢보다 하상의 평균 경사가 작다.
③ ㉡은 ㉠보다 유역 면적이 좁다.
④ ㉡은 ㉢보다 생활용수로 이용되는 양이 많다.
⑤ ㉢은 ㉠보다 하구 퇴적물의 평균 입자 크기가 크다.

04

▶ 24061-0026

(가) 하천과 비교한 (나) 하천의 상대적 특성으로 옳은 것만을 〈보기〉에서 고른 것은?

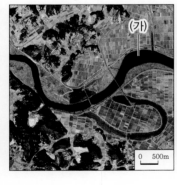

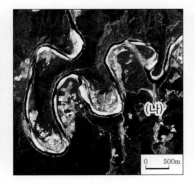

┌ 보기 ┐
ㄱ. 홍수 발생 시 침수 범위가 넓다.
ㄴ. 지반 융기의 영향을 많이 받았다.
ㄷ. 하천의 하방 침식 작용이 활발하다.
ㄹ. 주변 농경지가 논으로 이용되는 비율이 높다.

① ㄱ, ㄴ   ② ㄱ, ㄷ   ③ ㄴ, ㄷ   ④ ㄴ, ㄹ   ⑤ ㄷ, ㄹ

05

▶ 24061-0027

그림은 충적 평야를 모식적으로 나타낸 것이다. A~D에 대한 설명으로 옳은 것만을 〈보기〉에서 있는 대로 고른 것은? (단, A~D는 각각 배후 습지, 삼각주, 선상지, 자연 제방 중 하나임.)

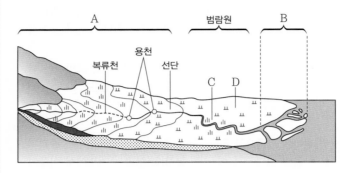

┌ 보기 ┐
ㄱ. B의 발달은 영산강 하구가 낙동강 하구보다 탁월하다.
ㄴ. A는 B보다 퇴적물의 평균 입자 크기가 크다.
ㄷ. C는 D보다 홍수 시 침수로 인한 피해 규모가 크다.

① ㄱ   ② ㄴ   ③ ㄱ, ㄷ   ④ ㄴ, ㄷ   ⑤ ㄱ, ㄴ, ㄷ

06

▶ 24061-0028

그림에 대한 설명으로 옳은 것만을 〈보기〉에서 고른 것은? (단, (가), (나)는 각각 자연 상태의 지표면, 포장 상태의 지표면 중 하나임.)

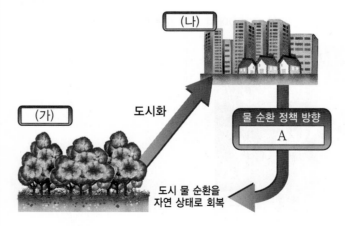

┌ 보기 ┐
ㄱ. A의 사례로 빗물 저장 시설의 확대를 들 수 있다.
ㄴ. (가)는 (나)보다 인근 하천의 범람 가능성이 크다.
ㄷ. (가)는 (나)보다 증발산량과 빗물의 지하 흡수량이 모두 많다.
ㄹ. (가)는 (나)보다 빗물이 인근 하천으로 유입하는 데 걸리는 평균 시간이 짧다.

① ㄱ, ㄴ   ② ㄱ, ㄷ   ③ ㄴ, ㄷ   ④ ㄴ, ㄹ   ⑤ ㄷ, ㄹ

07

▶ 24061-0029

지도는 우리나라의 해안을 셋으로 구분하여 나타낸 것이다. 이에 대한 설명으로 옳지 <u>않은</u> 것은?

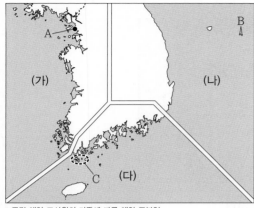

＊국립 해양 조사원의 기준에 따른 해안 구분임.

① A에는 조차 극복을 위한 특수 항만 시설이 있다.
② B 주변 해역은 조경 수역이 형성되어 어족 자원이 풍부하다.
③ C 섬들은 후빙기 해수면 상승으로 형성되었다.
④ (가)의 해안은 (나)의 해안보다 해안선의 굴곡도가 크다.
⑤ (나)의 해안은 (다)의 해안보다 간척지 면적이 넓다.

08

▶ 24061-0030

(가)~(라) 지형에 대한 설명으로 옳은 것은? (단, (가)~(라), A~D는 각각 갯벌, 사빈, 암석 해안, 해안 사구 중 하나임.)

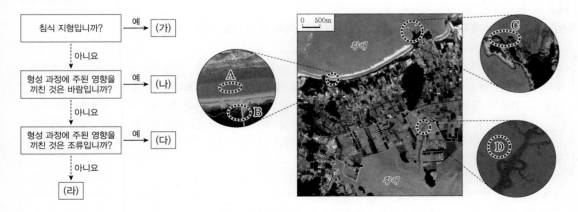

① (가)에 있는 절벽은 시간이 지날수록 점차 육지 쪽으로 후퇴한다.
② (나)는 만조 시에 바닷물에 잠긴다.
③ (다)는 담수 저장 기능이 있으며, 습지가 형성되기도 한다.
④ (라)는 (다)보다 퇴적물의 평균 입자 크기가 작다.
⑤ (가)는 C, (나)는 A, (다)는 D, (라)는 B이다.

09

▶ 24061-0031

(가), (나) 지역에 대한 설명으로 옳은 것은?

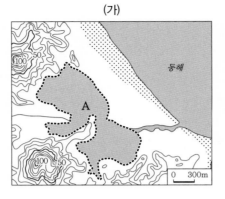

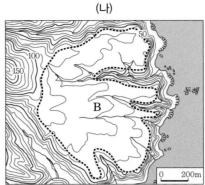

① A의 물은 주변 농경지의 농업용수로 직접 이용이 가능하다.

② B는 유동성이 큰 용암이 틈새 분출하여 형성되었다.

③ B는 A보다 지형의 형성 시기가 이르다.

④ A는 자연 상태에서 시간이 지날수록 점차 축소되고, B는 확대된다.

⑤ (가)의 해안은 (나)의 해안보다 평균적으로 파랑 에너지가 크다.

10

▶ 24061-0032

다음 글의 ㉠~㉣에 대한 설명으로 옳은 것만을 〈보기〉에서 있는 대로 고른 것은?

바다를 조망하기 위해 세워졌을 정자 바로 아래까지 모래가 쓸려 나갔다. 해안가에 심어져 있던 ㉠해송은 뿌리가 드러난 채 쓰러져 있다. 돌로 쌓은 제방 약 200m가 무너져 내렸고, 모래주머니로 보강한 해안가도 위태롭다. 볼음도 영뜰 해변의 모습이다. 해안 침식의 원인으로 ㉡기후 변화 등 자연적인 영향뿐만 아니라 ⸾ ㉢ ⸾ 등이 지목되고 있다. 해안 침식은 가속화될 것이다. 우리나라에서 연안 지역에 사는 인구는 1,400만 명 이상이다. 전체 인구의 약 27%에 달한다. 해안 침식, 이대로 두고만 볼 순 없다. 해안 침식 실태 조사와 근본적인 원인 규명, ㉣대책 마련이 필요하다.

┌ 보기 ┐
ㄱ. ㉠은 모래바람으로부터 해안 마을과 농경지를 보호하는 역할을 한다.
ㄴ. ㉡으로 인한 해수면 하강으로 해안 침식이 심화될 수 있다.
ㄷ. ㉢에는 '연안 지역의 개발 사업'이 들어갈 수 있다.
ㄹ. ㉣의 사례로 방파제와 방조제의 설치를 들 수 있다.

① ㄱ, ㄴ   ② ㄱ, ㄷ   ③ ㄴ, ㄹ   ④ ㄱ, ㄷ, ㄹ   ⑤ ㄴ, ㄷ, ㄹ

05 화산 지형과 카르스트 지형

① 화산 지형의 형성과 유형

(1) 형성: 지하 깊은 곳의 마그마와 가스가 지표로 분출하는 과정에서 형성

(2) 형성 시기: 주로 신생대 제3기 말~제4기

(3) 분포: 백두산 일대, 제주도, 울릉도, 철원·평강 일대 등

(4) 유형

종상 화산	순상 화산	용암 대지
• 급경사의 종 모양 화산 • 점성이 크고 유동성이 작은 마그마 분출 • 기반암: 주로 조면암, 안산암 • 울릉도, 백두산과 한라산의 정상부	• 완경사의 방패 모양 화산 • 점성이 작고 유동성이 큰 마그마 분출 • 기반암: 주로 현무암 • 백두산과 한라산의 산록부	• 용암으로 메워진 대지 • 점성이 작고 유동성이 큰 마그마의 열하 분출(틈새 분출) • 기반암: 주로 현무암 • 철원·평강, 개마고원 일대

② 주요 화산 지형

백두산	• 우리나라에서 해발 고도가 가장 높은 산 • 경사가 급한 산 정상부를 제외하면 전체적으로 경사가 완만함 • 압록강, 두만강 등의 발원지 • 천지: 분화 후 화구가 함몰되어 형성된 칼데라에 물이 고인 칼데라호
제주도	• 한라산: 정상부는 종상 화산, 산록부는 순상 화산을 이루는 복합 화산 • 백록담: 분화구에 물이 고인 화구호 • 기생 화산(측화산): 소규모 용암 분출이나 화산 쇄설물에 의해 형성된 작은 화산으로 한라산 산록부에 약 360여 개 분포, 제주도에서는 '오름', '악' 등으로 부름 • 용암 동굴: 주로 점성이 작은 용암이 흘러내릴 때 표층부가 하층부보다 먼저 냉각되어 형성 예 만장굴, 김녕굴, 협재굴 등 • 주상 절리: 용암이 냉각되는 과정에서 수축 작용으로 형성된 다각형 형태의 절리 • 현무암이 주요 기반암으로 농경지는 주로 밭과 과수원으로 이용, 대부분의 하천은 건천으로 용천대가 형성된 해안에 취락 발달

기생 화산	용암 동굴	주상 절리

울릉도	• 주로 점성이 큰 조면암질 마그마가 분출하여 형성된 종상 화산 • 나리 분지: 화구가 함몰되어 형성된 칼데라 분지 • 이중 화산체: 칼데라 분지 내부에서 마그마가 분출하여 형성된 중앙 화구구(알봉) 분포 • 주상 절리 및 해안 침식 지형 발달

철원·평강 용암 대지	• 점성이 작은 현무암질 마그마가 열하 분출하여 당시의 골짜기나 분지를 메워 형성 • 열하 분출: 지각의 길게 벌어진 틈으로 마그마가 솟아올라 주변으로 넘쳐흐르는 화산 분출 • 주상 절리: 임진강과 한탄강 주변에는 용암이 냉각되어 형성된 주상 절리가 수직 절벽을 이룸 • 논농사: 관개 시설을 이용하여 벼농사가 이루어짐

③ 카르스트 지형

(1) 형성과 분포

① **형성:** 석회암을 구성하는 탄산 칼슘이 빗물이나 지하수의 용식 작용을 받아 형성됨

② **용식 작용:** 물이 암석을 화학적으로 용해하는 작용으로 화학적 풍화 작용의 일종, 석회암이 용식 작용을 받아 형성된 지형을 카르스트 지형이라고 함

③ **분포:** 고생대 초기에 형성된 조선 누층군이 분포하는 강원도 남부, 충청북도 북동부, 경상북도 북부 일대

▲ 석회암 분포

(2) 주요 지형

돌리네	• 석회암 지대에서 빗물이 지하로 스며드는 배수구(싱크홀) 주변에서 빗물의 용식 작용 또는 석회 동굴의 함몰로 형성된 깔때기 모양의 우묵한 지형 • 인접한 두 개 이상의 돌리네가 합쳐지면 우발라가 됨 • 배수가 양호하여 주로 밭으로 이용
석회 동굴	• 석회암 지대에서 지하수의 용식 작용을 받아 형성된 동굴 • 동굴 내부에는 탄산 칼슘의 침전으로 형성된 종유석, 석순, 석주 등 발달 • 단양의 고수 동굴, 평창의 백룡 동굴, 영월의 고씨굴, 삼척의 환선굴, 울진의 성류굴 등은 관광 자원으로 활용

(3) 토양과 자원 활용

석회암 풍화토	• 석회암이 용식된 후 남은 철분 등이 산화되어 형성된 붉은색의 토양 • 배수가 양호함
시멘트 공업	• 석회석은 시멘트 공업의 주요 원료로 이용 • 석회석 채굴로 인한 카르스트 지형 훼손, 시멘트 제조 과정에서 분진 및 소음 문제 발생

〈용암 대지 모식도〉

〈용암 대지 지형도〉

〈용암 대지와 주상 절리(철원 한탄강 주상 절리길)〉

신생대 제4기 열하 분출한 현무암질 용암이 한탄강 유로를 따라 저지대를 메우면서 용암 대지가 형성되었다. 한탄강 일대의 용암 대지는 절리가 발달한 현무암 지대의 특성으로 인해 과거에는 밭농사의 비율이 높았으나 본격적인 수리 시설을 갖춘 후에는 벼농사가 활발하게 이루어지고 있다. 특히 철원에서 생산된 쌀은 지리적 표시제에 등록되어 있을 만큼 인기가 많다. 또한 한탄강 양안의 협곡을 따라 형성된 주상 절리는 훌륭한 관광 자원으로 활용된다.

철원 일대는 이중환의 택리지에 다음과 같이 기록되어 있다.

> 철원부는 태봉왕이었던 궁예가 도읍지로 정한 지역이다. 철원은 비록 강원도에 속해 있으나 ㉠들판에 있는 고을로서 서쪽은 경기도 장단군과 맞닿아 있다. 비록 ㉡땅은 메마르나 들이 넓고 산이 낮아 평탄하고 명랑하며 ㉢두 강 안쪽에 위치하였으니 두메 속에서 하나의 도회지를 이룬다. 들 복판에는 물이 깊고 ㉣벌레 먹은 듯한 검은 돌이 있는데 매우 이상스럽다.

㉠은 용암 대지를, ㉡은 절리가 발달한 현무암의 영향으로 토양 보수력이 낮음을 의미한다. ㉢은 한탄강과 임진강을, ㉣은 현무암을 의미한다.

〈카르스트 지형 모식도〉

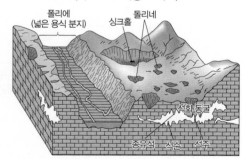

〈카르스트 지형도〉

〈석회 동굴(고수 동굴)〉

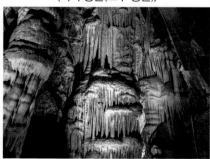

카르스트 지형은 탄산 칼슘($CaCO_3$)을 주성분으로 하는 석회암이 탄산가스를 포함한 빗물이나 지하수의 용식 작용을 받아 형성된 지형을 일컫는다. 석회암은 주로 바다에서 형성된 퇴적암으로, 조선 누층군이 분포하는 강원 남부, 충북 북동부, 경북 북부 등에서 쉽게 볼 수 있다.

대표적인 카르스트 지형으로는 지표면에 발달하는 돌리네와 우발라, 지하에 발달하는 석회 동굴이 있다. 돌리네와 우발라는 움푹 파인 웅덩이 모양의 와지로, 지형도에서는 저하 등고선(⟨⟩)으로 표현된다. 돌리네와 우발라는 토양층 형성에 유리한 완경사 사면에서 잘 발달하는데, 이는 토양층이 두꺼울수록 수분 함유율이 높아 석회암 용식에 유리하기 때문이다.

또한 석회 동굴 내부에는 탄산 칼슘($CaCO_3$)의 침전으로 다양한 지형이 발달하는데, 천장에 고드름처럼 성장한 종유석, 바닥에서 올라온 석순, 종유석과 석순이 만나서 형성된 석주 등이 있다. 석회 동굴 내부의 지형들은 독특한 경관을 보이므로 훌륭한 관광 자원으로 활용된다.

01

▶ 24061-0033

다음 글의 (가)~(다) 지역에 대한 설명으로 옳지 <u>않은</u> 것은? (단, (가)~(다)는 각각 지도에 표시된 세 지역 중 하나임.)

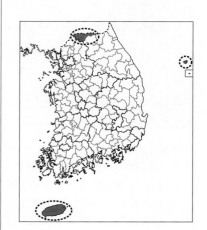

- (가) 에서 생산된 쌀은 2005년 농산물 지리적 표시제 제13호로 등록되었다. 겨울이 몹시 추운 (가) 은/는 병해충의 월동이 어려워 농약 살포가 적다. 또한 화산 활동으로 형성된 넓은 평야는 점토 함량이 높고 유기물이 풍부한 토양으로 덮여 있어 고품질 친환경 쌀을 생산할 수 있는 최적의 조건을 지니고 있다.
- (나) 의 삼나물은 2006년 임산물 지리적 표시제 제5호로 등록되었다. (나) 은/는 여름 기온이 낮아 고온으로 인한 피해가 적고 겨울이 온화하여 저온으로 인한 생육 저하도 나타나지 않아 삼나물 재배에 적합하다. 또한 잦은 적설과 높은 습도로 삼나물의 잎과 줄기가 연해 부담 없이 먹을 수 있다.
- (다) 의 녹차는 2008년 농산물 지리적 표시제 제50호로 등록되었다. (다) 은/는 유기물 함량이 높은 검은색 토양이 분포하고 겨울이 비교적 따뜻해 차나무의 생육이 빨라 다른 지역에 비해 수확도 빠르다. 특히 오염 물질의 유입이 거의 없고 화산 암반수를 이용하므로 미네랄과 영양분도 풍부하다.

① (나)에는 화구의 함몰로 형성된 칼데라 분지가 있다.
② (다)에는 유네스코에 등재된 세계 자연 유산이 있다.
③ (가)는 (다)보다 기생 화산이 많이 분포한다.
④ (다)는 (나)보다 지역 내 현무암의 비율이 높다.
⑤ (가)~(다)에서는 모두 주상 절리를 관찰할 수 있다.

02

▶ 24061-0034

다음 자료는 제주도 관광 지도이다. ㉠~㉢에 대한 설명으로 옳은 것은?

① ㉠은 기반암이 지하수의 용식 작용을 받아 형성되었다.
② ㉡은 소규모 화산체인 기생 화산이다.
③ ㉢은 화구가 함몰된 칼데라호이다.
④ ㉣에는 공룡 발자국 화석이 있는 중생대 퇴적층이 분포한다.
⑤ ㉤은 지질 구조선을 따라 관입한 마그마의 냉각으로 형성되었다.

03

▶ 24061-0035

지도의 A~E에 대한 설명으로 옳은 것만을 〈보기〉에서 고른 것은?

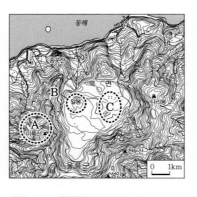

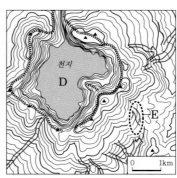

┌─ 보기 ┌
ㄱ. C는 밭보다 논의 비율이 높다.
ㄴ. E는 둘 이상의 돌리네가 연결된 우발라이다.
ㄷ. A는 B보다 산 정상부의 형성 시기가 이르다.
ㄹ. C와 D는 모두 화구의 함몰로 형성된 칼데라에 해당한다.

① ㄱ, ㄴ   ② ㄱ, ㄷ   ③ ㄴ, ㄷ   ④ ㄴ, ㄹ   ⑤ ㄷ, ㄹ

04

▶ 24061-0036

지도의 A~D에 대한 설명으로 옳은 것은?

① A는 소규모 용암 분출로 형성된 기생 화산이다.
② B의 논은 한탄강 범람에 대비한 제방을 설치한 후 개간되었다.
③ C의 절벽에는 유네스코 세계 자연 유산으로 등재된 천연 동굴이 있다.
④ D의 평탄면은 오랜 침식 이후 융기한 고위 평탄면이다.
⑤ A의 주된 기반암은 B의 주된 기반암보다 형성 시기가 이르다.

05

▶ 24061-0037

지도의 A~D에 대한 설명으로 옳은 것은?

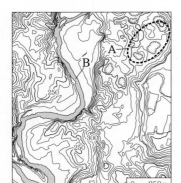
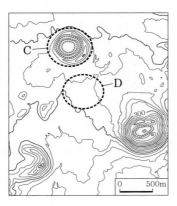

① B 하천 주변에는 주상 절리가 발달해 있다.

② C에는 용식 작용으로 형성된 동굴이 발달한다.

③ D에는 주로 회백색의 성대 토양이 분포한다.

④ A는 호우 시 B 하천의 범람으로 침수 피해가 빈번하다.

⑤ C의 주된 기반암은 A의 주된 기반암보다 형성 시기가 늦다.

06

▶ 24061-0038

다음 글의 ㉠~㉢에 대한 설명으로 옳지 않은 것은?

> 석회암 지대에서는 갈라진 틈으로 빗물이 스며들어 깔때기 모양으로 오목하게 패인   ㉠   이/가 만들어지는데, ㉡충북 단양 일대와 강원 영월, 정선 등에서 쉽게 볼 수 있다.   ㉠   내부에는 보통 싱크홀이 있는데, 싱크홀은 ㉢석회 동굴로 연결되기도 한다.   ㉠   은/는 비옥한 ㉣석회암 풍화토가 분포하여 ㉤농경지로 활용된다. 또한 인접한   ㉠   와/과 연결되어 규모가 커지면   ㉥   이/가 된다.

① ㉡에는 고생대 조선 누층군이 분포한다.

② ㉢ 내부에는 탄산 칼슘($CaCO_3$)이 침전된 지형이 잘 발달한다.

③ ㉣은 회백색의 산성 토양이다.

④ ㉤은 논보다 밭의 비율이 높다.

⑤ ㉠에는 '돌리네', ㉥에는 '우발라'가 들어간다.

THEME 06 우리나라의 기후 특성과 주민 생활

1 우리나라의 기후 특성

(1) 기후 요소와 기후 요인

① 기후 요소: 기후를 구성하는 대기 현상 예 기온, 강수, 바람, 습도 등

② 기후 요인: 기후 요소의 지역적 차이에 영향을 주는 요인

수륙 분포	육지와 바다의 비열 차에 의해 내륙은 해안보다 기온의 연교차가 큼
위도	저위도에서 고위도로 가면서 일사량의 감소로 기온이 낮아짐
지형	바람받이 사면은 비 그늘 사면보다 강수량이 많음
해류	한류가 흐르는 해안 지역은 여름철 기온이 낮고 강수량이 적음
해발 고도	해발 고도가 높아질수록 기온이 낮아짐

(2) 우리나라의 기후 특성

① 냉 · 온대 기후: 북반구 중위도에 위치하여 냉 · 온대 기후가 나타남

② 대륙성 기후: 유라시아 대륙 동안에 위치하여 비슷한 위도의 대륙 서안에 비해 기온의 연교차가 큼

③ 계절풍 기후: 겨울에는 한랭 건조한 북서 계절풍, 여름에는 고온 다습한 남서 · 남동 계절풍의 영향을 받음

(3) 우리나라의 기온 특성

① 연평균 기온의 분포

• 남에서 북으로, 해안에서 내륙으로 갈수록 대체로 낮아짐

• 지역 차는 동서 간보다 남북 간 차이가 큼

② 기온 분포의 지역 차

• 1월 평균 기온: 비슷한 위도에서는 동해안＞서해안＞내륙 순으로 높음, 지형과 해양의 영향으로 동해안이 비슷한 위도의 서해안보다 기온이 높음

• 8월 평균 기온: 1월 평균 기온에 비해 지역 차가 작음, 해발 고도가 높은 산지는 주변보다 기온이 낮음

③ 기온의 연교차와 일교차

• 기온의 연교차: 북부＞남부, 내륙＞해안, 서해안＞동해안

• 기온의 일교차: 봄 · 가을철＞여름철(장마철)

* 1991~2020년의 평년값임.

▲ 1월 평균 기온

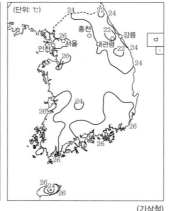

(기상청)

▲ 8월 평균 기온

(4) 국지적 기온 분포

기온 역전 현상	• 지표 부근의 기온이 상공의 기온보다 낮아지는 현상 • 기온의 일교차가 크고 바람이 없는 맑은 날 밤에 내륙 분지에서 잘 나타남 → 안개, 냉해 등 발생
열섬 현상	• 도시 중심부의 기온이 주변 지역보다 높게 나타나는 현상 • 건물 · 자동차 등에서 발생하는 인공 열, 포장 면적 증가 등이 원인 • 바람길 조성, 건물 옥상 녹화, 하천 복원 등으로 해소

(4) 우리나라의 강수 특성

① 연 강수량: 약 1,200~1,300mm로 습윤 기후임

② 강수의 계절 차

• 여름철에 강수가 집중됨(장마, 태풍 등이 원인)

• 여름 강수 집중률은 한강 중 · 상류가 높고 울릉도가 가장 낮음

③ 강수의 연 변동이 큼: 기단 발달, 장마 기간, 태풍의 내습 횟수 및 강도, 집중 호우의 발생 정도가 매년 다름

④ 강수의 지역 차: 풍향과 지형 등의 영향으로 강수량의 지역 차가 큼

• 다우지: 습윤한 남서 기류의 바람받이 지역(한강 중 · 상류, 청천강 중 · 상류), 제주도와 남해안 일대

• 소우지: 상승 기류가 발생하기 어려운 평야 지역(대동강 하류), 개마고원 일대, 관북 해안 지역, 영남 내륙 지역 등

⑤ 강설

• 북서풍 또는 북동 기류의 바람받이에 해당하는 지역에서 눈이 많이 내림

• 울릉도, 충청 및 호남 서해안(북서풍의 영향), 영동 지방(북동 기류의 영향)

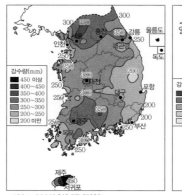

* 1991~2020년의 평년값임.

▲ 8월 강수량

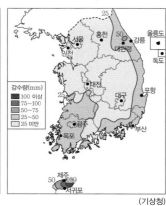

(기상청)

▲ 1월 강수량

(5) 우리나라의 바람 특성

① 계절풍: 대륙과 해양의 비열 차에 의해 발생함

• 여름: 북태평양에서 발달한 고기압의 영향으로 고온 다습한 남서 혹은 남동풍이 탁월함 → 벼농사, 대청마루 등의 발달에 영향

• 겨울: 시베리아에서 발달한 고기압의 영향으로 한랭 건조한 북서풍이 탁월함 → 김장, 온돌 등의 발달에 영향

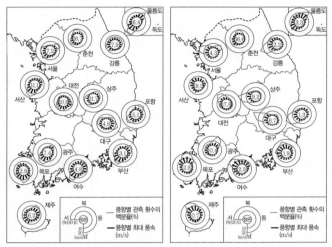

* 정온은 0.4m/s 이하를 의미하며, 단위는 %임.
** 1991~2020년의 평년값임. (기상청)

▲ 7월 바람   ▲ 1월 바람

② 높새바람

• 늦봄~초여름에 부는 북동풍으로, 푄 현상에 의해 영서 및 경기 지방에 영향을 미치는 고온 건조한 바람

• 기온과 습도의 동서 차이를 유발하며, 영서 및 경기 지방에 가뭄 피해를 일으키기도 함

(6) 계절별 기후 특성

① 봄

• 이동성 고기압과 저기압이 교대로 통과하여 날씨 변화가 심함

• 온난 건조한 날씨로 인해 가뭄과 산불이 잦음

• 시베리아 기단의 일시적 확장으로 꽃샘추위가 나타남

• 황사가 발생하면 대기 중 먼지 농도가 증가함

• 늦봄~초여름에 고온 건조한 높새바람이 영서·경기 지방으로 불기도 함

② 장마철

• 장마 전선에 다습한 남서 기류가 유입될 때 집중 호우가 발생함

• 습도와 불쾌지수가 높고, 일조 시간이 짧으며, 기온의 일교차가 매우 작음

③ 한여름

• 북태평양 기단의 영향으로 무더위와 열대야가 발생함

• 남고북저형 기압 배치로 남서·남동풍이 탁월함

• 소나기가 자주 발생하고 태풍의 영향을 받음

④ 가을

• 북상했던 장마 전선이 북태평양 기단의 약화로 다시 남쪽으로 내려와 짧은 가을장마가 발생함

• 이동성 고기압의 영향으로 쾌청한 날씨가 자주 나타남

⑤ 겨울

• 시베리아 기단의 영향으로 한랭 건조함

• 서고동저형 기압 배치로 북서풍이 탁월함

• 시베리아 기단의 주기적인 강약으로 삼한 사온 현상이 발생함

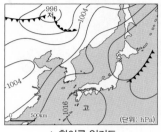

▲ 한여름 일기도   ▲ 겨울 일기도

② 기후와 주민 생활

(1) 기온과 주민 생활

① 의생활: 여름에는 통풍이 잘되는 삼베·모시옷, 겨울에는 보온에 유리한 솜·털·가죽옷을 입음

② 식생활: 계절에 맞는 음식 발달 예 봄 – 화전, 여름 – 삼계탕, 겨울 – 떡국과 만둣국 등

③ 주생활

• 추위에 대비한 온돌과 더위에 대비한 대청이 함께 나타남

• 겨울이 추운 북부 지방은 가옥 구조가 폐쇄적이고, 여름이 무더운 남부 지방은 가옥 구조가 개방적임

(2) 강수와 주민 생활

① 가옥 구조: 하천 주변 지역에서는 터돋움집을 지어 침수에 대비함, 울릉도의 전통 가옥에는 방설벽인 우데기가 있음

② 수리 시설: 강수의 계절적 편차가 심해 홍수와 가뭄에 대비하기 위해 저수지, 보, 다목적 댐 등을 설치함

(3) 바람과 주민 생활

① 남향의 배산임수 취락 입지: 한랭한 겨울 계절풍을 막을 수 있고 일조량이 많아 마을 입지에 유리함

② 제주도의 전통 가옥: 강풍에 대비하여 줄로 그물을 엮어 지붕을 덮음

③ 호남 지방의 까대기: 바람과 눈이 집 안으로 들어오는 것을 막기 위한 가옥 시설

(4) 기후가 경제생활에 끼치는 영향

① 날씨와 경제생활

• 제조업: 원자재 구입, 생산 및 출고량 조절 등에 날씨 정보를 활용함

• 서비스업: 날씨에 따라 진열 상품 및 상품별 매출액이 달라짐

② 기후와 경제생활

• 농업: 벼농사(여름철 고온 다습한 기후), 그루갈이(겨울철이 온화한 남부 지방), 고랭지 채소 재배(여름철 서늘한 고위 평탄면 일대)

• 지역 축제: 기후 특색을 활용하여 축제 개최 예 화천 산천어 축제(겨울), 대관령 눈꽃 축제(겨울), 진해 군항제(봄) 등

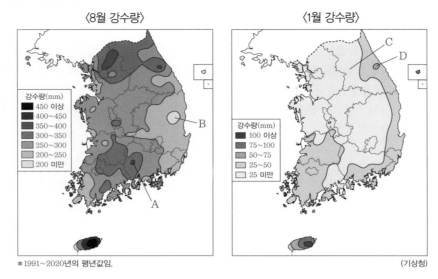

⟨8월 강수량⟩ 　⟨1월 강수량⟩

강수량(mm)
450 이상
400~450
350~400
300~350
250~300
200~250
200 미만

강수량(mm)
100 이상
75~100
50~75
25~50
25 미만

＊1991~2020년의 평년값임. 　　(기상청)

- 우리나라는 지형과 풍향에 따라 강수량의 지역 차가 발생한다.
- A 지역은 B 지역보다 8월 강수량이 많다. A는 남부 지방의 높은 산지인 지리산 부근으로 여름철 습한 남서 기류가 불어올 때 바람받이에 해당하여 강수량이 많다. 반면에 B는 여름철 남서 기류 유입 시 비 그늘에 해당하여 수분 공급이 적은 데다가 소백산맥과 태백산맥으로 둘러싸인 내륙에 위치하기 때문에 강수량이 적다.
- D 지역은 C 지역보다 1월 강수량이 많다. D는 겨울철에 바다를 건너온 북동 기류의 바람받이에 해당하여 강수량(강설량)이 많고, C는 북동 기류가 불어올 때 태백산맥의 비 그늘에 해당하여 D보다 강수량(강설량)이 적다.

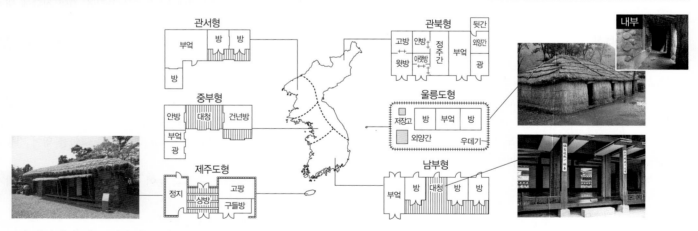

관서형 / 관북형 / 내부 / 중부형 / 울릉도형 / 제주도형 / 남부형

- 우리나라의 전통 가옥에는 기후의 영향이 반영된 특수한 시설이 설치되어 있다. 따라서 전통 가옥 구조를 살펴보면 해당 지역의 기후 특성을 파악할 수 있다.
- 관북형: 겨울이 매우 춥기 때문에 방을 '田'자형으로 배치한 폐쇄적인 구조이다. 또한 추운 겨울에 실내에서 활동할 수 있는 공간인 정주간을 설치하였다.
- 남부형: 넓은 대청마루를 설치하고 '一'자형의 개방적인 구조를 갖추어 통풍이 잘되므로 무더운 여름을 지내기에 유리하다.
- 울릉도형: 겨울에 눈이 많이 내리기 때문에 방설(防雪) 및 방풍(防風) 기능을 하는 우데기를 설치하여 집 안에 통로와 작업 공간을 확보하였다.
- 제주도형: 곡물 저장 창고로 쓰이는 고팡이라는 공간이 있다. 또한 바람이 많이 부는 기후 특성을 고려하여 지붕을 새끼줄로 엮어 그물 모양으로 덮어 놓았으며 집 둘레에는 돌담을 쌓았다.

01

▶ 24061-0039

다음은 한국지리 수업 장면이다. 발표 내용이 옳은 학생만을 있는 대로 고른 것은?

(가) 지역과 비교한 (나) 지역의 상대적 기후 특성을 발표해 볼까요?

갑: 기온의 연교차가 커요.

을: 강수량의 계절 차가 커요.

병: 연 강수량이 많아요.

정: 최한월 평균 기온이 높아요.

① 갑, 을 ② 갑, 병 ③ 을, 정 ④ 갑, 을, 병 ⑤ 을, 병, 정

02

▶ 24061-0040

다음 글의 ⊙~②에 해당하는 사례로 옳은 것만을 〈보기〉에서 고른 것은?

기후 요인은 기온, 강수, 바람 등의 기후 요소가 지역별로 차이가 나는 데 영향을 주는 요인이다. ⊙육지와 바다의 비열 차에 의해 해안은 내륙보다 기온의 연교차가 작고, ⓒ저위도에서 고위도로 가면서 일사량의 감소로 기온이 낮아지며, ©비 그늘 사면은 바람받이 사면보다 강수량이 적다. 또한 ②해발 고도가 높아질수록 기온은 낮아진다.

┌ 보기 ┐
ㄱ. ⊙ - 인천은 홍천보다 기온의 연교차가 작다.
ㄴ. ⓒ - 강릉은 포항보다 연평균 기온이 낮다.
ㄷ. © - 겨울철 북동 기류의 영향을 받는 시기에 강릉은 홍천보다 강설량이 적다.
ㄹ. ② - 홍천은 대관령보다 최난월 평균 기온이 낮다.

① ㄱ, ㄴ ② ㄱ, ㄷ ③ ㄴ, ㄷ ④ ㄴ, ㄹ ⑤ ㄷ, ㄹ

03

▶ 24061-0041

그래프는 지도에 표시된 각 지역의 기후 자료이다. A∼G 지역에 대한 설명으로 옳은 것은?

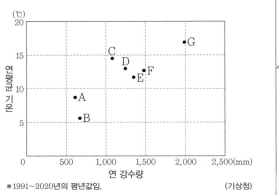

* 1991∼2020년의 평년값임.

(기상청)

① G의 전통 가옥에는 겨울철 추위에 대비한 시설인 정주간이 있다.

② B는 D보다 젓갈과 소금, 고춧가루 등을 많이 넣어 김치를 담근다.

③ C는 F보다 기온의 연교차가 크다.

④ A와 E는 내륙, B와 C는 해안에 위치한다.

⑤ A∼G 중 여름 강수 집중률이 가장 높은 곳은 F이다.

04

▶ 24061-0042

다음은 한국지리 온라인 수업의 한 장면이다. 답글의 내용이 옳은 학생만을 있는 대로 고른 것은?

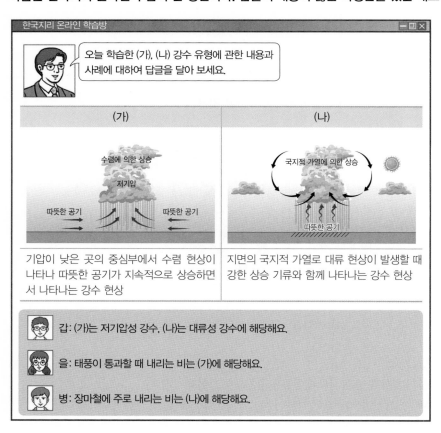

① 갑   ② 병   ③ 갑, 을   ④ 을, 병   ⑤ 갑, 을, 병

05

▶ 24061-0043

그래프는 지도에 표시된 (가)~(다) 지역의 상대적 기후 특성을 나타낸 것이다. A~C에 해당하는 기후 지표로 옳은 것은?

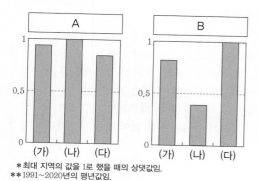
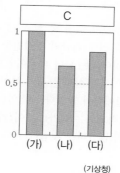
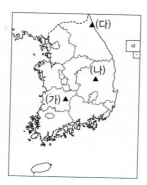

*최대 지역의 값을 1로 했을 때의 상댓값임.
**1991~2020년의 평년값임.

(기상청)

	A	B	C
①	겨울 강수량	기온의 연교차	여름 강수량
②	여름 강수량	겨울 강수량	기온의 연교차
③	여름 강수량	기온의 연교차	겨울 강수량
④	기온의 연교차	겨울 강수량	여름 강수량
⑤	기온의 연교차	여름 강수량	겨울 강수량

06

▶ 24061-0044

지도는 두 시기의 풍향과 풍속을 나타낸 것이다. (가), (나) 시기에 대한 설명으로 옳은 것은? (단, (가), (나) 시기는 각각 1월, 7월 중 하나임.)

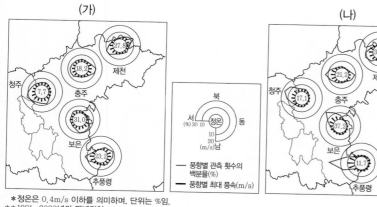

*정온은 0.4m/s 이하를 의미하며, 단위는 %임.
**1991~2020년의 평년값임.

(기상청)

① (가) 시기에는 서고동저형의 기압 배치가 주로 나타난다.
② (나) 시기에 보은은 북서풍보다 남동풍의 발생 빈도가 높다.
③ (나) 시기에는 대륙성 기단보다 해양성 기단의 영향을 많이 받는다.
④ (가) 시기는 (나) 시기보다 상대 습도가 높다.
⑤ (나) 시기는 (가) 시기보다 평균 기온이 높다.

07

▶ 24061-0045

다음 글의 (가) 시기에 나타나는 특징으로 가장 적절한 것은?

> **'빅 데이터를 통해 본 날씨와 편의점 매출의 상관관계'**
>
> 편의점 업계는 해마다 [(가)]이/가 되면 각 점포 앞 판매대에 우산을 진열해 두며 판촉 활동을 펴 왔습니다. [(가)]에는 한대 기단과 열대 기단의 경계면을 따라 형성되는 정체 전선의 영향으로 비가 많이 내리니 당연히 우산 수요가 늘어날 것이라는 판단 때문이었죠. 하지만 늘상 비가 오는 시기임에도 우산은 생각만큼 많이 팔리지 않았습니다. 데이터를 살펴본 결과 특이한 사실을 확인할 수 있었습니다. [(가)]보다는 오히려 6월 초·중순에 우산 판매량이 많았다는 것입니다. [(가)]에는 대부분의 사람들이 집에서 미리 우산을 챙겨 나오는 반면, 본격적으로 [(가)]이/가 시작되기 전에는 우산 없이 집을 나섰다가 갑자기 쏟아지는 비에 우산을 사는 경우가 많았다는 것입니다.

① 단풍이 절정을 이룬다.
② 높은 기온과 습도로 불쾌지수가 높다.
③ 일조량이 풍부하여 농작물 수확이 한창이다.
④ 오호츠크해 기단의 영향으로 영서 지방에 가뭄이 발생한다.
⑤ 작은 모래나 흙먼지가 편서풍을 타고 날아오는 황사 현상이 나타난다.

08

▶ 24061-0046

다음 자료의 (가)~(다) 전통 가옥 구조에 대한 설명으로 옳은 것만을 〈보기〉에서 고른 것은? (단, A~C는 각각 대청, 우데기, 정주간 중 하나임.)

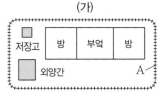

(가)

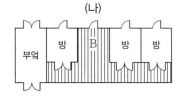

(나)

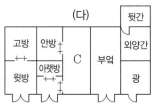

(다)

> 우리나라의 전통 가옥 구조를 살펴보면 기후의 영향을 받아 설치된 특수한 시설들을 볼 수 있다. 따라서 전통 가옥 구조를 통해 해당 지역의 기후 특성을 추론해 볼 수 있다.

| 보기 |
ㄱ. (가)의 A는 많은 눈이 내려 쌓일 때 생활 공간 확보를 위해 설치한 방설벽이다.
ㄴ. (나)의 B는 여름이 덥고 습한 남부 지방의 기후 특성을 반영한 것이다.
ㄷ. (다)의 C는 채광과 통풍에 유리한 공간이다.
ㄹ. (나)는 겹집, (다)는 홑집 구조이다.

① ㄱ, ㄴ ② ㄱ, ㄷ ③ ㄴ, ㄷ ④ ㄴ, ㄹ ⑤ ㄷ, ㄹ

09

▶ 24061-0047

그래프의 (가)~(다)는 지도에 표시된 세 지역의 기후 값 차이를 나타낸 것이다. 이에 대한 설명으로 옳은 것은?

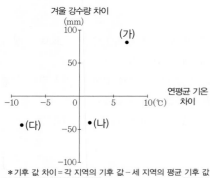

* 기후 값 차이 = 각 지역의 기후 값 − 세 지역의 평균 기후 값
** 1991~2020년의 평년값임.
(기상청)

① (가)는 냉대 기후 지역이다.
② (나)는 (가)보다 최난월 평균 기온이 높다.
③ (나)는 (다)보다 해발 고도가 높다.
④ (다)는 (가)보다 겨울 강수량이 많다.
⑤ (가)~(다) 중 여름 강수 집중률이 가장 높은 곳은 (나)이다.

10

▶ 24061-0048

다음은 한국지리 기후 단원의 모둠 활동이다. 분석 내용이 옳지 않은 모둠은?

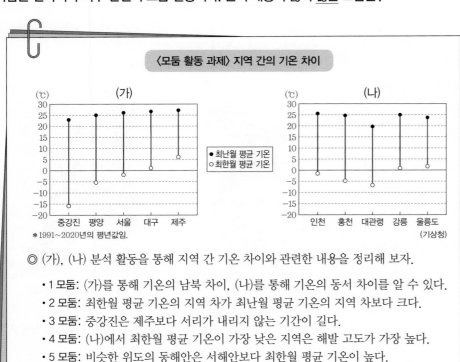

◎ (가), (나) 분석 활동을 통해 지역 간 기온 차이와 관련한 내용을 정리해 보자.

· 1 모둠: (가)를 통해 기온의 남북 차이, (나)를 통해 기온의 동서 차이를 알 수 있다.
· 2 모둠: 최한월 평균 기온의 지역 차가 최난월 평균 기온의 지역 차보다 크다.
· 3 모둠: 중강진은 제주보다 서리가 내리지 않는 기간이 길다.
· 4 모둠: (나)에서 최한월 평균 기온이 가장 낮은 지역은 해발 고도가 가장 높다.
· 5 모둠: 비슷한 위도의 동해안은 서해안보다 최한월 평균 기온이 높다.

① 1 모둠   ② 2 모둠   ③ 3 모둠   ④ 4 모둠   ⑤ 5 모둠

① 자연재해

(1) **의미**: 자연환경 요소들이 인간 생활에 피해를 주는 현상

(2) **기후적 요인에 의한 자연재해**

① 기온에 의한 재해

폭염	매우 심한 더위, 주로 장마가 끝난 후 발생
한파	한랭한 공기가 유입되어 기온이 급격히 내려가는 현상, 주로 겨울철에 발생

② 강수에 의한 재해

가뭄	• 오랜 기간 비가 내리지 않거나 강수량이 적어 물 부족을 겪는 현상 • 진행 속도가 느리고 피해 범위가 넓음
홍수	집중 호우 등으로 하천이 범람하여 그 주변 지역이 침수되는 현상
대설	• 짧은 시간에 많은 눈이 내리는 현상 • 비닐하우스·축사·건물 등 붕괴, 교통 혼잡 유발

③ 바람에 의한 재해

태풍	• 주로 늦여름~초가을에 걸쳐 우리나라에 영향을 줌 • 풍수해를 일으키며, 내륙 지역보다 해안 및 섬 지역에 많은 피해를 줌

(3) **지형적 요인에 의한 자연재해**

지진	• 지구 내부 에너지에 의해 땅이 갈라지거나 흔들리는 현상 • 지반 침하 및 건축물 붕괴 등의 1차 피해와 산사태·화재 등의 2차 피해 발생 • 최근 경북 지역에서 지진으로 많은 피해가 발생하였음

② 기후 변화

(1) **기후 변화의 요인**

① 자연적 요인: 태양 활동, 지구와 태양 간 거리 변화 등

② 인위적 요인: 화석 에너지 사용량 증가에 따른 온실가스 배출량 증가, 삼림 파괴, 산업화·도시화에 따른 지표 변화 등

(2) **우리나라의 기후 변화**

① 기온 변화

• 지난 100년간 연평균 기온이 세계 평균(약 0.74℃)의 2배 이상 (약 1.7℃) 상승함

• 산간 지역이나 농어촌 지역에 비해 대도시의 기온 상승 폭이 큰 편임

• 열대일은 발생 빈도 증가, 한파일·서리일은 발생 빈도 감소 추세

② 강수 변화

• 연 강수량은 대체로 증가, 연 강수 일수는 감소

• 집중 호우의 발생 빈도는 증가 추세

(3) **기후 변화의 영향**

① 계절: 여름은 길어지고 겨울은 짧아짐

② 농작물: 재배 북한계선 및 재배 적지 북상

③ 식생: 냉대림 분포 면적 축소, 난대림 분포 면적 확대

④ 병충해 및 열대성 질병 발생 증가, 태풍의 세력 강화 등

(4) **기후 변화의 대책**

① 지구적 차원: 유엔 기후 변화 협약 채택(1992년), 교토 의정서 채택(1997년), 파리 협정 채택(2015년)

② 국가적 차원: 온실가스 배출량을 줄이기 위한 다양한 정책 시행
예 탄소 배출권 거래제, 친환경 정책 도입 등

③ 개인적 차원: 에너지 고효율 제품 사용, 대중교통 이용 등

③ 식생과 토양

(1) **식생**

① 식생의 수평적 분포: 위도에 따른 기온 차이가 반영됨

• 난대림: 제주도, 남해안, 울릉도 저지대(상록 활엽수림)

• 온대림: 우리나라 대부분 지역(침엽수와 낙엽 활엽수의 혼합림)

• 냉대림: 개마고원, 고산 지역(침엽수림)

② 식생의 수직적 분포: 해발 고도에 따른 기온 차이가 반영됨

(2) **토양**

① 성숙토: 토양 생성 기간이 길어 토양층의 발달이 뚜렷함

성대 토양 (기후와 식생의 영향)	회백색토	한랭한 기후, 개마고원 일대
	갈색 삼림토	남해안과 개마고원 일대를 제외한 대부분 지역
	적색토	남해안 일대
간대토양 (주로 기반암의 영향)	석회암 풍화토	• 강원도 남부, 충청북도 북동부 등 • 붉은색, 주로 밭농사가 이루어짐
	현무암 풍화토	• 제주도 일대 • 주로 흑갈색

② 미성숙토: 토양 생성 기간이 짧아 토양층이 잘 구분되지 않음

• 충적토: 하천 주변에 퇴적된 토양으로 대체로 비옥함

• 염류토: 간척지와 하구 부근의 염분이 많은 토양

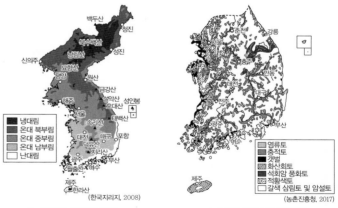

▲ 식생의 수평적 분포　　　　▲ 우리나라의 토양 분포

(3) **지속 가능한 식생 및 토양 관리**

① 식생과 인간 활동: 산업화·도시화, 경작지 확대 등으로 식생 파괴 → 조림 사업, 경제림 조성 등

② 토양과 인간 활동: 산업화·도시화로 토양 침식 가속화, 토양 오염 심화 → 사방 공사, 계단식·등고선식 경작, 유기질 비료 사용, 객토 사업 등

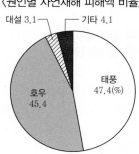

〈원인별 자연재해 피해액 비율〉

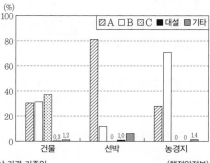

〈시설별·원인별 자연재해 피해액 비율〉

＊2012~2021년의 누적 피해액이며, 2021년 환산 가격 기준임. (행정안전부)

- 지역별 자연재해 피해 상황은 조금씩 다르지만, 우리나라는 강수의 계절 차와 연 변동이 크고 태풍이 통과하므로 대체로 기후적 요인에 의한 자연재해가 잦은 편이다. 태풍은 주로 여름~초가을에 발생하며, 우리나라 부근을 통과할 때 강한 바람과 비를 동반하여 피해를 준다. 호우는 많은 비로 하천이 범람하여 가옥이나 농경지 침수 등의 피해가 발생한다. 한꺼번에 많은 눈이 내리는 대설(폭설)은 비닐하우스, 축사, 건물 등의 붕괴와 교통 장애를 유발한다.
- 시설별·원인별 자연재해 피해액 비율을 살펴보면 선박의 경우 폭풍이나 해일을 일으키는 태풍의 피해액이 가장 많으므로 A는 태풍, 농경지 피해액에서 가장 높은 비율을 보이는 B는 호우로 판단할 수 있다. 또한 다른 시설보다 건물에서 피해액 비율이 높은 C는 지진으로 판단할 수 있다.

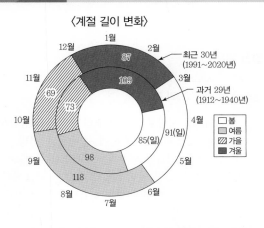

〈계절 길이 변화〉

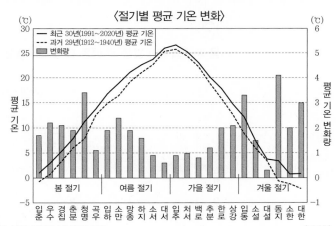

〈절기별 평균 기온 변화〉

＊계절 길이, 평균 기온 변화 및 차이: 6개 기상 관측 지점(강릉, 서울, 인천, 대구, 부산, 목포)을 평균하여 산출 (기상청)

- 과거 29년 대비 최근 30년의 계절 길이 변화를 살펴보면 봄과 여름 시작일은 빨라지고 가을과 겨울 시작일은 늦어졌으며, 봄과 가을의 변화보다 여름과 겨울의 변화가 더 큼을 알 수 있다. 특히 여름은 과거 29년 대비 20일이 길어져 최근 30년 기준 118일로 가장 긴 계절이 되었고, 과거 29년 기준 109일로 가장 긴 계절이었던 겨울은 최근 30년 기준 87일로 22일이 짧아져 기후 변화를 실감케 한다.
- 우리의 생활과 밀접한 관련이 있는 24절기의 과거 29년 대비 최근 30년의 평균 기온 변화를 살펴보면 모든 절기에서 기온이 상승(+0.3~4.1℃)하였으며, 대체로 최난월에 해당하는 절기보다 최한월에 해당하는 절기의 기온 상승이 뚜렷함을 알 수 있다. 개구리가 깨어난다는 경칩의 경우 2.1℃ 상승(3.3℃ → 5.4℃)하였고, 가장 더운 절기를 의미하는 대서는 0.6℃ 상승(25.4℃ → 26.0℃)하였으며, 가을의 시작을 알리는 입추는 최근 30년 기준 26.7℃(과거 29년 대비 0.9℃ 상승)로 24절기 중 가장 높은 기온 분포를 보였다. 또한 밤이 가장 길다는 동지의 경우 4.1℃ 상승(-0.6℃ → 3.5℃)하여 24절기 중 기온 상승 폭이 가장 컸다.

01

▶ 24061-0049

다음 자료는 과거에 발생했던 자연재해 기록 내용의 일부이다. ㉠, ㉡ 자연재해에 대한 설명으로 옳은 것만을 〈보기〉에서 고른 것은? (단, ㉠, ㉡은 각각 지진, 태풍 중 하나임.)

- 경상도 안동·청도·선산·보천·의성·의흥·군위·보성·문경과 충청도 충주·청풍·괴산·단양·연풍·음성에 [㉠]이/가 있었는데, 안동은 더욱 심하여 가옥들의 기와가 떨어질 정도였다.

  – 『태종실록』 –

- 제주 안무사[*]가 보고하기를, "7월 27일 밤에 ㉡큰 비바람이 쳐서 읍성의 동문과 관사, 민가들이 많이 무너지고 나무들이 모두 뿌리째 뽑히고, 여러 포구의 선박들도 많이 떠내려가고 깨지고 하였사온데, 대정과 정의 두 고을도 이와 같습니다." 하였다.

  – 『세종실록』 –

  * 안무사: 조선 시대에 지방에 파견하였던 특사의 일종

┌─ 보기 ─
ㄱ. ㉡의 강수 현상은 강한 일사로 인해 발생하는 대류성 강수이다.
ㄴ. 우리나라에서 ㉡ 피해가 발생하는 횟수는 겨울보다 여름에 많다.
ㄷ. 농경지 시설 피해액에서 차지하는 비율은 ㉠이 ㉡보다 높다.
ㄹ. ㉠은 지형적 요인, ㉡은 기후적 요인에 의해 발생하는 자연재해이다.
└─

① ㄱ, ㄴ   ② ㄱ, ㄷ   ③ ㄴ, ㄷ   ④ ㄴ, ㄹ   ⑤ ㄷ, ㄹ

02

▶ 24061-0050

다음 자료의 (가) 발생 시 행동 요령으로 가장 적절한 것은?

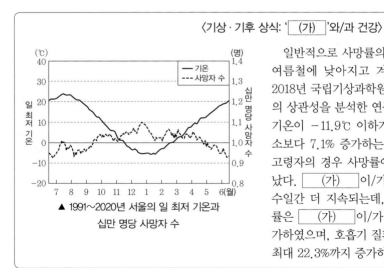

〈기상·기후 상식: '[(가)]'와/과 건강〉

▲ 1991~2020년 서울의 일 최저 기온과 십만 명당 사망자 수

일반적으로 사망률의 월별 변화는 기온과 상관성이 높아 여름철에 낮아지고 겨울철에 높아지는 경향을 보인다. 2018년 국립기상과학원이 겨울철 사망률 증가와 기온 변화의 상관성을 분석한 연구 결과에 따르면, 서울에서 일 최저 기온이 −11.9℃ 이하가 되면 다음날 질병 사망자 수는 평소보다 7.1% 증가하는 것으로 나타났다. 특히 65세 이상 고령자의 경우 사망률이 11.6%까지 증가하는 것으로 나타났다. [(가)]이/가 건강에 끼치는 영향은 고령자에게 수일간 더 지속되는데, 질환별로 심뇌혈관 질환자의 사망률은 [(가)]이/가 지나간 5일 후 최대 12.3%까지 증가하였으며, 호흡기 질환자의 사망률은 [(가)] 3일 후 최대 22.3%까지 증가하는 것으로 나타났다.

① 동파 방지를 위해 수도 계량기는 미리 보온 조치를 합니다.
② 스노 체인, 염화 칼슘, 삽 등 자동차 월동용품을 준비합니다.
③ 선박이나 어망·어구 등은 미리 묶어 두어 피해를 최소화하도록 합니다.
④ 탁자 아래와 같이 집 안에서 안전하게 대피할 수 있는 공간을 미리 파악해 둡니다.
⑤ 집에서 가까운 병원의 연락처를 알아두고, 본인과 가족의 열사병 증상을 확인합니다.

03

▶ 24061-0051

그래프는 시설별·원인별 자연재해 피해액을 나타낸 것이다. (가)~(라) 자연재해에 대한 설명으로 옳은 것은? (단, (가)~(라)는 각각 대설, 지진, 태풍, 호우 중 하나임.)

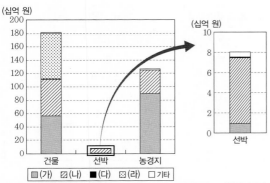

*2012~2021년의 누적 피해액이며, 2021년 환산 가격 기준임.　　(행정안전부)

① (나)는 시베리아 기단이 세력을 확장할 때 주로 발생한다.
② (다)는 강한 바람과 많은 비를 동반하여 풍수해를 유발한다.
③ 2012~2021년 (라) 피해액이 가장 많은 지역은 경북이다.
④ (다)는 (가)보다 우리나라의 연 강수량에 미치는 영향이 크다.
⑤ (라)는 (나)보다 2012~2021년 연평균 피해액이 많다.

04

▶ 24061-0052

다음 자료는 서로 다른 두 지역에 거주하는 학생들이 비슷한 시기에 받은 재난 안전 문자 내용이다. ㉠, ㉡에 해당하는 자연재해로 옳은 것은?

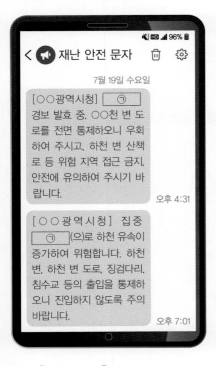
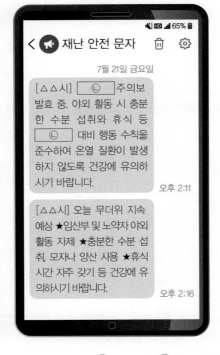

	㉠	㉡			㉠	㉡
①	지진	폭염		②	태풍	호우
③	호우	태풍		④	호우	폭염
⑤	폭염	태풍				

05

▶ 24061-0053

표와 같은 변화 추세가 지속될 경우 한반도에서 나타날 것으로 예상되는 현상으로 옳은 것은?

〈온실가스 배출 정도에 따른 우리나라의 기후 전망〉

현재 (2000~2019년)		평균 기온(℃) 11.9	최고 기온(℃) 17.3	최저 기온(℃) 7.2
고탄소 시나리오*	21세기 전반기 (2021~2040년)	13.3 (+1.4)	18.8 (+1.5)	8.6 (+1.4)
	21세기 중반기 (2041~2060년)	14.7 (+2.8)	20.2 (+2.9)	10.1 (+2.9)
	21세기 후반기 (2081~2100년)	18.2 (+6.3)	23.7 (+6.4)	13.6 (+6.4)

* 고탄소 시나리오: 우리나라의 연평균 기온이 21세기 중반기부터 급격하게 상승할 것으로 전망
** 괄호 안의 숫자는 현재 대비 미래의 변화 폭을 의미함.

(국립기상과학원)

① 서리 일수가 증가한다.
② 단풍이 드는 시기가 빨라진다.
③ 난대림의 북한계선이 남하한다.
④ 한라산 고산 식물의 분포 범위가 넓어진다.
⑤ 해안 저지대의 침수 위험 지역이 넓어진다.

06

▶ 24061-0054

그래프는 지도에 표시된 네 지역의 기온 변화를 나타낸 것이다. 이에 대한 설명으로 옳지 <u>않은</u> 것은?

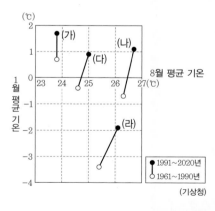

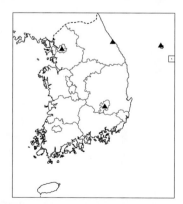

① 평균 기온의 변화는 1월이 8월보다 크다.
② 8월 평균 기온의 변화가 가장 큰 곳은 대구이다.
③ 강릉은 울릉도보다 1월과 8월 모두 평균 기온의 변화가 크다.
④ 대구와 서울은 강릉과 울릉도보다 1월 평균 기온의 상승 폭이 크다.
⑤ (나)와 (라)의 위도 차이는 (다)와 (라)의 위도 차이보다 크다.

07

▶ 24061-0055

지도는 두 시기의 한반도 식생 분포를 나타낸 것이다. (가) 시기와 비교한 (나) 시기의 상대적 특성을 그림의 A~E에서 고른 것은?

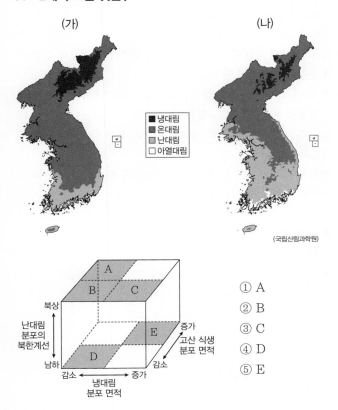

(국립산림과학원)

① A
② B
③ C
④ D
⑤ E

08

▶ 24061-0056

지도에 표시된 A~C 토양의 특성으로 옳은 것만을 〈보기〉에서 고른 것은? (단, A~C는 각각 갈색 삼림토, 석회암 풍화토, 충적토 중 하나임.)

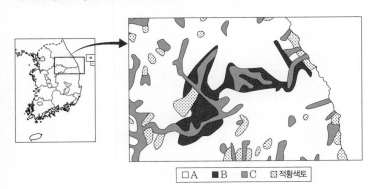

┌ 보기 ┐
ㄱ. A는 기반암의 성질이 잘 반영된 간대토양이다.
ㄴ. B 분포 지역은 지표수가 부족하여 주로 밭농사가 이루어진다.
ㄷ. C는 하천 주변 충적지에 분포하며 대체로 비옥하다.
ㄹ. A와 B는 모두 C보다 토양층의 발달이 미약하다.

① ㄱ, ㄴ   ② ㄱ, ㄷ   ③ ㄴ, ㄷ   ④ ㄴ, ㄹ   ⑤ ㄷ, ㄹ

① 촌락의 형성과 변화

(1) 전통 촌락의 특징

① 대체로 도시보다 인구 규모가 작고 인구 밀도가 낮음

② 도시보다 1차 산업 종사자 비율이 높고 제조업 발달이 미약함

③ 도시보다 전통적 생활 양식과 전통문화가 비교적 잘 보존되어 있음

(2) 전통 촌락의 입지

① 특징: 도시에 비해 사회·경제적 요인보다 자연적 요인의 영향을 많이 받음

② 입지 요인

구분	입지 요인	입지 장소 및 사례 지역
자연적 조건	용수 확보	선상지의 선단, 제주도 해안의 용천대
	침수 위험 낮음	자연 제방, 하안 단구
사회·경제적 조건	교통	역원(驛院) 취락 예 역삼동, 조치원 등
		나루터 취락 예 노량진, 마포 등
	방어	산성 취락, 병영촌 예 남한산성, 통영 등

(3) 촌락의 형태

① 집촌(集村): 특정 장소에 가옥이 모여 있는 촌락(가옥의 밀집도 높음) → 가옥과 경지의 결합도가 낮음, 주로 벼농사 지역, 동족촌 등

② 산촌(散村): 가옥이 흩어져 있는 촌락(가옥의 밀집도 낮음) → 가옥과 경지의 결합도가 높음, 산간 지역, 간척지 등

(4) 촌락의 다양한 변화

① 도시와의 접근성이 낮은 촌락: 이촌 향도 현상으로 청장년층 인구 유출 → 유소년층 인구 감소로 폐교 증가, 노년층 인구 비율 증가로 고령화 현상 심화, 정주 여건 악화, 농가당 경지 면적 증가

② 도시와의 접근성이 높은 촌락: 상업적 농업 확대, 도시적 경관 확대, 겸업농가 비율 증가

③ 경제 활성화 노력: 영농의 기계화를 통한 생산력 증대, 친환경 농작물 재배, 고소득 작물의 시설 재배, 전자 상거래를 통한 농산물 판매 증가, 위탁 영농 회사와 영농 조합 증가

② 우리나라의 정주 공간 및 도시 발달

(1) 도시와 촌락의 관계

① 도시와 촌락의 특징 비교

도시	촌락
2, 3차 산업 종사자 비율 높음	1차 산업 종사자 비율 높음
집약적 토지 이용	조방적 토지 이용
재화, 서비스를 제공하는 중심지 역할	도시의 배후지에 해당, 농산물과 여가 공간 제공

② 변화하는 촌락: 농공 단지, 상업적 농업 및 친환경 농업 발달, 위탁 영농 회사와 영농 조합 증가, 농촌·어촌·산지촌 체험 마을 조성 및 경관을 활용한 관광 산업 발달

(2) 우리나라의 도시 발달 특성

① 일제 강점기

• 초기: 일제에 의한 한반도 식량 기지화에 따라 쌀 적출항 성장 예 군산, 목포, 마산 등

• 후기: 대륙 병참 기지화 정책으로 관북 해안 지역에 중화학 공업 도시 발달 예 원산, 청진, 함흥 등

② 광복 후~1950년대: 해외 동포의 귀국과 북한 동포의 월남으로 대도시 인구 급증

③ 1960년대: 경제 개발 정책에 따른 이촌 향도 현상으로 서울, 부산 등 대도시 인구 급증

④ 1970년대: 수출 위주의 공업화 정책에 따라 공업 도시 발달 예 포항, 울산, 여수 등

⑤ 1980년대 이후

• 교외화 현상: 서울, 부산, 대구 등 대도시의 기능을 분담하는 위성 도시 및 신도시 성장 예 고양, 성남, 김해, 경산 등

• 지방 중소 도시는 인구가 정체하거나 감소

③ 우리나라의 도시 체계

(1) 중심지로서의 도시

① 주변 지역이나 다른 도시 및 촌락에 재화와 서비스를 제공함

② 높은 계층의 도시일수록 도시 수는 적지만 중심지 기능이 다양하고 배후지가 넓음

(2) 도시 체계

① 도시 간 상호 작용에 의해 나타나는 도시 간의 계층 구조

② 도시(중심지)가 보유한 기능에 따라 계층이 달라짐

구분	고차 중심지	저차 중심지
중심지 기능	많음	적음
중심지 수	적음	많음
중심지 간 거리*	멂	가까움
사례	대도시	소도시

* 가장 가까운 동일 계층 중심지와의 평균 거리임.

(3) 도시 간 상호 작용

① 지표: 도시 간 인적·물적 이동, 도시 간 정보 이동, 도시 간 교통량 등

② 도시 간 거리가 가까울수록, 도시의 인구 규모가 클수록 활발함

(4) 우리나라의 도시 체계

① 특징: 서울에 인구와 기능이 집중하여 종주 도시화 현상이 나타나며, 서울을 중심으로 한 수직적 도시 체계를 이룸

② 도시 분포: 수도권과 남동 임해 지역을 중심으로 경부축의 도시 발달이 두드러짐

③ 발전 방향: 균형 있는 도시 체계를 이루기 위해 혁신 도시와 기업 도시를 건설하고 지방에 중추 도시 생활권을 육성함

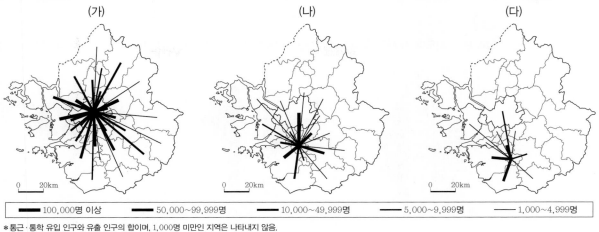

(가)　(나)　(다)

| ━━ 100,000명 이상 | ━━ 50,000~99,999명 | ━━ 10,000~49,999명 | ━━ 5,000~9,999명 | ─ 1,000~4,999명 |

*통근·통학 유입 인구와 유출 인구의 합이며, 1,000명 미만인 지역은 나타내지 않음.
(2020년)　(통계청)

- 도시는 도시가 보유하고 있는 기능에 따라 계층이 달라진다. 도시의 계층은 도시 간에 발생하는 인적·물적 이동, 정보 이동 등의 상호 작용을 통해 파악할 수 있는데, 이는 인구가 많을수록 거리가 가까울수록 많이 발생한다.
- (가)는 서울, (나)는 수원, (다)는 오산을 중심으로 통근·통학 인구를 토대로 한 공간 상호 작용을 나타낸 것이다. 서울은 세 지역 중 통근·통학 인구 규모가 가장 크고 공간적 범위도 가장 넓다. 서울과의 통근·통학 인구 이동량은 수도권 전체 시·군이 1,000명 이상을 나타낸다. 반면에 오산은 세 지역 중 통근·통학 인구 규모가 가장 작고 공간적 범위도 가장 좁다. 이를 통해 세 지역 중 최상위 중심지는 서울, 차상위 중심지는 수원, 하위 중심지는 오산이라는 것을 파악할 수 있다.

〈인구 100만 명 이상 도시〉

순위	도시	인구(명)	권역	비고
1	서울	9,472,127	수도권	특별시
2	부산	3,324,335	영남권	광역시
3	인천	2,957,044	수도권	광역시
4	대구	2,387,911	영남권	광역시
5	대전	1,479,740	충청권	광역시
6	광주	1,475,262	호남권	광역시
7	수원	1,208,337	수도권	특례시
8	울산	1,120,753	영남권	광역시
9	용인	1,067,347	수도권	특례시
10	고양	1,049,513	수도권	특례시
11	창원	1,025,702	영남권	특례시

* 특례시는 2022년에 지정됨.
(2021년)　(통계청)

〈권역별 도시 순위〉

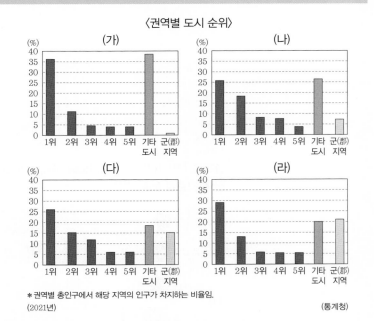

*권역별 총인구에서 해당 지역의 인구가 차지하는 비율임.
(2021년)　(통계청)

- 우리나라의 도시 중 2021년 기준으로 인구 100만 명 이상인 곳은 모두 11곳으로, 이 중 특별시(서울)가 1곳, 광역시(부산, 인천, 대구, 대전, 광주, 울산)가 6곳, 특례시(수원, 용인, 고양, 창원)가 4곳이며, 5곳은 수도권, 4곳은 영남권, 나머지 2곳은 각각 충청권과 호남권에 위치하여 수도권과 영남권으로의 인구 편중 현상이 심하다는 것을 알 수 있다.
- (가)는 수도권으로 네 권역 중 권역 내에서 1위 도시(서울)와 6위 이하 기타 도시의 권역 내 인구 비율이 가장 높고, 도시화 수준이 높아 군(郡) 지역 인구 비율은 가장 낮다. (나)는 영남권으로 1위 도시(부산)와 2위 도시(대구)의 권역 내 인구 비율 차이가 크지 않지만, 2위 도시와 3위 도시(울산)의 권역 내 인구 비율 차이는 크게 나타난다. (다)는 충청권, (라)는 호남권이다. 충청권은 1위 도시(대전)와 2위 도시(청주)의 권역 내 인구 비율 차이가 2배 미만이지만, 호남권은 1위 도시(광주)와 2위 도시(전주)의 권역 내 인구 비율 차이가 2배 이상이다. 한편, 권역 내 군(郡) 지역 인구 비율은 호남권이 가장 높다.

01

▶ 24061-0057

그래프는 지도에 표시된 두 지역의 인구 구조를 나타낸 것이다. (가), (나) 지역의 상대적 특성으로 옳은 것은?

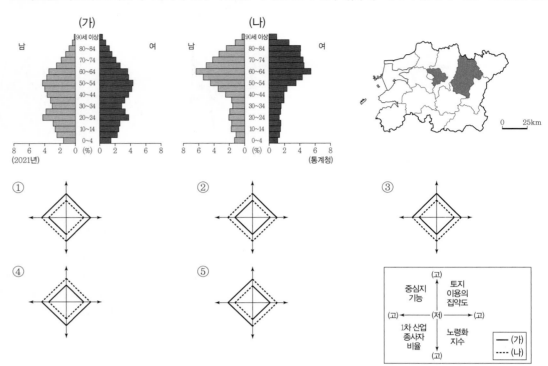

* (고)는 높음, 많음을, (저)는 낮음, 적음을 의미함.

02

▶ 24061-0058

그래프 (가), (나)는 각각 지도에 표시된 A, B 두 지역의 지목별 토지 면적 비율 변화를 나타낸 것이다. 이에 대한 설명으로 옳은 것은?

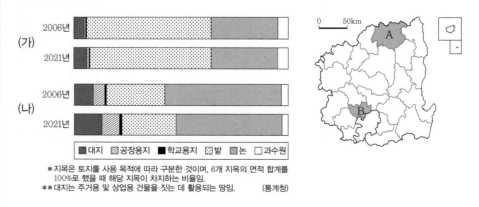

*지목은 토지를 사용 목적에 따라 구분한 것이며, 6개 지목의 면적 합계를 100%로 했을 때 해당 지목이 차지하는 비율임.
**대지는 주거용 및 상업용 건물을 짓는 데 활용되는 땅임. (통계청)

① (가)는 (나)보다 주택 유형 중 아파트 비율이 높다.
② (가)는 (나)보다 경지 중 시설 재배 면적 비율이 높다.
③ (나)는 (가)보다 대도시와의 접근성이 높다.
④ (나)는 (가)보다 지역 내 전업농가 비율이 높다.
⑤ (가)는 B, (나)는 A이다.

03

▶ 24061-0059

다음 자료는 학생의 노트 필기 내용이다. (가)~(라)에 해당하는 도시군을 지도의 A~D에서 고른 것은?

※ 시대별 도시 발달의 특징

시기		내용	사례 지역
일제 강점기	초기	한반도 식량 기지화에 따른 쌀 적출항 발달	(가)
	후기	병참 기지화 정책으로 관북 해안 도시 발달	청진, 함흥 등
광복 후 ~1960년대		북한 동포의 월남과 해외 동포의 귀국 및 경제 개발에 따른 대도시 인구 급증	서울, 부산 등
1970년대		수출 위주의 공업화 정책으로 공업 도시 발달	(나)
1980~ 1990년대		대도시의 기능을 분담하는 위성 도시 및 신도시 성장	(다)
2000년대 이후		수도권에 소재한 공공 기관을 지방으로 이전하여 혁신 도시 조성	원주, 진주 등
		민간 기업이 주도적으로 개발한 특정 산업 중심의 기업 도시 조성	(라)

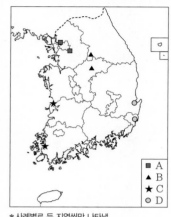

* 사례별로 두 지역씩만 나타냄.

	(가)	(나)	(다)	(라)		(가)	(나)	(다)	(라)
①	C	A	D	B	②	C	D	A	B
③	C	D	B	A	④	D	C	A	B
⑤	D	C	B	A					

04

▶ 24061-0060

그림은 지도에 표시된 세 지역 간 통근·통학 인구를 나타낸 것이다. (가)~(다) 지역에 대한 설명으로 옳은 것만을 〈보기〉에서 고른 것은?

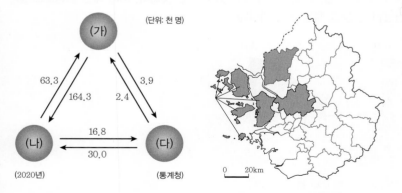

┌ 보기 ┐
ㄱ. (가)는 (나)보다 도시 세력권이 크다.
ㄴ. (나)는 (가)보다 주간 인구 지수가 높다.
ㄷ. (나), (가), (다) 순으로 인구가 많다.
ㄹ. (가), (나) 간보다 (나), (다) 간의 공간 상호 작용이 활발하다.

① ㄱ, ㄴ　　　② ㄱ, ㄷ　　　③ ㄴ, ㄷ　　　④ ㄴ, ㄹ　　　⑤ ㄷ, ㄹ

▶ 24061-0061

05

표는 우리나라의 인구 규모에 따른 도시 순위를 세 시기로 구분하여 나타낸 것이다. 이에 대한 설명으로 옳은 것은? (단, (가)~(다)는 각각 1970년, 1995년, 2021년 중 하나임.)

순위	(가)		(나)		(다)	
	도시	인구(만 명)	도시	인구(만 명)	도시	인구(만 명)
1	서울	1,023.1	서울	543.3	서울	947.2
2	부산	381.4	부산	184.2	부산	332.4
3	A	244.9	A	106.4	인천	295.7
4	인천	230.8	인천	63.4	A	238.8
5	대전	127.2	광주	49.4	대전	148.0
6	광주	125.8	대전	40.7	광주	147.5
7	울산	96.7	전주	25.8	B	120.8
8	성남	86.9	마산	18.7	울산	112.1
9	부천	77.9	목포	17.4	용인	106.7
10	B	75.6	B	16.7	고양	105.0
⋮	⋮	⋮	⋮	⋮	⋮	⋮

* 각 연도별 행정 구역 기준임.

(통계청)

① 1970년 10대 도시에 포함된 도시 수는 호남권과 영남권이 같다.
② 1995년 10대 도시 중 수도권에 위치한 도시 수는 절반 미만이다.
③ 1970~1995년 광주는 대전보다 인구 증가율이 높다.
④ 2021년 기준 A와 B는 모두 광역시이다.
⑤ 2021년은 1995년보다 1위와 10위 도시 간 인구 격차가 크다.

▶ 24061-0062

06

그래프는 권역별 인구 규모에 따른 도시 및 군(郡) 지역의 인구 비율을 나타낸 것이다. 이에 대한 설명으로 옳은 것은? (단, (가)~(다)는 각각 영남권, 충청권, 호남권 중 하나임.)

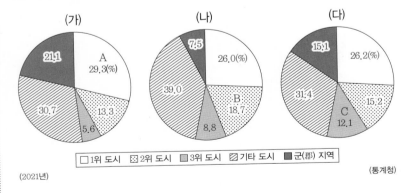

(2021년)   (통계청)

① B는 수도권 전철이 연결되어 있다.
② C에는 도청이 입지해 있다.
③ A는 B보다 인구 규모가 크다.
④ (가)는 (나)보다 제조업 출하액이 많다.
⑤ (다)는 (나)보다 지리적으로 중국과의 교역에 유리한 위치이다.

도시 구조와 대도시권

① 도시 내부의 지역 분화

(1) 지역 분화의 의미와 특징
① 의미: 도시 규모가 커지고 기능이 다양해지면서 도시 내부가 기능에 따라 여러 지역으로 나뉘는 현상
② 특징
- 소도시보다 대도시에서 뚜렷하게 나타남
- 지역 분화 결과 상업 지역, 공업 지역, 주거 지역 등이 형성됨

(2) 지역 분화의 요인
① 도시 내 지역에 따라 접근성, 지대 및 지가가 달라 지역 분화가 발생함
② 기능에 따라 지역별 지대 지불 능력이 다름

(3) 지역 분화의 과정
① 집심 현상: 높은 지대를 감당할 수 있는 상업·업무 기능이 도심으로 집중하는 현상
② 이심 현상: 도심에서 지대 지불 능력이 낮거나 넓은 부지를 필요로 하는 주거 기능, 공업 기능 등이 주변(외곽) 지역으로 이동하는 현상

② 도시 내부 구조

(1) 도심
① 주로 도시 중심부에 형성되며 접근성, 지대, 지가가 높음 → 집약적인 토지 이용 → 건물의 고층화
② 높은 지대를 지불할 수 있는 중추 관리 기능, 고급 상가, 전문 서비스업 등 주로 고차 기능이 입지함
③ 주거 기능의 이심 현상으로 인구 공동화 현상이 나타남
④ 출근 시간대에 유출 인구보다 유입 인구가 많아 주간 인구 지수가 높음

(2) 부도심
① 도시가 성장함에 따라 도심과 주변(외곽) 지역을 연결하는 교통의 결절에 형성됨
② 도심의 기능 일부를 분담하여 도심 과밀화 완화에 기여함

(3) 중간 지역
① 상업 기능, 공업 기능, 주거 기능 등이 혼재하는 지역
② 최근 일부 대도시에서는 주거 환경이 열악한 곳을 중심으로 재개발이 이루어짐

(4) 주변(외곽) 지역
① 지대가 낮아 주택·학교·공장 등이 입지하며, 신흥 주택 지역이 형성되는 경우가 많음
② 일부 지역에서는 도시 경관과 농촌 경관이 혼재함

(5) 개발 제한 구역
① 시가지의 무질서한 팽창(도시 스프롤 현상)을 억제하기 위해 설정한 구역
② 녹지 공간 보전과 도시민의 여가 공간 제공이라는 긍정적인 영향이 있으나, 개인의 재산권 행사가 제한되는 문제점도 있음

③ 대도시권의 형성과 확대

(1) 대도시권의 의미
① 대도시를 중심으로 대도시와 인근 지역이 기능적으로 상호 밀접한 관계를 갖는 범위
② 일반적으로 대도시로의 통근·통학이 일상적으로 나타나는 생활권의 범위

(2) 대도시권의 형성 배경 및 과정
① 형성 배경: 대도시 과밀화에 따른 교외화 현상, 대도시와 인근 지역을 연결하는 광역 교통 체계 확충, 정부의 인구 분산 정책 등
② 과정: 대도시로의 인구와 기능 집중 → 대도시의 집적 불이익 발생 → 교외화 현상 → 대도시와 인근 도시 및 근교 농촌이 하나의 생활권 형성

(3) 대도시권의 공간 구조

대도시권	중심 도시		• 대도시권의 중심 지역 • 도심, 부도심이 발달한 다핵 도시
	통근 가능권	교외 지역	• 중심 도시와 연속된 지역 • 중심 도시의 주거, 공업 기능 등이 이전하여 확대됨
		대도시 영향권	도시 경관은 미약하나 통근 형태 및 토지 이용이 중심 도시의 영향을 받음
		배후 농촌 지역	• 중심 도시로의 최대 통근 가능 지역 • 상업적 원예 농업 발달

(4) 대도시권의 확대
① 배경: 교통수단의 발달과 교통망의 확충 → 대도시로의 이동이 편리해져 대도시 인근 지역으로 거주지 확대
② 우리나라 대도시권 확대의 특징
- 1980년대 이후 서울의 과밀화를 해결하기 위해 주거와 공업 기능 등을 인천 및 경기도 일대로 분산
- 1980년대 후반 이후 서울의 주택 문제 해결을 위해 신도시 건설, 주민들의 통근 편의를 위해 수도권 외곽으로 전철과 도로 교통망 확충
- 부산, 대구, 대전, 광주 등도 교통망 확충으로 대도시권이 점차 확대되고 있음

(5) 대도시권의 변화
① 대도시 교외 지역의 변화
- 유입 인구가 증가하고, 대도시로 통근하는 주민이 늘어남
- 대단위 아파트 단지가 조성되고 각종 시설이 입지함
- 대도시 교외 지역 중 교통이 편리한 곳에는 대형 쇼핑센터, 고속도로 주변에는 대형 물류 센터가 들어서기도 함
② 배후 농촌 지역의 변화
- 상품 작물의 재배 증가 → 토지 이용의 집약도 상승
- 겸업농가의 비율 증가 → 농업 외 소득 비율 증가, 주민 구성이 다양해지면서 전통적 생활 공동체 의식 약화

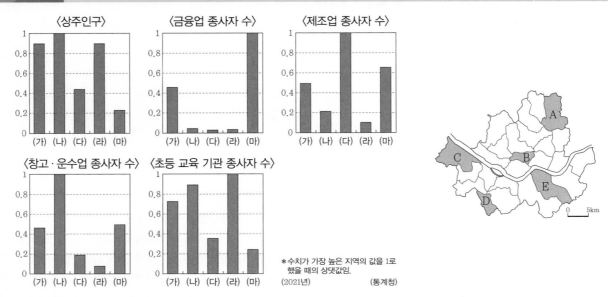

〈상주인구〉　　〈금융업 종사자 수〉　　〈제조업 종사자 수〉

〈창고·운수업 종사자 수〉　　〈초등 교육 기관 종사자 수〉

＊수치가 가장 높은 지역의 값을 1로
했을 때의 상댓값임.
(2021년)　　　　　　　(통계청)

- 지도의 A는 주변(외곽) 지역에 위치하여 주거 기능이 발달한 노원구, B는 도심이 위치하여 중심 업무 기능이 집중한 중구, C는 주변(외곽) 지역에 위치하여 주거 기능이 발달하였으며 김포 국제공항이 위치한 강서구, D는 서울 디지털 산업 단지가 위치하여 제조업이 발달한 금천구, E는 주거 기능과 함께 업무 기능이 발달한 강남구이다.
- 〈상주인구〉는 주거 기능이 발달한 지역에서 많으며, 상주인구가 많은 지역은 유소년층 인구도 많으므로 〈초등 교육 기관 종사자 수〉도 많다. 따라서 (가), (나), (라)는 각각 노원구(A), 강서구(C), 강남구(E) 중 하나이다. 〈금융업 종사자 수〉는 업무 기능이 발달한 지역에서 많으므로 (가), (마)는 각각 중구(B), 강남구(E) 중 하나이다. 〈제조업 종사자 수〉는 제조업이 발달한 지역뿐만 아니라 상업·업무 기능이 발달한 지역에서도 관련 제조업이 발달하므로 (가), (다), (마)는 각각 중구(B), 금천구(D), 강남구(E) 중 하나이다. 〈창고·운수업 종사자 수〉는 공항, 철도, 버스 등의 터미널(역)이 위치한 곳에서 많으므로 (가), (나), (마)는 각각 중구(B), 강서구(C), 강남구(E) 중 하나이다.
- 이를 종합하면 (가)는 강남구(E), (나)는 강서구(C), (다)는 금천구(D), (라)는 노원구(A), (마)는 중구(B)이다.

- 서울로 인구가 집중함에 따라 과밀화로 인한 각종 문제가 심화되었으며, 특히 주택 문제가 심각한 수준에 이르게 되었다. 이에 서울의 인구를 분산하고자 1980년대 말~1990년대 중반 서울 도심에서 반경 25km 범위 안의 경기도 일대에 1기 신도시를 개발하였고, 2000년대 중반 이후에는 이보다 멀리 떨어진 곳에 2기 신도시를 개발하였다.
- 1990~2000년 서울 가까이에 위치한 고양, 남양주, 김포, 시흥, 안산, 군포, 성남, 용인, 광주 등의 인구 증가율이 높으며, 이 중 고양, 군포, 성남은 1기 신도시가 건설된 곳이다. 서울은 인구가 줄어들어 인구의 교외화가 일어났음을 알 수 있다.

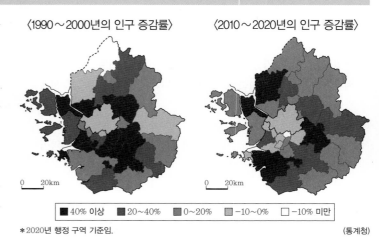

〈1990~2000년의 인구 증감률〉　〈2010~2020년의 인구 증감률〉

■ 40% 이상　■ 20~40%　□ 0~20%　□ -10~0%　□ -10% 미만

＊2020년 행정 구역 기준임.　　　　　　　　　　(통계청)

- 2010~2020년 2기 신도시가 건설된 파주, 김포, 화성 등에서 인구 증가율이 높은 반면 서울과 서울의 서쪽과 남쪽으로 인접한 부천, 광명, 안양, 과천, 성남의 인구가 감소하여 교외화가 좀 더 외곽으로 확산되었음을 알 수 있다.

01

▶ 24061-0063

다음 글의 ㉠~㊀에 대한 설명으로 옳은 것만을 〈보기〉에서 있는 대로 고른 것은?

도시는 인구를 비롯하여 각종 건물과 시설 등이 밀집하여 다양한 경관이 나타나는 복합적 공간이다. 이에 따라 도시는 ㉠주거 기능, 행정·업무 기능, 상업 기능, ㉡공업 기능 등 다양한 기능을 수행한다. 규모가 작은 발달 초기의 도시는 여러 기능이 혼재하여 분포하지만, 도시가 성장하여 도시 규모가 커지고 교통이 발달하면서 ㉢이심 현상과 ㉣집심 현상이 발생하여 점차 기능에 따라 ㉤상업 지역, 공업 지역, ㉥주거 지역 등으로 분화된다. 이와 같이 도시 내부가 기능에 따라 공간적으로 분화되는 것을 ㉦도시 내부의 지역 분화라고 한다. 도시 내부의 지역이 분화되는 이유는 도시 내 지역에 따라 ⓞ 이/가 다르기 때문이다.

┌─ 보기 ┌
ㄱ. 도시가 성장하는 과정에서 ㉠은 ㉢, ㉡은 ㉣ 경향을 보인다.
ㄴ. ㉤은 ㉥보다 대체로 접근성이 높아 유동 인구가 많다.
ㄷ. ㉦은 중소 도시보다 대도시에서 잘 나타난다.
ㄹ. ⓞ에는 '접근성, 지대, 지가'가 들어갈 수 있다.

① ㄱ, ㄴ   ② ㄱ, ㄷ   ③ ㄷ, ㄹ   ④ ㄱ, ㄴ, ㄹ   ⑤ ㄴ, ㄷ, ㄹ

02

▶ 24061-0064

다음 자료는 가상의 두 도시에서 나타나는 기능별 지대를 표현한 것이다. 이에 대한 설명으로 옳지 않은 것은?
(단, A~C는 각각 공업 기능, 상업 기능, 주거 기능 중 하나임.)

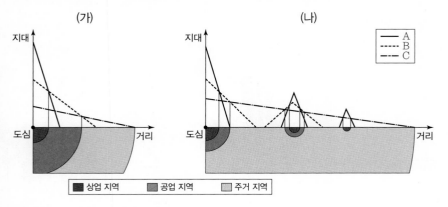

① A는 B보다 도심에서 지대 지불 능력이 높다.
② B는 공업 기능, C는 주거 기능이다.
③ (가)는 (나)보다 인구 규모가 크다.
④ (나)는 (가)보다 도시 내부의 공간 구조가 복잡하다.
⑤ (가)는 단핵 도시, (나)는 다핵 도시이다.

03

그래프의 (가)~(라) 지역을 지도의 A~D에서 고른 것은?

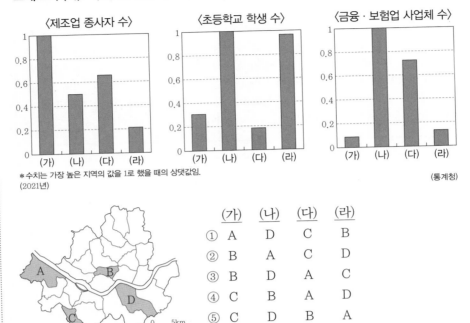

〈제조업 종사자 수〉

〈초등학교 학생 수〉

〈금융·보험업 사업체 수〉

*수치는 가장 높은 지역의 값을 1로 했을 때의 상댓값임.
(2021년)

(통계청)

	(가)	(나)	(다)	(라)
①	A	D	C	B
②	B	A	C	D
③	B	D	A	C
④	C	B	A	D
⑤	C	D	B	A

04

그래프는 지도에 표시된 부산 세 구(區)의 상주인구 및 주간 인구의 변화를 나타낸 것이다. A~C 지역에 대한 설명으로 옳은 것은?

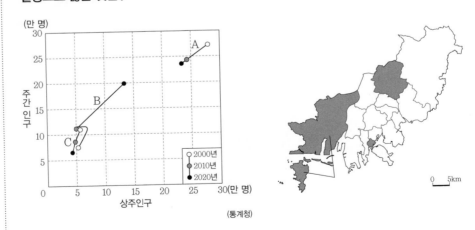

(만 명)

주간 인구

상주인구

○ 2000년
◐ 2010년
● 2020년

(통계청)

① A는 B보다 제조업 출하액이 많다.

② B는 A보다 2010~2020년 주택 수 증가량이 많다.

③ B는 C보다 상업지의 평균 지가가 높다.

④ C는 A보다 세 시기 모두 주간 인구 지수가 낮다.

⑤ C는 B보다 2020년 주택 유형 중 아파트 비율이 높다.

05

▶ 24061-0067

사진은 지도에 표시된 지역의 두 시기 모습을 나타낸 것이다. 1985~2022년에 나타난 이 지역의 변화상으로 옳지 <u>않은</u> 것은?

〈1985년〉　　　　〈2022년〉

0　20km

① 서울로의 통근자 비율이 높아졌다.
② 서울로 연결되는 교통망이 확충되었다.
③ 주택 유형 중 아파트의 비율이 높아졌다.
④ 2 · 3차 산업에 이용되는 토지 면적의 비율이 높아졌다.
⑤ 주민의 직업 다양성이 단순화되고, 전통적 생활 공동체 의식이 강화되었다.

06

▶ 24061-0068

다음 자료는 부산권 지하철의 두 시기 기종점을 나타낸 것이다. 이에 대한 설명으로 옳은 것은? (단, A, B는 각각 2000년, 2022년 중 하나임.)

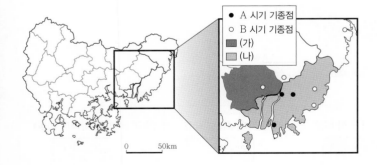

● A 시기 기종점
○ B 시기 기종점
▨ (가)
▧ (나)

0　50km

① (가)에 있는 기종점은 출근 시간대에 승차 인원보다 하차 인원이 많다.
② (가)는 (나)보다 도시 세력권이 넓다.
③ A 시기는 B 시기보다 (가), (나) 간 교통량이 많다.
④ A~B 기간에 (가)는 (나)보다 인구 증가율이 높다.
⑤ B 시기에 (나)는 (가)보다 유소년 부양비가 높다.

07

▶ 24061-0069

그래프는 지도에 표시된 세 지역의 인구 변화를 나타낸 것이다. A~C 지역에 대한 설명으로 옳은 것은?

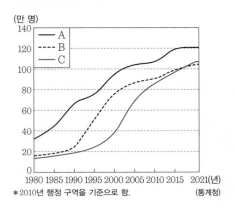

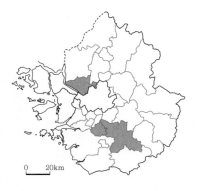

*2010년 행정 구역을 기준으로 함.　(통계청)

① A에는 경기도청이 있다.

② A는 C보다 1인당 녹지 면적이 넓다.

③ B는 A보다 시(市)로 승격된 시기가 이르다.

④ B는 C보다 전자 부품·컴퓨터·영상·음향 및 통신 장비 제조업 출하액이 많다.

⑤ B는 한강 이남, C는 한강 이북에 위치한다.

08

▶ 24061-0070

그래프는 지도에 표시된 세 지역의 부산 통근·통학률을 나타낸 것이다. A~C 지역의 상대적 특성을 비교한 것으로 옳은 것만을 〈보기〉에서 있는 대로 고른 것은?

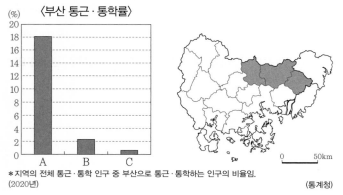

*지역의 전체 통근·통학 인구 중 부산으로 통근·통학하는 인구의 비율임.
(2020년)　(통계청)

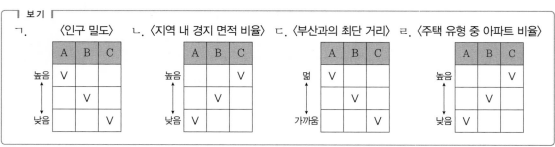

① ㄱ, ㄴ　　② ㄱ, ㄹ　　③ ㄷ, ㄹ　　④ ㄱ, ㄴ, ㄷ　　⑤ ㄴ, ㄷ, ㄹ

09

▶ 24061-0071

그래프는 서울과 부산의 구별 통근·통학 순 이동과 유소년층 인구 비율을 나타낸 것이다. 이에 대한 설명으로 옳은 것은? (단, A~D는 각각 부산 강서구, 부산 중구, 서울 강남구, 서울 종로구 중 하나임.)

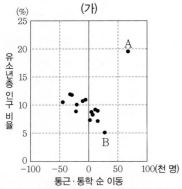

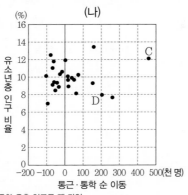

*통근·통학 순 이동은 통근·통학 유입 인구에서 통근·통학 유출 인구를 뺀 값임.
(2020년)   (통계청)

① A는 B보다 주민들의 평균 거주 기간이 길다.
② C는 A보다 제조업 출하액이 많다.
③ D는 C보다 시가지 형성 시기가 이르다.
④ (가)는 (나)보다 통근·통학자 수가 많다.
⑤ (가)는 서울, (나)는 부산이다.

10

▶ 24061-0072

다음은 도시 단원의 형성 평가지이다. (가)에 들어갈 내용으로 옳은 것은?

※ 다음 설명의 정답에 해당하는 글자를 〈글자판〉에서 지우면 〈글자판〉의 글자가 모두 지워집니다. (단, 중복되는 글자는 각각 지울 것)

(1) 중심 도시의 인구와 기능이 인근 지역으로 확산하는 현상
(2) 대도시를 중심으로 대도시와 인근 지역이 기능적으로 상호 밀접한 관계를 갖는 범위
(3) 도시가 성장하고 기능이 다양해지면서 도시 내부가 기능에 따라 여러 지역으로 나뉘는 현상
(4) _____ (가) _____

〈글자판〉

| 화 | 대 | 심 | 외 | 권 | 지 | 도 | 교 | 역 | 시 | 화 | 도 | 분 |

① 도시 중심부로 높은 지대를 지불할 수 있는 고차 중심 기능이 주로 입지함.
② 도심이 팽창함에 따라 이동해 온 상업·공업·주거 기능 등이 섞인 점이 지대
③ 녹지를 보존하고 도시의 무질서한 평면적 팽창을 억제하기 위해 설정한 구역
④ 지대가 낮아 주택·학교·공장 등이 입지하며, 신흥 주택 지역이 형성되기도 함.
⑤ 도심의 기능 일부를 분담하는 지역으로 도심과 주변 지역을 연결하는 교통의 결절에 주로 형성됨.

10 도시 계획과 지역 개발

① 도시 계획

(1) **의미**: 도시 공간을 효율적으로 만들고 주거 환경을 개선하여 도시의 여러 기능을 합리적으로 배치하기 위한 계획

(2) **목적**: 도시 문제의 완화 및 해소, 난개발 방지 및 도시 경관 정비를 통한 주민 삶의 질 향상

(3) **우리나라의 도시 계획**

1970년대	용도 지역 구분, 개발 제한 구역 설정
1980년대	20년 단위의 도시 기본 계획 제도화
1990년대 이후	• 지역 간 균형 발전, 삶의 질 향상 • 지속 가능한 도시 계획 추진

② 도시 재개발

(1) **목적**: 토지 이용의 효율성 증대, 도시 미관 개선, 생활 기반 시설 확충을 통한 쾌적한 주거 환경 조성, 지역 경제 활성화 등

(2) **유형 및 방법**

사업 추진 방식	철거 재개발	기존의 건물과 시설을 완전히 철거하고 새로운 시설물로 대체하는 방법
	보존 재개발	역사·문화적으로 보존할 가치가 있는 지역의 환경 악화를 예방하고 유지·관리하는 방법
	수복 재개발	기존 건물의 골격을 최대한 유지하면서 필요한 부분만 수리 및 개조하여 보완하는 방법
개발 대상	도심 재개발	노후된 도심을 상업·업무 지역으로 개발 → 토지 이용의 효율성 향상
	주거지 재개발	노후 주거 지역의 환경 개선과 생활 기반 시설 확충 → 주로 철거 재개발이 이루어짐
	산업 지역 재개발	노후 산업 단지나 노후 재래시장 등의 시설 개선

③ 지역 개발

(1) **지역 개발 방법**

구분	성장 거점 개발(불균형 개발)	균형 개발
추진 방식	주로 하향식 개발	주로 상향식 개발
채택 국가	주로 개발 도상국	주로 선진국
개발 방법	투자 효과가 큰 지역을 선정하여 집중 투자	낙후 지역에 우선적으로 투자
개발 목표	경제 성장의 극대화, 경제적 효율성 추구	지역 간 균형 발전, 경제적 형평성 추구
장점	자원의 효율적 투자 가능	지역 간 균형 성장, 지역 주민의 의사 결정 존중
단점	• 파급 효과보다 역류 효과가 클 경우 지역 격차 심화 • 지역 주민의 참여도가 낮음	• 투자의 효율성이 낮음 • 지역 이기주의가 초래될 수 있음

(2) **우리나라의 국토 개발 및 계획**

① 제1차~제3차 국토 종합 개발 계획

구분	시기	방식	주요 정책	특징
제1차	1972~1981년	성장 거점 개발	• 수출 주도형 공업화 • 물 자원 종합 개발 • 사회 간접 자본 확충	• 생산 기반 확충 • 수도권, 남동 임해 지역에 공업 단지 조성
제2차	1982~1991년	광역 개발	• 인구의 지방 분산 유도 • 국민 복지 향상 • 자연환경 보전	• 생활 환경 개선 • 개발 가능성의 전국 확대
제3차	1992~1999년	균형 개발	• 지방 육성과 수도권 집중 억제 • 신산업 지대 조성 • 남북 교류 지역 개발 및 관리	• 분산형 개발 • 환경 보전

② 제4차 국토 종합 계획

• 최초 계획(2000~2020년 목표): 균형 국토, 개방 국토, 녹색 국토, 통일 국토

• 1차(2006~2020년) 및 2차(2011~2020년) 수정 계획 수립

• 주요 정책: 행정 중심 복합 도시 및 혁신·기업 도시 건설, 광역 경제권 형성으로 지역별 특화 발전, 국제 경쟁력 강화 등

③ 제5차 국토 종합 계획(2020~2040년)

• 비전: 모두를 위한 국토, 함께 누리는 삶터

• 목표: 어디서나 살기 좋은 균형 국토, 안전하고 지속 가능한 스마트 국토, 건강하고 활력 있는 혁신 국토

(3) **지역 개발과 지역 갈등**

① 원인: 지역 개발에 따른 수혜 지역과 피해 지역 발생, 환경 문제 및 개발에 대한 생각 차이 등

② 영향: 님비 현상, 핌피 현상 등 지역 이기주의 심화

④ 국토 개발에 따른 공간 및 환경 불평등

(1) **공간 불평등**

① 수도권과 비수도권의 격차

• 현황: 1960년대 이후 추진된 성장 위주의 하향식 개발로 인해 수도권은 핵심 기능 집중도가 매우 높음

• 영향: 수도권에서는 집적 불이익 문제 발생, 비수도권에서는 경제 침체와 인구 유출 등의 문제 발생

② 도시와 농촌의 격차

• 현황: 1960년대 이후 발생한 이촌 향도 현상으로 인해 농촌에서는 인구의 고령화, 생활 기반 시설 부족 등의 문제 발생

• 해결 노력: 촌락의 정주 기반 강화, 농촌 특색에 맞는 산업 육성 등

(2) **환경 불평등**

① 의미: 지역을 개발하고 이용하는 과정에서 발생하는 경제적 수혜 지역과 환경 오염 부담 지역이 일치하지 않는 것

② 원인: 국토 개발로 인해 공업 지역이나 도시의 환경 오염 물질이 바람이나 하천을 따라 다른 지역으로 이동

③ 영향: 지역 간 갈등으로 이어져 사회적 갈등 비용 유발

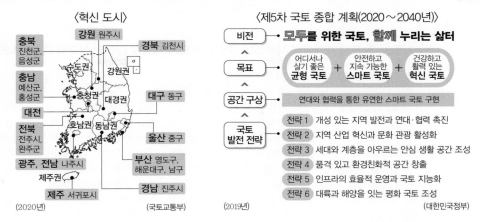

⟨혁신 도시⟩ (2020년) (국토교통부)

⟨제5차 국토 종합 계획(2020~2040년)⟩ (2019년) (대한민국정부)

- 혁신 도시는 국토 균형 발전 차원에서 수도권에 집중되어 있는 공공 기관을 지방으로 이전하여 이를 중심으로 산·학·연·관이 서로 협력하는 최적의 혁신 여건과 수준 높은 생활 환경을 갖춘 새로운 차원의 미래형 도시를 말한다. 이에 따라 수도권을 제외한 지역에 건설되었으며, 지역별로 특색 있는 도시로 개발되었다. 혁신 도시는 제4차 국토 종합 계획의 주요 정책으로 추진되어 공공 기관 이전이 완료되었고, 향후 제5차 국토 종합 계획에서 혁신 도시와 인근 산업 경쟁력을 갖춘 지구를 연계하여 대규모 클러스터를 조성함으로써 새로운 지역 혁신 거점으로 육성하고자 한다.
- 제5차 국토 종합 계획(2020~2040년)은 국토를 개발의 대상에서 관리·활용의 대상이라는 인식 전환을 바탕으로, 계획 기간 중 저성장과 인구의 절대적 감소가 예측되어 이에 대비한 국토 공간을 구상하고 발전 전략을 제시한 국토 종합 계획이다. 국민 참여단을 구성하여 국민이 계획 수립 과정에 직접 참여하도록 하였으며, 현재와 미래 세대 모두를 위한 국토의 백년대계 실현을 지향하며 「모두를 위한 국토, 함께 누리는 삶터」를 비전으로 설정하였다.

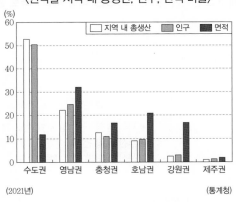

⟨권역별 지역 내 총생산, 인구, 면적 비율⟩ (2021년) (통계청)

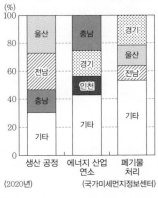

⟨각 부문의 지역별 대기 오염 물질 배출량 비율⟩ (2020년) (국가미세먼지정보센터)

- 우리나라는 1960년대 이후 수도권, 영남권을 비롯한 경부축을 중심으로 성장 위주의 국토 개발이 이루어지면서 인구와 기능이 집중하여 공간 불평등이 나타나고 있다. 2021년 기준으로 수도권이 우리 국토에서 차지하는 면적은 약 11.8%인 반면 인구는 약 50.4%, 지역 내 총생산은 약 52.8%가 집중되어 있다. 수도권에서는 인구와 기능의 과도한 집중으로 집값 상승, 교통 혼잡 등의 문제가 발생하고 있으며, 비수도권에서는 경제가 침체하거나 인구와 자본의 유출이 심화되는 문제가 나타나고 있다.
- 2020년 기준 전력 생산과 난방 등에서의 대기 오염 물질 배출을 뜻하는 에너지 산업 연소 부문에서 충남, 경기, 인천 세 지역이 차지하는 비율은 전국 배출량의 약 57%이다. 또한 제품 생산 공정에서의 대기 오염 물질 배출 부문은 울산, 전남, 충남이 전국 배출량의 약 69.8%를 차지하며, 폐기물 처리 과정에서의 대기 오염 물질 배출 부문에서는 경기, 울산, 전남이 전국 배출량의 약 46.7%를 차지한다. 따라서 이들 지역은 전력 생산이나 폐기물 처리, 대기 오염 물질 배출 산업 생산에서 다른 지역에 비해 큰 환경 부담을 지고 있음을 알 수 있다.

01

▶ 24061-0073

다음 자료는 두 도시 재개발의 사례이다. (가), (나) 도시 재개발 방식의 상대적 특성을 나타낸 것으로 옳은 것은?

(가)	(나)
부산 영도구의 봉래동 일대는 1970년대까지 선박을 수리하던 조선소가 밀집하여 수리 조선업의 메카로 불리던 곳이다. 그러나 이 지역의 선박 수리 산업이 쇠퇴하면서 인구도 급격히 줄어들고 폐창고와 빈집이 곳곳에 생겨났다. 최근 이 지역에 새롭게 활기를 불어넣기 위해 지역 향토 기업과 공공 기관, 주민들이 힘을 합쳐 폐공장 등을 개조해 예술관을 만드는 등 낙후된 정주 여건을 개선하고 특색 있는 문화 공간을 조성하여 많은 관광객이 찾는 부산의 대표 관광지로 탈바꿈하였다.	서울 관악구의 난곡동 일대는 1960년대 청계천 등지의 판자촌이 철거되면서 마을이 형성되기 시작하여, 1970년대 이후 농촌에서 유입된 인구로 인해 산비탈을 따라 주거지가 확장되면서 서울을 대표하는 '달동네'로 불리던 곳이다. 그러나 2000년대 초반부터 기존의 달동네 지역을 전면 철거하고 새로운 고층 아파트 단지를 건설하는 재개발이 추진되었다. 그 결과 주택 유형과 거주하는 주민들이 이전과는 크게 달라진 주거 지역으로 탈바꿈하였다.

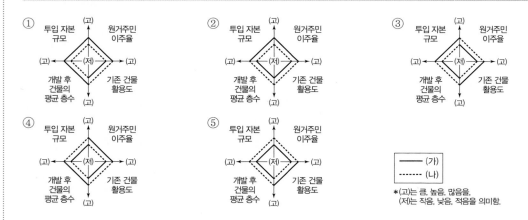

* (고)는 큼, 높음, 많음을, (저)는 작음, 낮음, 적음을 의미함.

02

▶ 24061-0074

다음 자료는 두 시기의 국토 종합 개발 계획에 관한 것이다. A, B의 특징을 그림과 같이 표현할 때, (가)~(라)에 들어갈 내용으로 옳은 것을 〈보기〉에서 고른 것은? (단, A, B는 각각 제1차 국토 종합 개발 계획, 제3차 국토 종합 개발 계획 중 하나임.)

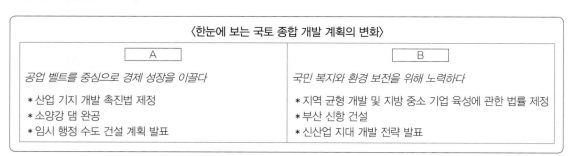

〈한눈에 보는 국토 종합 개발 계획의 변화〉

A	B
공업 벨트를 중심으로 경제 성장을 이끌다	국민 복지와 환경 보전을 위해 노력하다
* 산업 기지 개발 촉진법 제정 * 소양강 댐 완공 * 임시 행정 수도 건설 계획 발표	* 지역 균형 개발 및 지방 중소 기업 육성에 관한 법률 제정 * 부산 신항 건설 * 신산업 지대 개발 전략 발표

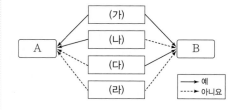

┌ 보기 ┐
ㄱ. 성장 거점 개발 방식으로 추진되었습니까?
ㄴ. 계획이 추진된 시기에 도농 통합시가 출범하였습니까?
ㄷ. 국토 및 지역 개발과 관련된 국가의 최상위 계획입니까?
ㄹ. 추진 결과 수도권과 비수도권의 인구 격차가 완화되었습니까?

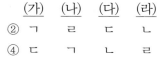

	(가)	(나)	(다)	(라)			(가)	(나)	(다)	(라)
①	ㄱ	ㄴ	ㄹ	ㄷ		②	ㄱ	ㄹ	ㄷ	ㄴ
③	ㄴ	ㄹ	ㄷ	ㄱ		④	ㄷ	ㄱ	ㄴ	ㄹ
⑤	ㄷ	ㄴ	ㄱ	ㄹ						

03

▶ 24061-0075

표는 두 시기 국토 종합 (개발) 계획에 대한 것이다. (가), (나)에 대한 설명으로 옳은 것만을 〈보기〉에서 고른 것은? (단, (가), (나)는 각각 제2차 국토 종합 개발 계획, 제5차 국토 종합 계획 중 하나임.)

구분	(가)	(나)
수립 배경	인구 감소와 저성장 시대로의 전환에 대비한 혁신적 국토 운영 전략 필요	국민 생활 환경의 개선, 수도권 과밀 완화
비전 및 목표	• 모두를 위한 국토, 함께 누리는 삶터 • 어디서나 살기 좋은 균형 국토 • 안전하고 지속 가능한 스마트 국토 • 건강하고 활력 있는 혁신 국토	• 인구의 지방 정착 유도 • 개발 가능성의 전국 확대 • 국민 복지 수준의 제고 • 국토 자연환경의 보전
추진 전략 및 주요 정책 과제	• 지역 산업 혁신과 문화·관광 활성화 • 세대와 계층을 아우르는 안심 생활 공간 조성 • 대륙과 해양을 잇는 평화 국토 조성	• 국토의 다핵 구조 형성과 지역 생활권 조성 • 서울·부산 양대 도시의 성장 억제 및 관리 • 지역 기능 강화를 위한 교통·통신 등 사회 간접 자본 확충

┌ 보기 ┐
ㄱ. (가)는 투자 효과가 큰 지역에 집중 투자하는 지역 개발 방식으로 추진되었다.
ㄴ. (나) 시행 시기에 개발 제한 구역이 처음 지정되었다.
ㄷ. (가)는 (나)보다 의사 결정 과정에서 지역 주민의 참여도가 높다.
ㄹ. (나)는 (가)보다 시행 시기가 이르다.

① ㄱ, ㄴ　　　② ㄱ, ㄷ　　　③ ㄴ, ㄷ　　　④ ㄴ, ㄹ　　　⑤ ㄷ, ㄹ

04

▶ 24061-0076

그래프는 지도에 표시된 네 지역에 대한 것이다. (가)~(라) 지역에 대한 설명으로 옳은 것만을 〈보기〉에서 고른 것은?

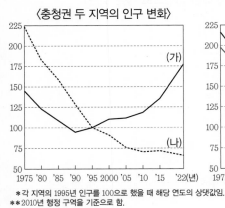
〈충청권 두 지역의 인구 변화〉

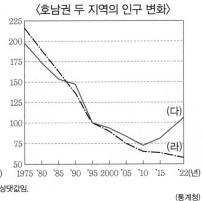
〈호남권 두 지역의 인구 변화〉

*각 지역의 1995년 인구를 100으로 했을 때 해당 연도의 상댓값임.
**2010년 행정 구역을 기준으로 함.

(통계청)

┌ 보기 ┐
ㄱ. (가)는 수도권과 전철로 연결되어 있다.
ㄴ. (다)는 (라)보다 2022년 1인당 지역 내 총생산이 많다.
ㄷ. (라)는 (나)보다 비금속 광물 제품 제조업 종사자 수가 많다.
ㄹ. (가)와 (다)에는 모두 공공 기관의 이전을 통해 조성된 혁신 도시가 있다.

① ㄱ, ㄴ　　　② ㄱ, ㄷ　　　③ ㄴ, ㄷ　　　④ ㄴ, ㄹ　　　⑤ ㄷ, ㄹ

05

▶ 24061-0077

다음은 카드 게임을 활용한 수업 활동지의 일부이다. 이에 대한 설명으로 옳은 것은? (단, A~D는 각각 수도권, 영남권, 충청권, 호남권 중 하나임.)

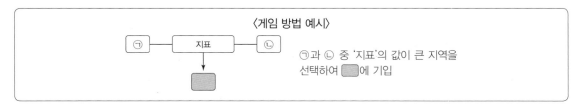

〈게임 방법 예시〉

⊙ — 지표 — ⓒ

⊙과 ⓒ 중 '지표'의 값이 큰 지역을 선택하여 ▨에 기입

〈지역 내 총생산〉

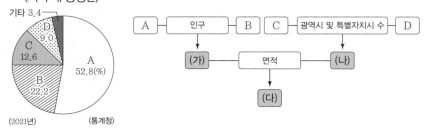

기타 3.4
D 9.0
C 12.6
B 22.2
A 52.8(%)

(2021년) (통계청)

A — 인구 — B C — 광역시 및 특별자치시 수 — D

(가) — 면적 — (나)

(다)

① (가)에는 원자력 발전소가 건설되어 있다.
② (나)에는 국토 균형 발전을 위해 건설된 행정 중심 복합 도시가 있다.
③ (가)는 (나)보다 지역 내 1차 산업 종사자 비율이 높다.
④ (나)는 (가)보다 인구 밀도가 높다.
⑤ (다)는 A~D 중 지역 내 총생산이 가장 많다.

06

▶ 24061-0078

그래프는 지도에 표시된 다섯 지역에 대한 것이다. (가)~(마) 지역에 대한 설명으로 옳은 것은?

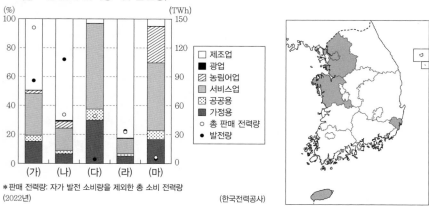

〈용도별 판매 전력량* 및 발전량〉

□ 제조업
■ 광업
▨ 농림어업
▤ 서비스업
▥ 공공용
▨ 가정용
○ 총 판매 전력량
● 발전량

* 판매 전력량: 자가 발전 소비량을 제외한 총 소비 전력량
(2022년) (한국전력공사)

① (가)는 (나)보다 1인당 발전량이 많다.
② (나)는 (다)보다 1인당 판매 전력량이 많다.
③ (다)는 (라)보다 1인당 지역 내 총생산이 많다.
④ (라)는 (마)보다 지역 내 발전량 중 원자력 발전이 차지하는 비율이 낮다.
⑤ (마)는 (가)보다 지역 내 총생산 중 제조업이 차지하는 비율이 높다.

① 자원의 의미와 특성

(1) **자원의 의미**: 자연물 중에서 일상생활과 경제 활동에 쓸모가 있고, 기술적·경제적으로 이용 가능한 것

(2) **자원의 특성**

① 유한성: 대부분의 자원은 매장량이 한정됨

② 편재성: 특정 자원은 일부 지역에 편중되어 분포함 → 자원 민족주의의 배경

③ 가변성: 기술적 수준, 경제적 조건, 문화적 배경에 따라 자원의 의미와 가치가 달라짐

(3) **자원의 분류**

① 의미에 따른 분류

- 좁은 의미의 자원: 주로 천연자원을 의미함
- 넓은 의미의 자원: 천연자원뿐만 아니라 인적 자원, 문화적 자원 등을 포괄함

② 재생 가능성에 따른 분류

- 재생 불가능한 자원: 생성 속도가 매우 느리고 재생이 거의 불가능하여 인간의 이용에 따라 고갈될 수 있음
- 재생 가능한 자원: 인간의 사용량과 상관없이 지속적으로 공급되거나 순환되는 자원
- 사용량과 투자 정도에 따라 재생 수준이 달라지는 자원: 재활용 여부에 따라 재생 가능성이 변화되는 자원

② 광물 자원과 에너지 자원

(1) **광물 자원**

① 분포 특성

- 주요 광물 자원은 대부분 북한에 분포함
- 남한은 금속 광물 자원의 매장량은 적고, 석회석·고령토 등 비금속 광물 자원의 매장량은 비교적 풍부함

② 주요 광물 자원의 특성

- 철광석: 제철 공업의 주요 원료, 강원도에서 소량 생산
- 석회석: 시멘트 공업의 원료, 제철 공업의 첨가물, 고생대 조선 누층군에 분포, 강원과 충북에서 생산량이 많음
- 고령토: 도자기·내화 벽돌·화장품·종이 등의 원료, 강원과 경북· 경남 등지에서 생산

(2) **에너지 자원**

① 석유: 화학 공업의 원료 및 수송용 연료로 많이 이용, 높은 수입 의존도, 서남아시아에서 주로 수입

② 석탄: 탄화 정도에 따라 이탄, 갈탄, 역청탄, 무연탄 등으로 구분

- 무연탄: 가정용 연료로 많이 이용되다가 에너지 소비 구조의 변화로 소비량 급감, 고생대 평안 누층군에 매장
- 역청탄: 주로 제철 공업용 및 발전용으로 이용, 전량 수입에 의존

③ 천연가스: 가정용 및 발전용으로 이용되는 비율이 높음, 냉동 액화 기술의 발달로 1990년대 이후 소비량 급증, 울산(동해 가스전)에서 소량 생산되었으나 2021년 말 생산 종료

(3) **1차 에너지의 생산과 공급**

① 국내 생산: 원자력 비율이 높음

② 공급(2021년): 석유 > 석탄 > 천연가스 > 원자력

③ 전력의 생산과 분포

(1) **발전 양식별 설비 용량과 발전량**: 화력 > 원자력 > 수력

(2) **발전 양식별 특징**

구분	입지 조건 및 분포	장단점
화력	• 자연적 입지 제약이 작음 → 주로 전력 소비지와 가까운 곳에 입지 • 수도권은 주로 천연가스 비율이 높음 • 대규모 발전소인 당진, 태안, 보령, 하동 등은 주로 역청탄 사용	• 발전소 건설 비용 및 송전비가 저렴함 • 발전 시 연료 비용이 많이 듦 • 석탄 연소 시 대기 오염 물질 배출량이 많음
원자력	• 지반이 견고하고 다량의 냉각수 확보가 용이한 곳에 입지 • 경북 울진·경주, 부산, 울산, 전남 영광	• 발전소 가동률이 높음 • 발전 후 폐기물 처리 비용이 비쌈 • 방사능 누출 및 안전성 문제
수력	• 낙차가 크고 유량이 풍부한 곳에 입지 • 하천 중·상류 지역에 주로 분포	• 자연적 입지 제약이 큼 • 안정적인 전력 생산이 어려움 • 생태계 변화를 초래함

④ 자원 문제와 대책

(1) **자원 문제**

① 부존자원은 적고 소비량은 많음 → 수입 의존도 높음

② 자원 수급이 어려움, 다양한 환경 문제 발생

(2) **대책**

① 자원 이용의 효율성 증대, 에너지 절약형 산업 육성

② 자원의 안정적 확보, 신·재생 에너지 이용 확대

⑤ 신·재생 에너지

태양광	• 일사량이 풍부한 지역이 유리함 • 전남 신안·해남, 전북 군산·익산 등 호남 지방 • 일조 시간의 영향을 받음 • 전남 > 전북 > 충남 > 경북(2021년)
풍력	• 바람이 강하고 일정하게 부는 산지 및 해안 지역이 유리함 • 경북 영양, 강원 태백, 제주 • 가동 시 소음이 발생함 • 강원 > 경북 > 제주 > 전남(2021년)
조력	• 조수 간만의 차가 크고 만이 발달한 해안 지역이 유리함 • 시화호(경기 안산)

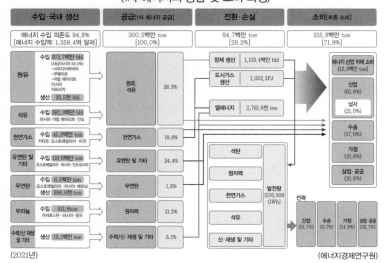

〈1차 에너지의 공급 및 소비 과정〉

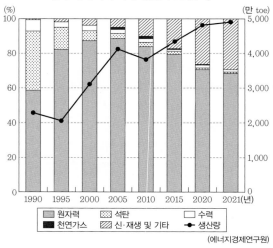

〈1차 에너지의 국내 생산 구조 변화〉

- 우리나라는 에너지 자원을 대부분 수입하고 있으며, 특히 석유는 서남아시아에서 수입하는 비율이 높다. 또한 에너지 수입액이 많아 국가 경제에 미치는 영향이 크다. 1차 에너지 공급 구조는 석유>석탄>천연가스>원자력 순으로 높다. 최종 에너지는 산업용으로 가장 많이 이용되며, 전력은 산업용>상업·공공용>가정용>수송용 순으로 소비량이 많다.

- 국내에서 생산되는 1차 에너지는 점차 늘어나고 있으며, 원자력이 가장 많다. 2000년에 비해 2021년에 원자력의 생산량은 늘었으나, 전체 에너지 생산이 늘어나면서 원자력이 차지하는 비율은 상대적으로 낮아졌다. 신·재생 에너지는 생산량이 늘어나고 국내 1차 에너지 생산에서 차지하는 비율도 높아졌지만, 전체 에너지 공급에서 차지하는 비율은 아직 낮다. 석탄은 국내 생산량이 감소하는 추세이다. 천연가스는 2004년부터 국내에서 생산되었으나, 2021년 말 생산이 종료되었다.

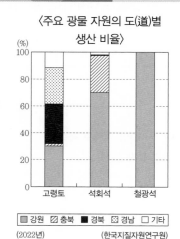

〈주요 광물 자원의 도(道)별 생산 비율〉

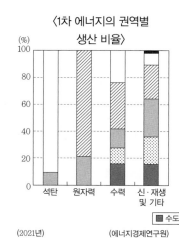

〈1차 에너지의 권역별 생산 비율〉

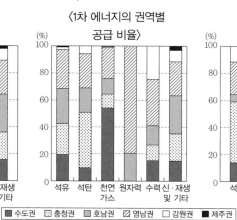

〈1차 에너지의 권역별 공급 비율〉

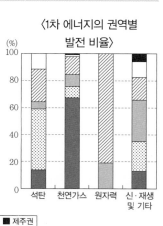

〈1차 에너지의 권역별 발전 비율〉

- 주요 광물 자원은 대부분 북한에 분포한다. 고령토는 강원, 경북, 경남 등에서 생산하고, 석회석은 고생대 조선 누층군이 분포하는 지역에서 주로 생산하며, 철광석은 강원에서 소량 생산한다.

- 우리나라에서 생산되는 1차 에너지로는 석탄(무연탄), 원자력, 수력, 신·재생 에너지 등이 있다. 석탄 생산은 고생대 평안 누층군이 분포하는 강원권에서 비율이 높다. 석탄 공급은 석탄 화력 발전소와 제철소가 입지한 충청권, 영남권, 호남권에서 비율이 높다. 천연가스 공급과 발전은 LNG(액화 천연가스) 복합 화력 발전소와 가스 제조 시설이 입지한 수도권과 영남권에서 비율이 높다. 석유는 석유 화학 공업이 발달한 영남권, 호남권, 충청권에 주로 공급된다.

- 원자력 발전소는 전남 영광, 부산, 경북 울진과 경주, 울산에 입지하여, 원자력은 영남권과 호남권에서만 발전이 이루어진다. 수력은 낙동강 유역의 영남권과 한강 유역의 강원권, 수도권, 충청권에서 생산 비율이 높다. 신·재생 에너지는 태양광 발전량이 많은 호남권에서 발전 비율이 높다.

01

▶ 24061-0079

다음 글의 ㉠에 나타난 자원의 유형 변화를 그림의 A~E에서 고른 것은?

전라남도 화순군에 있는 화순 광업소는 우리나라 1호 탄광이다. 지역 주민들이 검은흙을 보고 '흑토재'라고 부르던 곳이 사실은 석탄 매장지였다. 1930년대부터 인근의 광주에서 방직 산업이 성장하면서 본격적인 석탄 생산이 시작되었다. 실을 뽑아 천을 만드는 방직 산업에서 공장을 가동하는 에너지 자원으로 수요가 생겼기 때문이다. 1970년대 석유 파동을 두 차례 겪으며 에너지 자급이 강조되었고, 국내 생산이 가능한 석탄은 중요성을 인정받았다. 화순 광업소는 1989년에 약 70만 톤을 생산하며 최고의 연간 생산 실적을 기록하였으며, 2020년대까지 2,500만 톤 이상을 채굴하였다. 아직도 매장량이 1,900만 톤 이상 남아 있어 앞으로도 70년 이상 운영할 수 있다. 석탄 산업 합리화 정책으로 대다수의 탄광이 폐광되는 상황에서도 석탄 생산을 이어 가던 국내 4대 탄광으로 꼽혔다. 하지만 연탄 등 가정용 난방 연료의 수요가 줄고, 무연탄을 사용하는 노후 화력 발전소의 폐쇄로 발전용 연료의 수요마저 크게 줄어들었다. 국내 무연탄 생산의 채산성 악화로 수익을 남기기 어려운 구조가 되면서, ㉠화순 광업소는 결국 118년의 역사를 뒤로하고 2023년 6월 30일 문을 닫게 되었다. 강원도 태백의 장성 광업소와 삼척의 도계 광업소도 2024년과 2025년에 차례로 폐광될 예정이다.

자원의 의미 자원 재생 수준	자연		
	기술적 의미의 자원		
	경제적 의미의 자원		
사용함에 따라 고갈되는 비재생 자원	A →		→ D
사용량과 투자 정도에 따라 재생 수준이 달라지는 자원		B →	
사용량과 무관한 재생 자원		C →	E →

① A
② B
③ C
④ D
⑤ E

02

▶ 24061-0080

그래프는 세 광물 자원의 총생산량과 도(道)별 생산량 비율을 나타낸 것이다. (가)~(다)에 대한 설명으로 옳은 것은? (단, (가)~(다)는 각각 고령토, 석회석, 철광석 중 하나임.)

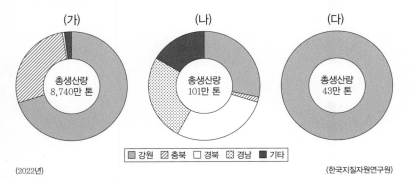

(가) 총생산량 8,740만 톤
(나) 총생산량 101만 톤
(다) 총생산량 43만 톤

■ 강원 ▨ 충북 □ 경북 ▩ 경남 ■ 기타

(2022년)
(한국지질자원연구원)

① (가)는 도자기, 화장품 등의 원료로 이용된다.
② (나)는 고생대 조선 누층군에 주로 분포한다.
③ (다)는 비금속 광물 자원이다.
④ (가)는 (다)보다 수입 의존도가 높다.
⑤ 석회석은 철광석보다 연간 국내 생산량이 많다.

03

▶ 24061-0081

다음은 세 에너지에 대한 학생들의 대화 장면이다. (가)~(다)에 대한 설명으로 옳은 것만을 〈보기〉에서 고른 것은? (단, (가)~(다)는 각각 무연탄, 석유, 역청탄 중 하나임.)

| 보기 |
ㄱ. (가)는 고생대 평안 누층군에 주로 매장되어 있다.
ㄴ. (나)는 주로 제철 공업 및 화력 발전용 연료로 이용된다.
ㄷ. (나)는 (다)보다 우리나라 1차 에너지 소비 구조에서 차지하는 비율이 높다.
ㄹ. (가)는 석유, (나)는 무연탄, (다)는 역청탄이다.

① ㄱ, ㄴ　　② ㄱ, ㄷ　　③ ㄴ, ㄷ　　④ ㄴ, ㄹ　　⑤ ㄷ, ㄹ

04

▶ 24061-0082

그래프는 지도에 표시된 세 지역의 1차 에너지원별 생산량을 나타낸 것이다. 이에 대한 설명으로 옳은 것은? (단, A~C는 각각 석탄, 수력, 원자력 중 하나임.)

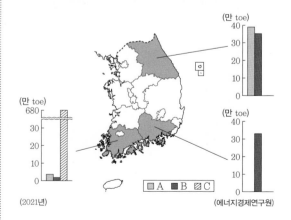

① C는 사용량과 무관한 재생 에너지이다.
② 전남은 경남보다 수력 생산량이 많다.
③ B는 C보다 우리나라에서 전력 생산에 이용된 시기가 이르다.
④ C는 A보다 전력 생산 시 배출되는 대기 오염 물질의 양이 많다.
⑤ A는 수력, B는 원자력, C는 석탄이다.

05

▶ 24061-0083

다음은 자원 단원에 대한 한국지리 수업 장면의 일부이다. (가)에 들어갈 내용으로 옳은 것은?

교사: 다음에서 설명하는 용어에 해당하는 글자를 〈글자판〉에서 찾아 하나씩 지우세요.

〈설명 1〉 과학 기술의 발달, 경제적 조건, 문화적 배경에 따라 가치가 달라지는 자원의 특성
〈설명 2〉 자원 보유국이 자원의 공급 및 가격 조정을 통해 자국에서 생산되는 자원을 전략 무기화하는 경향
〈설명 3〉 과거 강원도 영월의 상동 광산에서 많이 채굴하였으나 값싼 중국산의 수입으로 생산량이 급감하였으며, 특수강 및 합금용 원료가 되는 자원

〈글자판〉

자	텅	원	스	민	텐	족
풍	주	가	의	변	력	성

교사: 남은 글자를 모두 활용하여 만들 수 있는 용어가 포함된 발전 양식에 대해 설명해 보세요.
학생: _____ (가) _____

① 댐을 건설하여 물의 낙차를 이용하는 방식으로 전력을 생산합니다.
② 우라늄의 핵분열 반응을 이용하는 방식으로 대용량의 전력 생산이 가능합니다.
③ 바람의 힘을 이용해서 전력을 얻으며 대관령, 영양 등에서 발전소를 가동하고 있습니다.
④ 해양 에너지 중 조차를 이용하여 전력을 생산하는 방식으로 시화 방조제에서 발전이 이루어집니다.
⑤ 여러 개의 태양 전지들이 붙어 있는 패널을 이용해 태양의 빛 에너지를 변환시켜 전력을 생산합니다.

06

▶ 24061-0084

그래프는 우리나라의 1차 에너지원별 공급량 변화를 나타낸 것이다. A~C에 대한 설명으로 옳은 것은? (단, A~C는 각각 석유, 석탄, 천연가스 중 하나임.)

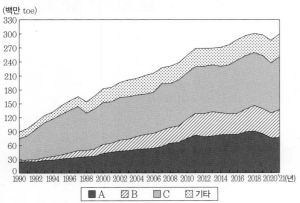

*화석 에너지가 아닌 에너지는 모두 기타에 포함함.
(2021년)
(에너지경제연구원)

① A는 냉동 액화 기술의 발달로 소비량이 급격히 증가하였다.
② B는 제철 공업 및 화력 발전의 연료로 주로 이용된다.
③ A는 B보다 연소 시 대기 오염 물질의 배출량이 많다.
④ B는 C보다 수송용으로 이용되는 비율이 높다.
⑤ C는 A보다 국내 자급률이 높다.

▶ 24061-0085

07

그래프는 권역별 1차 에너지 공급 구조를 나타낸 것이다. (가)~(다) 권역으로 옳은 것은?

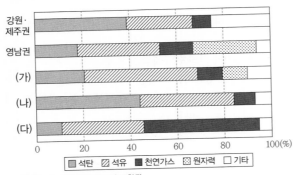

＊기타에는 신·재생 에너지 등이 포함됨.
(2021년)
(에너지경제연구원)

	(가)	(나)	(다)
①	수도권	충청권	호남권
②	수도권	호남권	충청권
③	충청권	수도권	호남권
④	호남권	수도권	충청권
⑤	호남권	충청권	수도권

▶ 24061-0086

08

그래프는 발전 양식 및 1차 에너지원별 발전량 비율을 나타낸 것이다. 이에 대한 설명으로 옳은 것은? (단, A~D는 각각 석유, 석탄, 원자력, 천연가스 중 하나임.)

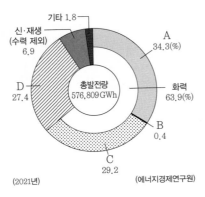

(2021년)　(에너지경제연구원)

① B는 수송용보다 가정용으로 많이 이용된다.
② A는 D보다 적은 양의 연료로 대량의 전력을 생산할 수 있다.
③ C는 A보다 연소 시 대기 오염 물질의 배출량이 많다.
④ 2021년에 원자력 발전량은 석탄 화력 발전량보다 많다.
⑤ 신·재생 에너지는 석유보다 총발전량에서 차지하는 비율이 높다.

09
▶ 24061-0087

지도는 시·군별 전력 생산량을 나타낸 것이다. (가)~(다)에 대한 설명으로 옳은 것은? (단, (가)~(다)는 각각 조력, 태양광, 풍력 중 하나임)

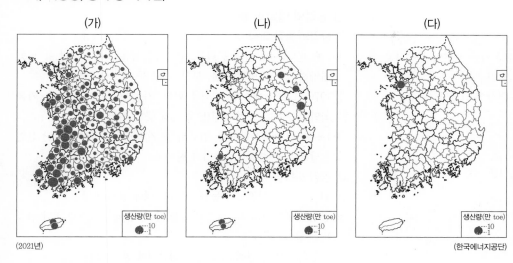

① (가)는 겨울 발전량이 여름 발전량보다 많다.
② (나)는 밀물과 썰물로 인해 발생하는 수위 차를 이용한다.
③ (다)는 일사량이 풍부한 지역이 발전 시설의 입지에 유리하다.
④ (가)는 (나)보다 발전 과정에서 소음이 많이 발생한다.
⑤ (나)는 (다)보다 발전 시 기상 조건의 영향을 크게 받는다.

10
▶ 24061-0088

그래프의 A~C에 대한 설명으로 옳은 것은? (단, A~C는 각각 수력, 원자력, 태양광 중 하나임.)

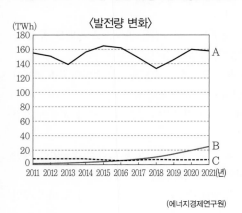

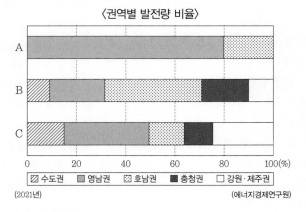

① A는 지반이 견고하고 다량의 냉각수 확보가 용이한 곳이 입지에 유리하다.
② B는 유량이 풍부하고 낙차가 큰 곳이 발전에 유리하다.
③ C를 이용하는 발전소는 해안 지역에 주로 입지한다.
④ 호남권은 영남권보다 원자력을 이용한 발전량이 많다.
⑤ 2021년 전국 총발전량은 수력이 태양광보다 많다.

THEME 12 농업의 변화와 공업 발달

1 농업의 변화

(1) 농촌의 변화

① 농촌 인구의 변화: 도시와 비교하여 생활 기반 시설이 부족하고 소득 수준이 낮음 → 인구 유출로 인한 인구의 사회적 감소 → 노년층 인구 비율 증가 및 노동력 부족 현상이 나타남

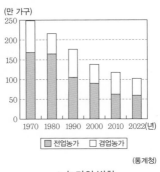

▲ 농가의 변화　　　　▲ 농가 인구 구조의 변화

② 경지의 변화

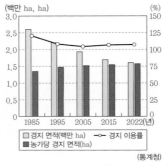

▲ 경지 면적과 경지 이용률의 변화　　▲ 농작물 유형별 재배 면적의 변화

(2) 농업의 변화

① 농산물 시장 개방과 변화: 세계 무역 기구(WTO) 가입과 자유 무역 협정(FTA) 체결 국가 증가 → 농산물 수입 증가 → 주요 농산물의 자급률 하락

② 농업 구조의 변화

- 상업적 농업의 확대: 식량 작물 재배 면적 비율 감소, 상업적 작물(채소, 과실 등) 재배 면적 비율 증가
- 농업의 다각화: 경관 농업으로 관광 산업과 결합, 친환경 농산물 및 지리적 표시제 등과 결합한 고급화
- 영농의 기계화 → 노동 생산성 향상
- 영농 조합, 위탁 영농 회사 등 전문적 농업 경영 방식 증가, 정보 통신 기술을 활용한 스마트 농장 확대

(3) 주요 농산물의 생산과 소비 변화

① 쌀(벼): 중·남부 지방의 평야에서 주로 재배, 식생활 변화로 1인당 소비량 감소

② 보리: 주로 벼의 그루갈이 작물로 남부 지방에서 재배, 소비량 감소와 수익성 악화로 재배 면적 감소

③ 채소: 식생활 변화와 소득 증대로 소비량 증가

④ 과실: 1인당 소비량 증가, 경북·제주 등에서 생산량이 많음

2 공업의 발달과 특징

(1) 공업의 발달 과정

① 1960년대: 풍부한 노동력을 바탕으로 섬유, 의복, 신발 등 노동 집약적 경공업 발달(서울, 부산, 대구 등 대도시 중심)

② 1970~1980년대: 제철, 석유 화학, 자동차, 조선 등 자본·기술 집약적 중화학 공업 발달(남동 임해 공업 지역 중심)

③ 1990년대 이후: 반도체, 컴퓨터 등 기술·지식 집약적 첨단 산업 발달(수도권 중심), 탈공업화 진행

(2) 공업의 특징

① 원료의 수입 의존도가 높음: 해안 지역에 공업 발달

② 공업 구조의 고도화: 경공업 비율 감소, 중화학 공업과 첨단 산업 비율 증가

③ 공업의 지역적 편재: 수도권과 영남권에 공업 집중

④ 공업의 이중 구조: 사업체 수와 종사자 수는 중소기업이 많지만, 출하액은 대기업이 많음

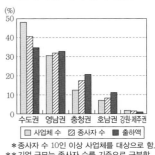
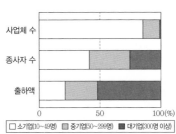

＊종사자 수 10인 이상 사업체를 대상으로 함.
＊＊기업 규모는 종사자 수를 기준으로 구분함.
(2021년)　　　　　　　　　　　　　　(통계청)

▲ 권역별 제조업 현황　　　　▲ 기업 규모별 제조업 현황

3 공업 지역의 형성과 변화

(1) 주요 공업 지역

① 수도권 공업 지역: 최대 종합 공업 지역, 첨단 산업이 빠르게 성장, 충청권으로 공업 분산 중

② 태백산 공업 지역: 풍부한 지하자원을 바탕으로 시멘트 공업 등 원료 지향형 공업 발달, 공업의 집적도가 낮음

③ 충청 공업 지역: 교통이 편리하고 수도권에 인접하여 수도권에서 분산되는 공업의 입지 등을 바탕으로 성장

④ 호남 공업 지역: 중국과의 접근성이 좋으며 대중국 교역의 거점으로 성장

⑤ 영남 내륙 공업 지역: 섬유·전자 등 노동 집약적 경공업을 기반으로 성장, 첨단 산업 중심으로 변화하고 있음

⑥ 남동 임해 공업 지역: 원료 수입과 제품 수출에 유리, 중화학 공업 중심으로 발달

(2) 공업 지역의 변화

① 수도권과 남동 임해 공업 지역: 집적 불이익 발생, 산업 단지 노후화 → 공업 분산 정책 시행

② 공간적 분업: 기업 조직이 성장하면서 기능 분화, 본사(대도시)·연구소(대학)·생산 공장(지방, 국외) 등의 입지가 다르게 나타남

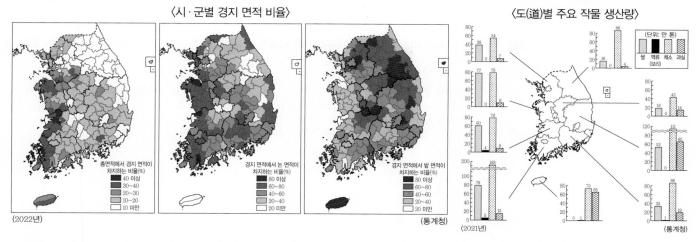

〈시·군별 경지 면적 비율〉

〈도(道)별 주요 작물 생산량〉

(2022년)

(2021년)

(통계청)

- 우리나라 농업의 지역별 특성은 지형, 기후 등 자연 지리적인 요인과 대도시와의 거리 등 인문 지리적인 요인의 영향을 종합적으로 받아 형성되었다. 총면적에서 경지 면적이 차지하는 비율인 경지율은 산지가 발달한 지역과 도시화가 많이 진행된 지역에서 낮게 나타나는 편으로, 강원의 경지율은 약 5%에 불과하다. 하천과 해안의 평야가 발달한 지역은 대체로 경지율이 높게 나타난다. 경지 면적에서 논이 차지하는 비율은 기후가 따뜻하고 평야가 발달한 지역이 높게 나타나는 편이다. 산지가 잘 발달한 지역이나 대도시에 가까운 지역은 경지 면적에서 밭이 차지하는 비율이 높게 나타나는 편이다.
- 벼는 주로 논에서 재배된다. 따라서 쌀은 평야가 넓게 발달한 전남, 충남, 전북에서 생산량이 많고, 제주는 기반암의 특성으로 인해 생산량이 극히 적다. 맥류(보리)는 주로 벼의 그루갈이 작물로 재배되는데, 남부 지방에서 주로 생산된다. 채소는 생산량이 가장 많은 작물이며, 경지 면적이 넓은 전남과 경북에서 생산량이 많다. 과실은 일조 시간이 풍부한 경북과 감귤류를 주로 생산하는 제주에서 생산량이 많다.

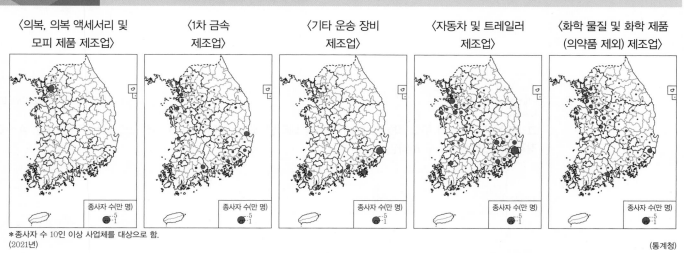

〈의복, 의복 액세서리 및 모피 제품 제조업〉

〈1차 금속 제조업〉

〈기타 운송 장비 제조업〉

〈자동차 및 트레일러 제조업〉

〈화학 물질 및 화학 제품 (의약품 제외) 제조업〉

*종사자 수 10인 이상 사업체를 대상으로 함.
(2021년)

(통계청)

- 의복, 의복 액세서리 및 모피 제품 제조업은 소비자의 수요를 정확하게 파악하고 노동비를 절약하기 위해 대도시에 입지하는 경향이 있다. 따라서 서울과 그 주변 지역에 종사자 수가 많다.
- 1차 금속 제조업은 제철 공업을 포함한다. 포항, 광양, 당진에는 쇳물부터 철판까지 제조할 수 있는 대형 제철소가 입지하여 종사자 수가 많다. 기타 운송 장비 제조업은 조선 공업을 포함한다. 거제, 울산 등은 대형 조선소가 입지하여 종사자 수가 많다. 자동차 및 트레일러 제조업은 많은 부품을 조립하여 제품을 생산하는 특성이 있으며, 울산, 화성, 아산, 광주 등에 대규모 공장이 입지하고 있다.
- 화학 물질 및 화학 제품(의약품 제외) 제조업은 대표적인 집적 지향형 공업으로, 산업 단지에 계열화되어 입지하는 경향을 보인다. 석유 화학 공업이 발달한 울산, 여수 등의 종사자 수가 많다.

01

▶ 24061-0089

그래프는 농촌의 변화를 나타낸 것이다. 1990년과 비교한 2020년의 상대적 특성으로 옳은 것만을 〈보기〉에서 고른 것은?

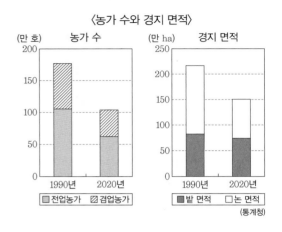

〈농가의 연령별 인구〉

〈농가 수와 경지 면적〉

보기

ㄱ. 겸업농가가 많아졌다.
ㄴ. 농가 인구의 노령화 지수가 높아졌다.
ㄷ. 농가 인구와 농가 수 모두 감소하였다.
ㄹ. 경지 면적에서 논이 차지하는 비율이 증가하였다.

① ㄱ, ㄴ ② ㄱ, ㄷ ③ ㄴ, ㄷ ④ ㄴ, ㄹ ⑤ ㄷ, ㄹ

02

▶ 24061-0090

그래프는 두 시기의 주요 작물별 재배 면적을 나타낸 것이다. 이에 대한 설명으로 옳은 것은? (단, A~C는 각각 과수, 맥류, 벼 중 하나임.)

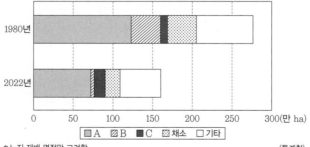

* 노지 재배 면적만 고려함.　　　　　　　(통계청)

① 1980년 과수는 맥류보다 재배 면적이 넓다.
② 2022년 맥류는 채소보다 재배 면적이 넓다.
③ 1980년은 2022년보다 과수 재배 면적이 넓다.
④ 2022년은 1980년보다 벼 재배 면적이 넓다.
⑤ A는 벼, B는 맥류, C는 과수이다.

03

▶ 24061-0091

그래프는 세 도(道)의 농업 특성을 나타낸 것이다. (가)~(다) 지역으로 옳은 것은?

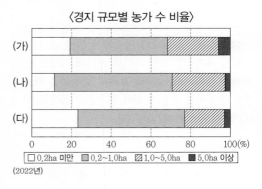
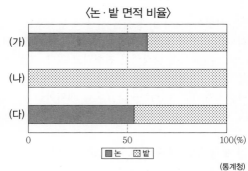

〈경지 규모별 농가 수 비율〉

〈논·밭 면적 비율〉

☐ 0.2ha 미만 ☐ 0.2~1.0ha ▨ 1.0~5.0ha ■ 5.0ha 이상

■ 논 ▫ 밭

(2022년)

(통계청)

	(가)	(나)	(다)		(가)	(나)	(다)
①	경기	전남	제주	②	경기	제주	전남
③	전남	경기	제주	④	전남	제주	경기
⑤	제주	전남	경기				

04

▶ 24061-0092

지도는 (가)~(라) 작물의 시·도별 생산량 비율을 나타낸 왜상 지도이다. 이에 대한 설명으로 옳은 것은? (단, (가)~(라)는 각각 과실, 맥류(보리), 쌀, 채소 중 하나임.)

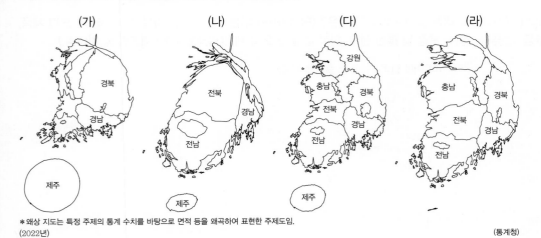

＊왜상 지도는 특정 주제의 통계 수치를 바탕으로 면적 등을 왜곡하여 표현한 주제도임.
(2022년)

(통계청)

① (가)는 주로 논에서 재배된다.
② (나)는 주로 (다)의 그루갈이 작물로 재배된다.
③ (나)는 (라)보다 국내 자급률이 높다.
④ (라)는 (다)보다 시설 재배가 활발하다.
⑤ 과실 생산량은 제주가 전남보다 많다.

05

▶ 24061-0093

다음 글의 ㉠~㉤에 대한 설명으로 옳지 않은 것은?

우리나라는 산업화, 도시화, 농산물 시장 개방 등으로 ㉠농업 인구와 경지 면적이 감소하는 등 농업의 생산 기반이 악화되는 위기에 직면하였다. 이러한 문제를 해결하고 변화하는 농업 환경에 적용하기 위해 경관 농업 육성 등 ㉡농촌 소득의 다각화가 진행되고 있다. 또한 기후, 지형, 토양 등 특정 지역의 지리적 특성이 반영된 농산물의 원산지를 표시하는 제도인 ㉢지리적 표시제의 시행을 통해 상품을 차별화하며 경쟁력을 확보하는 중이다. 이 밖에도 농산물 유통 구조를 개혁하는 ㉣로컬 푸드 운동이나 작물의 재배 환경을 자동으로 제어할 수 있는 ㉤스마트 팜이 도입되는 등 농업을 변화시키는 다양한 시도가 이어지고 있다.

① ㉠으로 인해 농가당 경지 면적이 감소하였다.
② ㉡의 사례로 아름다운 농촌 경관을 통해 관광객을 유치하고 소득을 창출하는 것을 들 수 있다.
③ ㉢의 사례로 보성 녹차, 의성 마늘 등을 들 수 있다.
④ ㉣은 생산지와 소비지의 거리를 줄여 신선도 확보에 유리하다.
⑤ ㉤은 정보 통신 기술의 발달이 농업 분야에 접목된 사례이다.

06

▶ 24061-0094

그래프의 (가)~(다)에 대한 설명으로 옳은 것은? (단, (가)~(다)는 각각 의복·의복 액세서리 및 모피 제품, 전자 부품·컴퓨터·영상·음향 및 통신 장비, 화학 물질 및 화학 제품(의약품 제외) 제조업 중 하나임.)

〈(가)~(다) 제조업의 시·도별 출하액 비율〉

* 종사자 수 10인 이상 사업체를 대상으로 함.
** 각 업종별 상위 5개 지역만 제시하고, 나머지는 기타에 포함함.
(2021년)   (통계청)

① (가)는 노동 집약적 경공업이다.
② (나)는 대량의 원료를 수입하는 적환지 지향형 공업이다.
③ (가)는 (다)보다 2000년대 이후 수출액이 적다.
④ (나)는 (다)보다 생산비에서 연구 개발비가 차지하는 비율이 높다.
⑤ (다)는 (가)보다 초기 설비 투자 비용이 크다.

07

▶ 24061-0095

그래프는 두 제조업의 사업체 수, 종사자 수, 출하액을 나타낸 것이다. (가), (나)에 대한 설명으로 옳은 것만을
〈보기〉에서 고른 것은? (단, (가), (나)는 각각 1차 금속, 자동차 및 트레일러 제조업 중 하나임.)

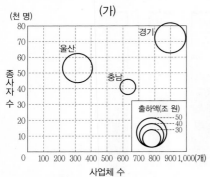

*종사자 수 10인 이상 사업체를 대상으로 함.
**출하액 기준 상위 3개 지역만 나타냄.
***사업체 수와 종사자 수는 원의 가운데 값임.
(2021년)   (통계청)

┌─ 보기 ┌
ㄱ. (나)는 원료를 수입하기에 유리한 항만에 주로 입지하는 적환지 지향형 공업이다.
ㄴ. (가)는 (나)에서 생산된 최종 제품을 주요 재료로 이용한다.
ㄷ. (가)는 (나)보다 전국 종사자 수와 출하액이 적다.
ㄹ. 충남의 사업체 수는 (나)가 (가)보다 많다.

① ㄱ, ㄴ   ② ㄱ, ㄷ   ③ ㄴ, ㄷ   ④ ㄴ, ㄹ   ⑤ ㄷ, ㄹ

08

▶ 24061-0096

지도는 (가)~(다)를 생산하는 공장의 분포를 나타낸 것이다. (가)~(다)에 해당하는 품목으로 옳은 것은?

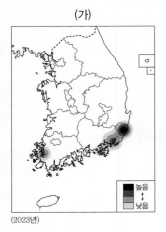 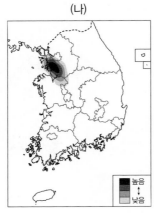 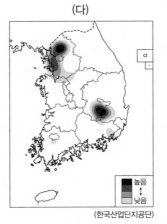

(2023년)   (한국산업단지공단)

	(가)	(나)	(다)		(가)	(나)	(다)
①	선박	섬유	반도체	②	선박	반도체	섬유
③	섬유	반도체	선박	④	반도체	선박	섬유
⑤	반도체	섬유	선박				

09

▶ 24061-0097

그래프는 우리나라 공업 구조의 특징을 나타낸 것이다. (가)~(다)에 해당하는 제목으로 가장 적절한 것은?

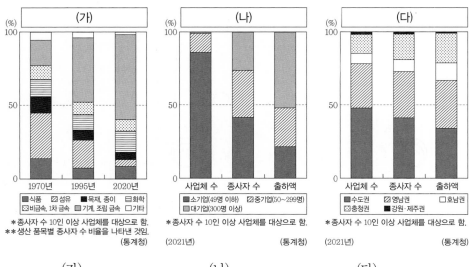

* 종사자 수 10인 이상 사업체를 대상으로 함.
** 생산 품목별 종사자 수 비율을 나타낸 것임.
(통계청)

* 종사자 수 10인 이상 사업체를 대상으로 함.
(2021년)　　　　　　　(통계청)

* 종사자 수 10인 이상 사업체를 대상으로 함.
(2021년)　　　　　　　(통계청)

	(가)	(나)	(다)
①	공업의 이중 구조	공업 구조의 고도화	공업의 지역적 편재
②	공업의 이중 구조	공업의 지역적 편재	공업 구조의 고도화
③	공업 구조의 고도화	공업의 이중 구조	공업의 지역적 편재
④	공업 구조의 고도화	공업의 지역적 편재	공업의 이중 구조
⑤	공업의 지역적 편재	공업의 이중 구조	공업 구조의 고도화

10

▶ 24061-0098

그래프는 지도에 표시된 세 지역의 제조업 업종별 종사자 수를 나타낸 것이다. 이에 대한 설명으로 옳은 것은? (단, (가)~(다)는 각각 지도의 A~C 중 하나임.)

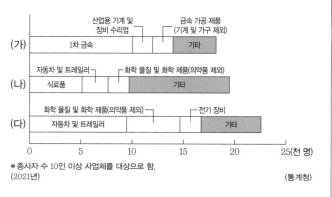

* 종사자 수 10인 이상 사업체를 대상으로 함.
(2021년)　　　　　　　(통계청)

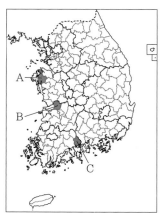

① (다)는 호남 공업 지역에 위치한다.
② (가)는 (나)보다 수도권과의 최단 거리가 가깝다.
③ C에서 종사자 수가 가장 많은 제조업 업종은 제품 생산에 많은 부품이 필요한 조립 공업이다.
④ A는 B보다 자동차 및 트레일러 제조업 종사자 수가 많다.
⑤ (가)는 A, (나)는 B, (다)는 C이다.

① 상업 및 소비 공간의 변화

(1) 상업의 의미: 생산과 소비를 연결하는 여러 가지 유통 활동

(2) 상업의 입지

① 상업의 입지 요인: 접근성, 지가, 유동 인구, 집적 이익 등의 경제적 요인과 소비자의 생활 방식, 교통·통신의 발달, 도시 성장 등의 사회적 요인

② 중심지의 원리

최소 요구치	중심지나 상점이 기능을 유지하기 위한 최소한의 수요
재화의 도달 범위	중심지 기능이 영향을 미치는 최대한의 공간적 범위

- 중심지 유지 조건: 최소 요구치 ≤ 재화의 도달 범위
- 인구 밀도, 구매력, 교통 발달 등의 영향으로 변화함

③ 중심지(상점) 규모별 상대적 특성

구분	저차 중심지(편의점)	고차 중심지(백화점)
상점 수	많음	적음
상점 간 평균 거리	가까움	멂
최소 요구치	작음	큼
재화의 도달 범위	좁음	넓음

④ 소비자의 구매 행태

- 일상용품: 구매 빈도가 높아 대부분 주거지와 가까운 상점에서 구매하는 경향이 있음, 상점 수가 많음, 소비자 분포에 따라 분산 입지함
- 전문 상품: 이동 비용이 비싸더라도 전문 상점에서 구매하는 경향이 있음, 상점 수가 적음, 주로 특정 지역에 집중 입지함

(3) 상업과 소비 공간의 변화

① 소비자 구매 행태의 변화: 양적 소비보다 질적 소비 중시, 구매 품목의 다양화

② 유통업의 형태

전통 시장	소상공인 중심이며 오랜 전통이 있음
백화점	고가품 매출 비율이 상대적으로 높음
슈퍼마켓	일상생활에 필요한 기본적인 상품을 판매함
대형 마트	판매 상품이 다양하고 넓은 주차 시설을 갖추고 있음

③ 다양한 소비 공간의 등장

편의점	일상용품을 대체로 24시간 판매함
대형 복합 쇼핑몰	영화관, 식당, 스포츠 센터 등 다양한 시설이 쇼핑센터와 결합된 공간
무점포 소매업	인터넷 쇼핑 등 소비자가 방문하는 매장 없이 상품을 판매하는 소매업
직거래 장터	생산자와 소비자가 직접 연결되어 거래함

④ 유통업의 비교: 사업체 수는 편의점, 슈퍼마켓, 무점포 소매업 등이 많고 대형 마트나 백화점은 적음

② 서비스 산업의 고도화와 공간 변화

(1) 산업 구조의 변화

① 산업화 이전

- 농업, 임업, 수산업, 축산업 등 1차 산업의 비율이 높게 나타남
- 토지와 노동력이 중요한 생산 요소임

② 공업화

- 제조업의 발달로 인해 2차 산업의 비율이 점차 증가함
- 산업화와 도시화가 급격하게 진행됨
- 자본과 노동력이 중요한 생산 요소임

③ 탈공업화

- 2차 산업의 비율이 점차 감소하고 3차 산업의 비율이 높게 나타남
- 서비스 산업이 다변화되고 전문화되는 경향을 보임
- 지식과 정보가 중요한 생산 요소임

(2) 우리나라의 산업 구조 변화

① 시대별 변화

- 1960년대까지 농업 중심의 산업 구조임
- 1990년대 이후 2차 산업 종사자 비율이 감소하기 시작함, 3차 산업 종사자 비율이 크게 증가함

② 서비스업의 고도화: 기업이 전문 분야를 맡기는 외주화(아웃소싱)로 인해 생산자 서비스업이 급격하게 성장함

소비자 서비스업	• 소매업, 숙박업, 음식점업 등 • 개인 소비자가 이용하는 서비스업 • 소비자의 이동 거리를 최소화하기 위해 인구 분포에 따라 분산 입지하는 경향이 나타남
생산자 서비스업	• 금융업, 보험업, 부동산업, 전문 서비스업 등 • 기업의 생산 활동을 지원하는 서비스업 • 기업과의 접근성이 높고 정보 획득에 유리한 대도시의 도심에 집중적으로 입지하는 경향이 나타남

③ 교통·통신의 발달과 공간 변화

(1) 운송비 구조: 총운송비 = 기종점 비용 + 주행 비용

(2) 교통수단별 특성

도로	• 기종점 비용이 저렴하고, 주행 비용 증가율이 높음 • 문전 연결성이 우수함 • 국내 수송 분담률이 높음
철도	• 도로와 해운의 중간 수준 운송비 구조가 나타남 • 정시성이 우수함 • 지하철은 대도시의 여객 수송을 담당함
해운	• 기종점 비용이 크지만, 주행 비용 증가율이 상대적으로 낮음 • 대량 화물의 장거리 수송에 유리함
항공	• 신속한 수송에 유리함 • 국외 여객의 대부분 및 신속한 화물 수송을 담당함

(3) 교통·통신의 발달과 공간 변화: 대도시권 형성, 공간의 재조직화, 공간적 분업 현상 심화 등

〈소매 업태별 특성〉

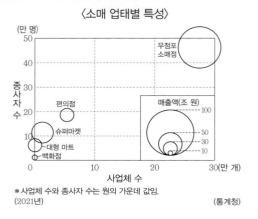

〈소매 업태별 매출액 변화〉

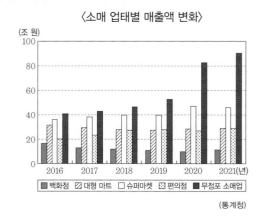

* 사업체 수와 종사자 수는 원의 가운데 값임.
(2021년)   (통계청)

(통계청)

- 소매 업태 중에서 사업체 수와 종사자 수가 가장 적은 백화점은 최소 요구치가 가장 크다. 무점포 소매업은 다른 소매 업태와 비교하여 사업체 수가 매우 많다. 무점포 소매업은 정보 통신 기술의 발달과 함께 전자 상거래가 활성화되면서 성장하고 있으며, 택배 산업의 성장을 이끌고 있다.
- 백화점을 운영 중인 기업은 문화 체험이나 여가 활동을 구매 행위와 결합하여 소비자에게 다양한 경험을 제공하는 대형 복합 쇼핑몰을 운영하기도 한다. 대형 마트를 운영하는 기업은 창고형 매장을 도입하거나 인터넷 판매 및 배송 서비스 강화를 도입하고 있다. 편의점은 빠르게 성장하다가 점포의 과잉 공급으로 인해 경쟁이 치열해지면서 성장이 둔화되었다. 무점포 소매업은 코로나바이러스 감염증-19의 범유행 과정에서 매출액이 급격하게 늘었다.

| 〈주요 고속 철도〉 | 〈주요 지하철〉 | 〈주요 항만〉 | 〈주요 공항〉 |

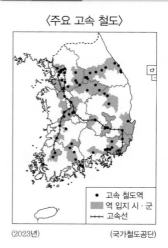 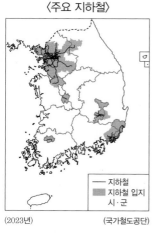 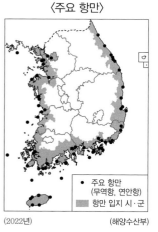 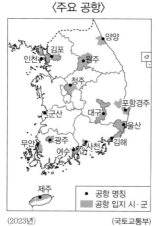

(2023년)   (국가철도공단)   (2023년)   (국가철도공단)   (2022년)   (해양수산부)   (2023년)   (국토교통부)

- 우리나라는 삼면이 바다로 둘러싸인 반도에 위치하며, 다양한 교통수단이 발달하였다. 국내 교통은 대부분 도로가 담당하고 있다. 철도는 정시성이 높으며 고속 철도를 통해 도시 간 이동을 신속하게 할 수 있는데, 현재 경부 고속선, 호남 고속선 등이 있다. 지하철은 대도시권의 확장에 큰 영향을 주는데, 현재 수도권·부산·대구·광주·대전 지하철이 만들어져 있다.
- 우리나라는 연안을 따라 크고 작은 항구가 많으며, 무역 의존도가 높기 때문에 다수의 무역항이 설치되어 있다. 과거에는 하천을 통한 운송이 많았지만, 현재는 하천에 항만 시설이 있는 곳이 많지 않다. 공항은 국제공항(인천, 김포, 김해, 제주, 청주, 대구, 무안, 양양)과 국내선만 운행하는 공항(원주, 군산, 광주, 여수, 사천, 울산, 포항경주)이 있다.

01

▶ 24061-0099

다음은 소매 업태의 변화를 다룬 신문 기사의 일부이다. (가)~(다)에 해당하는 내용으로 옳은 것은?

○○ 신문
(가) 의 변신
오래된 점포의 멋을 살리는 방향으로 국밥·국수 특화 거리를 조성하는 '○○○, 시장이 되다' 프로젝트가 진행되었다. 인구 소멸 지역에 관광객이 모여들며 지역 경제가 활성화되는 모습이 방송되었다.

○○ 신문
(나) 의 성장
오프라인 매장 없이 온라인 플랫폼만 운영해 온 기업이 전통적 유통 대기업보다 큰 매출을 기록하였다. 감염병의 범유행 기간에 차별화된 배송을 내세웠던 점이 급격하게 성장한 배경이 되었다.

○○ 신문
(다) 의 유치
영화 관람, 외식 등을 결합하여 한 장소에서 쇼핑과 여가를 즐길 수 있도록 조성한 공간이 늘어나고 있다. 소비자가 구매 자체를 문화생활로 여기면서 이 시설이 입지한 개별 도시가 관심을 받기도 하였다.

	(가)	(나)	(다)
①	전통 시장	전자 상거래	대형 복합 쇼핑몰
②	전통 시장	대형 복합 쇼핑몰	전자 상거래
③	전자 상거래	전통 시장	대형 복합 쇼핑몰
④	대형 복합 쇼핑몰	전통 시장	전자 상거래
⑤	대형 복합 쇼핑몰	전자 상거래	전통 시장

02

▶ 24061-0100

지도는 두 소매 업체의 분포를 나타낸 것이다. (나)와 비교한 (가)의 상대적 특성으로 옳은 것은? (단, (가), (나)는 각각 백화점, 편의점 중 하나임.)

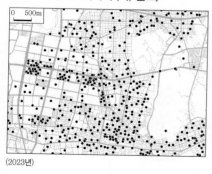

〈○○ 지역의 (가) 분포〉
(2023년)

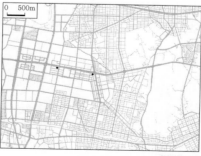

〈○○ 지역의 (나) 분포〉
(행정안전부)

① 최소 요구치가 크다.
② 사업체당 매출액이 많다.
③ 재화의 도달 범위가 넓다.
④ 사업체당 매장 면적이 넓다.
⑤ 소비자의 평균 구매 빈도가 높다.

03

▶ 24061-0101

(가)~(다) 소매 업태에 대한 설명으로 옳은 것만을 〈보기〉에서 고른 것은? (단, (가)~(다)는 각각 대형 마트, 백화점, 슈퍼마켓 중 하나임.)

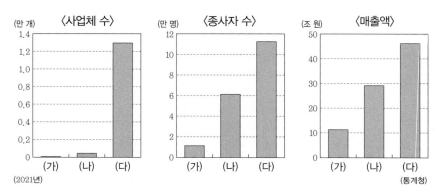

(2021년) (통계청)

| 보기 |
| ㄱ. (가)는 (나)보다 대도시의 도심에 입지하는 경향이 크다.
ㄴ. (나)는 (다)보다 소비자의 평균 구매 이동 거리가 멀다.
ㄷ. (다)는 (가)보다 고가 상품의 판매 비율이 높다.
ㄹ. (가)는 슈퍼마켓, (나)는 백화점, (다)는 대형 마트이다. |

① ㄱ, ㄴ　　　② ㄱ, ㄷ　　　③ ㄴ, ㄷ　　　④ ㄴ, ㄹ　　　⑤ ㄷ, ㄹ

04

▶ 24061-0102

지도는 두 서비스업의 서울시 동(洞)별 분포를 나타낸 것이다. (가), (나)에 대한 설명으로 옳은 것은? (단, (가), (나)는 각각 금융 기관, 음식점 중 하나임.)

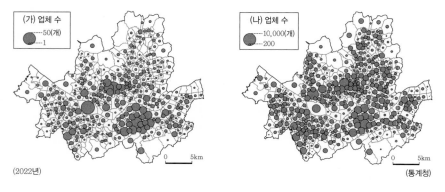

(2022년) (통계청)

① (가)는 (나)보다 총사업체 수가 많다.
② (가)는 (나)보다 기업과의 거래액 비율이 높다.
③ (나)는 (가)보다 종사자당 매출액이 많다.
④ (나)는 (가)보다 대도시의 도심에 집중하는 경향이 강하다.
⑤ (가)는 소비자 서비스업, (나)는 생산자 서비스업에 속한다.

05

▶ 24061-0103

그래프는 (가), (나) 서비스업의 현황을 나타낸 것이다. 이에 대한 설명으로 옳은 것만을 〈보기〉에서 고른 것은? (단, (가), (나)는 각각 숙박 및 음식점업, 전문·과학 및 기술 서비스업 중 하나이며, A, B는 각각 광주, 전남 중 하나임.)

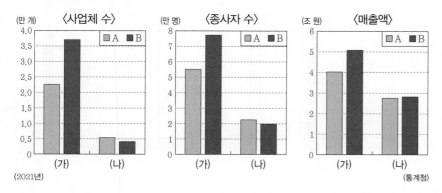

(2021년) (통계청)

> 보기
>
> ㄱ. (가)는 (나)보다 사업체당 종사자 수가 많다.
> ㄴ. (나)는 (가)보다 종사자당 매출액이 많다.
> ㄷ. (가)는 소비자 서비스업, (나)는 생산자 서비스업에 해당한다.
> ㄹ. A는 전남, B는 광주에 해당한다.

① ㄱ, ㄴ   ② ㄱ, ㄷ   ③ ㄴ, ㄷ   ④ ㄴ, ㄹ   ⑤ ㄷ, ㄹ

06

▶ 24061-0104

그래프는 지도에 표시된 세 지역의 경제 활동별 지역 내 생산액을 나타낸 것이다. 이에 대한 설명으로 옳은 것은?

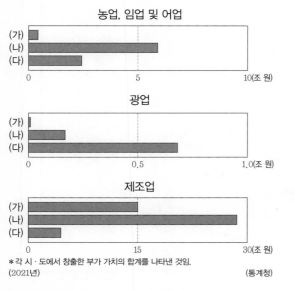

＊각 시·도에서 창출한 부가 가치의 합계를 나타낸 것임.
(2021년) (통계청)

① 강원은 광업 생산액이 제조업 생산액보다 많다.
② 부산은 전남보다 제조업 생산액이 많다.
③ 전남은 세 지역 중 농림어업 생산액이 가장 많다.
④ (가)는 세 지역 중 총인구가 가장 적다.
⑤ (나)는 영남권에 속한다.

07

▶ 24061-0105

그래프는 교통수단별 수송 실적을 나타낸 것이다. (가)~(마) 교통수단에 대한 설명으로 옳지 **않은** 것은? (단, (가)~(마)는 각각 도로, 지하철, 철도, 항공, 해운 중 하나임.)

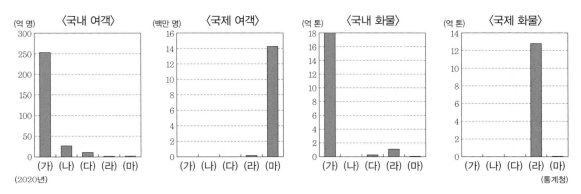

① (가)는 (나)보다 정시성이 뛰어나다.
② (나)는 (다)보다 대도시권의 교통 혼잡 문제 해결에 도움이 된다.
③ (다)는 (라)보다 주행 비용의 증가율이 높다.
④ (라)는 (마)보다 상업적으로 이용한 시기가 이르다.
⑤ (마)는 (가)보다 기상 조건에 따른 제약이 크다.

08

▶ 24061-0106

다음은 한국지리 학습 활동 노트이다. (가)~(다)에 대한 설명으로 옳은 것은? (단, (가)~(다)는 각각 도로, 항공, 해운 중 하나임.)

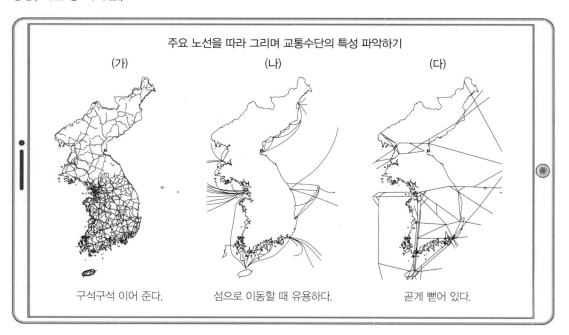

① (나)는 대규모 화물의 장거리 수송에 유리하다.
② (가)는 (나)보다 기종점 비용이 크다.
③ (나)는 (다)보다 평균 운행 속도가 빠르다.
④ (다)는 (가)보다 문전 연결성이 우수하다.
⑤ (가)는 해운, (나)는 항공, (다)는 도로이다.

1 우리나라의 인구 분포와 인구 이동

(1) 인구 분포에 영향을 미치는 요인

① 자연적 요인: 기후, 지형, 토양 등 전통적 인구 분포에 큰 영향을 줌

② 사회·경제적 요인: 문화, 교육, 산업, 교통 등 과학 기술이 발달하고 경제가 성장하면서 영향력이 커짐

(2) 우리나라의 인구 분포

① 1960년대 이전: 자연적 요인의 영향을 많이 받아 기후가 온화하고 경지 비율이 높은 남서부 평야 지역에 인구가 밀집함

② 현재: 사회·경제적 요인의 영향을 상대적으로 많이 받음, 2·3차 산업이 발달하고 도시가 밀집되어 있는 수도권과 공업이 발달한 남동 임해 지역에 인구가 밀집해 있으며, 태백·소백산맥의 산간 지역과 농어촌 지역은 인구가 희박함

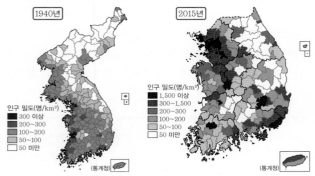

▲ 우리나라의 인구 분포 변화

(3) 우리나라의 인구 이동

① 1960~1980년대: 산업화와 도시화가 진행되면서 농촌에서 대도시, 공업 도시로의 이촌 향도 현상이 나타남

② 1990년대 이후: 수도권을 비롯한 대도시권으로 인구가 집중함, 교외화 현상으로 대도시에서 주변 도시로의 인구 이동이 많아짐

2 우리나라의 인구 변화

(1) 인구 변동

① 자연적 증감(출생자 수-사망자 수)과 사회적 증감(전입자 수-전출자 수)으로 결정됨

② 의학 기술의 발달, 경제 발달 수준, 인구 정책 등의 영향을 받음

(2) 인구 변천 모형

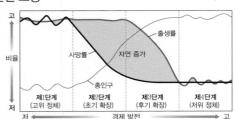

제1단계	출생률과 사망률이 모두 높음
제2단계	의학 기술의 발달로 사망률이 급감함
제3단계	가족계획, 자녀에 대한 가치관 변화로 출생률이 낮아짐
제4단계	출생률과 사망률이 모두 낮음

(3) 우리나라의 인구 변화 과정

① 조선 시대 이전: 인구 변천 모형 제1단계(다산다사형)에 해당함

② 일제 강점기: 인구 변천 모형 제2단계(다산감사형)에 해당함

③ 광복~1960년대 초

• 광복~1950년대 초: 해외 동포의 귀국, 북한 주민의 월남으로 인구의 사회적 증가 활발

• 한국 전쟁 기간 중: 사망률 증가

• 한국 전쟁 후: 출산 붐 현상으로 인구의 자연적 증가 활발

④ 1960년대 중반~1980년대: 인구 변천 모형 제3단계(감산소사형)에 해당함, 가족계획과 생활 수준 향상으로 합계 출산율이 낮아짐

⑤ 1990년대 이후: 저출산·고령화 현상 심화 → 출산 장려 정책 실시

3 우리나라의 인구 구조 변화

(1) 연령층별 인구 구조

① 출생률이 낮아지면서 유소년층 인구 비율이 감소함

② 청장년층 인구 비율은 2010년대 중반까지 증가하였으나 이후 감소하였으며, 지속적으로 감소할 것으로 예상됨

③ 평균 수명이 연장되면서 노년층 인구 비율이 증가함

(2) 시기별 인구 구조의 변화

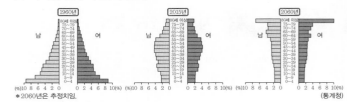

* 2060년은 추정치임. (통계청)

(3) 인구 부양비의 변화

① 1960년부터 2020년까지 유소년 부양비는 낮아지고 노년 부양비는 높아짐

② 총부양비의 변화

• 1960년대~2010년대 중반: 청장년층 인구 비율이 증가하여 총부양비가 감소함

• 2010년대 중반 이후: 청장년층 인구 비율이 감소하면서 총부양비가 증가함

③ 유소년층 인구 비율은 감소하고 노년층 인구 비율은 빠르게 증가하여 노령화 지수가 빠르게 높아짐

(4) 성별 인구 구조

① 성비: 여성 100명에 대한 남성의 수

② 성별 인구 분포

• 남초 지역: 중화학 공업 도시, 군사 분계선 인근의 군사 지역 등

• 여초 지역: 대도시, 관광 도시, 고령화가 진행된 촌락 등

(5) 인구 구조의 지역적 차이

① 주요 원인: 이촌 향도 현상으로 촌락은 청장년층 인구 유출, 도시는 청장년층 인구 유입

② 특징: 촌락의 경우 결혼 적령기 연령층 인구의 성비는 매우 높지만 전 연령층 성비는 낮음

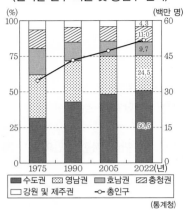

〈권역별 인구 비율 및 총인구 변화〉

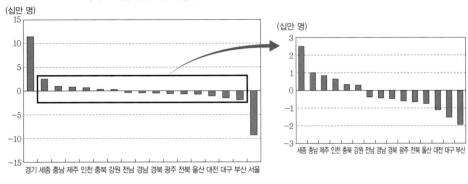

〈시·도별 인구 순 이동〉

* 2013~2022년의 합계임.

- 우리나라는 한국 전쟁 이후 출산 붐 현상으로 인구의 자연적 증가가 활발하여 전국 인구가 1975년에 약 3,400만 명, 1990년에 약 4,300만 명, 2022년 기준 약 5,100만 명에 이르게 되었다. 1970년대 인구의 빠른 증가로 인해 정부는 산아 제한 정책을 강하게 추진하였으나, 현재는 저출산으로 인해 출산 장려 정책을 추진할 만큼 인구에 대한 사회적 관심의 방향이 달라졌다. 또한 인구 분포의 불균형 현상도 사회적 문제가 되고 있는데, 1975년에는 수도권 인구가 전체 인구의 약 30%로 영남권과 거의 비슷한 수준이었으나 2022년 기준 전체 인구의 절반 이상이 수도권에 집중하고 있다.
- 우리나라 시·도별 인구 순 이동은 지역적 편차가 크다. 인구 순 유입 규모가 큰 지역은 서울로부터 인구 이동이 많았던 경기, 행정 중심 복합 도시의 출범으로 각종 행정 기능이 이전되면서 인구 유입이 많았던 세종, 최근 수도권으로부터 기능이 분산 이전되면서 공업이 발달한 충남 등이다. 반면에 인구 순 유출 규모가 큰 지역은 경기로 인구 유출이 지속적으로 발생한 서울과 부산, 대구 등 교외화 현상이 활발한 대도시들이다.

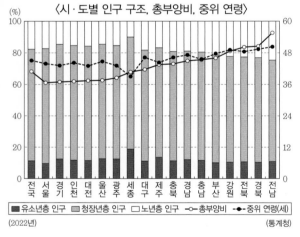

〈시·도별 인구 구조, 총부양비, 중위 연령〉

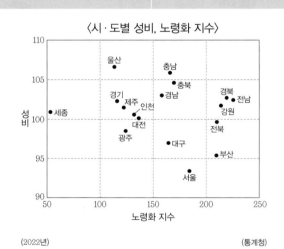

〈시·도별 성비, 노령화 지수〉

- 총부양비는 청장년층 인구 비율과 반비례한다. 시·도 중 서울은 청장년층 인구 비율이 가장 높고 총부양비는 가장 낮다. 서울, 경기, 인천, 대전, 울산, 광주, 세종은 총부양비가 전국 평균보다 낮고, 나머지 지역은 전국 평균보다 높다. 노년층 인구 비율은 전남이 가장 높으며, 세종은 유소년층 인구 비율이 가장 높다. 중위 연령은 총인구를 나이순으로 줄 세웠을 때 중간에 있는 사람의 나이를 의미하며, 인구 고령화 정도를 파악하는 데 활용된다. 시(市) 중 부산은 총부양비와 중위 연령이 가장 높고, 도(道) 중 경기는 총부양비와 중위 연령이 가장 낮다.
- 성비는 여성 100명당 남성의 수를 의미하며, 성비가 100 이상이면 남초 지역에 해당한다. 시·도 중 중화학 공업 도시인 울산은 성비가 가장 높으며, 대도시인 서울은 성비가 가장 낮다. 노령화 지수는 (노년층 인구÷유소년층 인구)×100으로 산출하는데, 시·도 중 노년층 인구 비율이 가장 높은 전남이 노령화 지수가 가장 높으며, 유소년층 인구 비율이 가장 높은 세종은 노령화 지수가 다른 시·도보다 월등히 낮다. 전남을 포함한 경북, 강원, 전북, 부산은 노년층 인구가 유소년층 인구보다 2배 이상 많아 노령화 지수가 200을 초과한다. 특히 부산은 대도시임에도 불구하고 노령화 지수가 200 이상인 점이 특이하다.

01

▶ 24061-0107

다음 글의 ⊙~②에 대한 설명으로 옳은 것은?

연령층별 인구 구조는 0~14세의 유소년층 인구, 15~64세의 청장년층 인구, 65세 이상의 노년층 인구로 구성된다. ⊙우리나라의 유소년층 인구는 1970년에 약 1,371만 명이었지만, 저출산의 영향으로 2020년에 약 631만 명으로 급격히 감소하였다. 이와 달리 노년층 인구는 1970년에 약 99만 명에 불과하였으나, 2020년에 약 815만 명으로 급격히 증가하였다. 유소년층 인구, 청장년층 인구, 노년층 인구 세 집단 모두 산업과 경제 기반이 튼튼한 대도시에 집중되어 있다. 특히 청장년층 인구의 80% 이상은 읍·면·동 중 ⓒ 지역에 거주하고 있다. 1970년대에 인구가 수도권, 호남권, 영남권에 비교적 고르게 분포하였던 것과 대조적으로 2022년 기준 우리나라 총인구의 50% 이상은 ⓒ서울, 인천, 경기의 수도권에 집중되어 있다. 특히 경기는 ②신도시 개발에 따라 젊은 연령층의 인구가 빠르게 유입되었다.

① ⊙을 통해 1970년 인구 부양비는 100 이상임을 알 수 있다.

② ⊙을 통해 2020년 노령화 지수는 100 이상임을 알 수 있다.

③ ⓒ에는 '읍'이 들어갈 수 있다.

④ ⓒ의 세 지역 중 2022년에 청장년층 인구는 서울이 가장 많다.

⑤ ②을 통해 수도권의 인구 집중 현상이 완화되었다.

02

▶ 24061-0108

그래프는 지도에 표시된 네 지역의 시기별 인구 순 이동을 나타낸 것이다. (가)~(라) 지역에 대한 설명으로 옳은 것은?

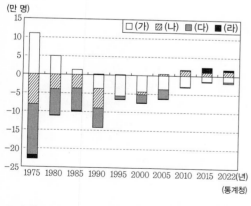

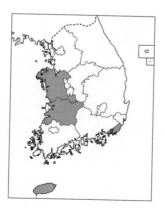

① (가)는 (나)보다 2022년에 인구 밀도가 낮다.

② (나)는 (다)보다 2010년 이후 수도권으로부터의 유입 인구가 많다.

③ 1975~2022년에 (다)는 (라)보다 인구의 사회적 증가율이 높다.

④ (라)는 (가)보다 2022년에 통근·통학 인구가 많다.

⑤ (가)와 (나)는 행정 구역 경계가 맞닿아 있다.

03

▶ 24061-0109

그래프는 지도에 표시된 세 지역의 인구 변화를 나타낸 것이다. (가)~(다) 지역에 대한 설명으로 옳은 것은?

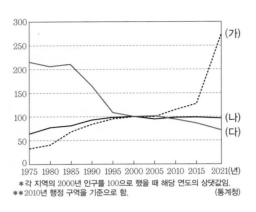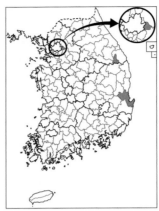

*각 지역의 2000년 인구를 100으로 했을 때 해당 연도의 상댓값임.
**2010년 행정 구역을 기준으로 함. (통계청)

① (가)에는 대규모 제철소가 입지해 있다.
② (가)는 (다)보다 총인구가 적다.
③ (나)는 (다)보다 지역 내 노년층 인구 비율이 높다.
④ (다)는 (가)보다 평균 해발 고도가 높다.
⑤ (가)~(다) 중 서울과의 최단 거리는 (다)가 가장 가깝다.

04

▶ 24061-0110

그래프는 지도에 표시된 세 지역으로 인구 이동이 많은 상위 5개 시·도를 나타낸 것이다. (가)~(다) 지역에 대한 설명으로 옳은 것은?

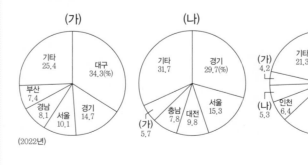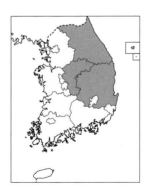

① (가)는 소백산맥의 서쪽에 위치한다.
② (나)는 (다)보다 해수욕장을 찾아오는 관광객이 많다.
③ (가)와 (다) 사이에는 영남 지방 명칭의 유래가 되는 고개가 있다.
④ (가)~(다) 중 (나)는 행정 구역 경계가 맞닿아 있는 도의 수가 가장 많다.
⑤ (가)~(다) 중 농가 인구는 (다)가 가장 많다.

05

▸ 24061-0111

지도는 충청권의 세 인구 지표를 나타낸 것이다. (가)~(다)로 옳은 것은?

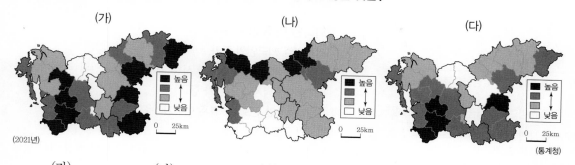

(가) (나) (다)

	(가)	(나)	(다)
①	성비	총부양비	노령화 지수
②	성비	노령화 지수	총부양비
③	총부양비	성비	노령화 지수
④	노령화 지수	성비	총부양비
⑤	노령화 지수	총부양비	성비

06

▸ 24061-0112

다음 자료는 지도에 표시된 세 지역의 인구 특성을 나타낸 것이다. 이에 대한 설명으로 옳은 것은? (단, (가)~(다)는 각각 A~C 중 하나임.)

〈지역 간 전출 · 전입자 수(명)〉

전입 전출	(가)	(나)	(다)
(가)		99,725	550,990
(나)	104,074		79,458
(다)	471,009	74,435	

* 2013~2022년 누적임.

(통계청)

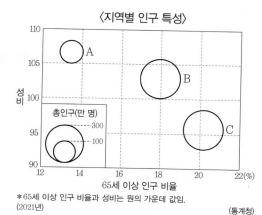

〈지역별 인구 특성〉

*65세 이상 인구 비율과 성비는 원의 가운데 값임.
(2021년)

(통계청)

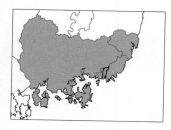

① (가)는 (다)보다 지역 내 노년층 인구 비율이 낮다.
② (다)는 (나)보다 1인당 지역 내 총생산이 많다.
③ (가)와 (다)는 광역시, (나)는 도(道)이다.
④ A~C 중 2013~2022년 세 지역 간 인구 순 이동은 B가 가장 많다.
⑤ C는 (나)보다 지역 내 2차 산업 종사자 비율이 높다.

① 저출산 · 고령화 현상

(1) 저출산 현상

현황	• 1960년대 이후 추진된 가족계획 정책의 영향으로 합계 출산율 감소 • 2022년 합계 출산율이 약 0.78명으로 초저출산 국가에 해당함
원인	• 개인적 요인: 결혼과 가족에 대한 가치관 변화로 초혼 연령 상승, 비혼 및 무자녀 부부 증가에 따른 출생률 감소 등 • 사회 · 경제적 요인: 자녀 양육비 증가, 고용 불안 등
영향	향후 생산 가능 인구 감소에 따른 노동력 부족, 소비와 투자 위축에 따른 국가 경쟁력 약화, 미래 총인구 감소 유발

(2) 고령화 현상

현황	고령화 사회 진입(2000년) → 고령 사회 진입(2018년) → 초고령 사회 진입 예상(2025년)
원인	• 저출산 현상에 따른 유소년층 인구 비율 감소와 노년층 인구 비율 증가 • 경제 수준 향상 및 의학 기술 발달 → 사망률 감소, 기대 수명 증가
영향	• 노년 부양비 증가에 따른 청장년층의 사회적 부담 증가 • 노동력 고령화, 노동력 감소, 연금 · 의료 · 복지 등 사회적 비용 증가 등으로 국가 재정 부담 증가 • 노년층과 관련된 실버산업 분야 발달

(3) 저출산 · 고령화 현상에 따른 공간 변화

① 저출산 · 고령화 현상이 지속될 경우 → 향후 전체 인구 감소, 지역 간 정주 여건 격차 증대, 인구 분포의 공간적 불평등 심화에 영향
② 저출산 · 고령화가 빠르게 진행되는 촌락, 지방 중소 도시, 대도시의 구(舊)시가지 등에서 정주 여건 악화 → 정주 기반이 갖추어진 지역으로 인구 유출이 심화되는 악순환 발생
③ 유소년층 대상 문화 · 교육 시설에 대한 수요 감소, 노년층 대상 의료, 문화 · 평생 교육, 복지 시설에 대한 수요 증가

(4) 저출산 · 고령화 현상 대책

① 저출산 현상 대책
• 정책적 지원: 임신 · 양육에 대한 재정적 지원, 출산 휴가 및 육아 휴직 제도 개선, 신혼부부를 위한 주거 · 복지 · 행정 지원 확대, 직장 내 보육 시설 활성화, 다자녀 가구 우대 정책 실시 등
• 개인 및 사회적 인식 변화: 양성평등 문화 확립, 일과 가정 양립 및 가족 친화적 사회 분위기 조성 등
② 고령화 현상 대책
• 노년층의 경제적 기반 마련: 정년 연장, 직업 재교육 등을 통한 경제 활동 참여 기회 확대, 공적 연금 강화 등 지속 가능한 연금 제도 정착
• 노인 복지 정책과 노인 전문 병원, 요양원 등의 편의 시설 확대, 실버산업 육성 등

② 외국인 이주자의 증가

(1) 국내 거주 외국인의 증가

① 배경: 세계화에 따른 노동 시장 개방 및 외국인의 국내 취업과 유학 증가, 국제결혼 증가 등
② 유형: 외국인 근로자, 결혼 이민자, 유학생 등

(2) 외국인 근로자의 유입

① 배경: 국내 근로자의 임금 상승, 3D 업종에 대한 취업 기피 현상 심화 → 3D 업종의 구인난 심화
② 현황: 중국, 동남아시아, 남부 아시아 등으로부터 저임금 노동력 유입, 제조업과 서비스업에 종사하는 비율이 높음

(3) 국제결혼과 다문화 가정의 증가

① 배경: 농어촌 지역에서 결혼 적령기의 성비 불균형 심화, 외국인에 대한 거부감 감소, 결혼에 대한 가치관 변화 등
② 현황: 2000년대 중반까지 국제결혼 건수가 급격히 증가하였으나 이후 대체로 감소 추세임
③ 특징: 국제결혼 비율은 촌락이 높으나 총 국제결혼 건수는 도시가 많음, 한국인 남성과 외국인 여성의 결혼 비율이 한국인 여성과 외국인 남성의 결혼 비율보다 높음

③ 다문화 사회 형성과 다문화 공간 확대

(1) 다문화 사회 및 다문화 공간의 형성

① 다문화 사회: 외국인 근로자와 결혼 이민자의 증가로 다문화 사회 형성
② 다문화 공간의 형성
• 언어 · 종교 등 문화적 배경이 유사하거나 국적이 같은 이주자들이 일정 지역에서 정보 교환과 자국 문화 공유를 위한 공동체 형성
• 이주자 문화와 우리나라 문화가 융합되어 독특한 문화 경관(공간) 형성

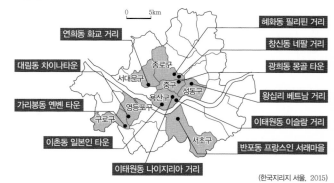

▲ 서울의 대표적인 다문화 공간

(한국지리지 서울, 2015)

(2) 다문화 사회의 영향

긍정적 영향	노동력 유입에 따른 인력난 완화 및 경제 성장, 생산 가능 인구 증가 및 고령화 수준 감소 등으로 인구 구조에 긍정적 영향, 다양한 문화적 자산 공유 등
부정적 영향	인종(민족) · 종교적 차이에 따른 편견과 차별로 사회적 갈등 발생, 결혼 이민자가 겪는 자녀 보육 및 적응 문제의 어려움 등

저출산 · 고령화 현상과 지역별 인구 지표 변화

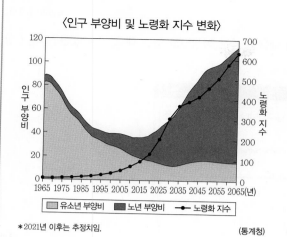

〈인구 부양비 및 노령화 지수 변화〉

*2021년 이후는 추정치임.
(통계청)

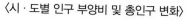
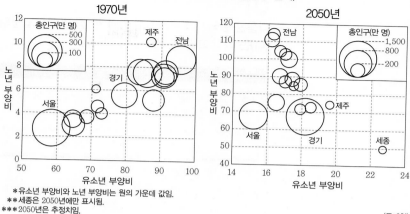

〈시 · 도별 인구 부양비 및 총인구 변화〉

*유소년 부양비와 노년 부양비는 원의 가운데 값임.
**세종은 2050년에만 표시됨.
***2050년은 추정치임.
(통계청)

• 저출산 현상의 영향으로 유소년층 인구 비율이 큰 폭으로 감소하고 평균 수명이 연장되면서 노년층 인구 비율은 증가하여 고령화 현상이 가속화되었다. 이에 따라 유소년 부양비는 크게 감소하였고 노년 부양비는 점차 증가하고 있다. 향후 저출산·고령화 현상이 지속되면 유소년층 인구 비율과 청장년층 인구 비율은 감소하고 노년층 인구 비율은 큰 폭으로 증가하며, 이에 따라 노령화 지수가 크게 증가할 것으로 예측된다.

• 저출산·고령화 현상이 지속되면 향후 우리나라의 인구가 감소하고, 지역 간 정주 여건의 격차가 커지면서 인구 분포의 공간적 불평등이 심화될 것으로 예상된다. 1970년에는 유소년 부양비의 지역 간 격차가 매우 크게 나타나지만 노년 부양비와 총인구의 지역 간 격차는 상대적으로 작게 나타난다. 반면에 2050년에는 유소년 부양비의 지역 간 격차가 작게 나타나지만 노년 부양비와 총인구의 지역 간 격차가 크게 확대될 것으로 예측된다.

우리나라의 외국인 주민 현황 및 분포

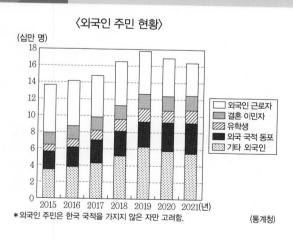

〈외국인 주민 현황〉

(십만 명)

외국인 근로자
결혼 이민자
유학생
외국 국적 동포
기타 외국인

*외국인 주민은 한국 국적을 가지지 않은 자만 고려함.
(통계청)

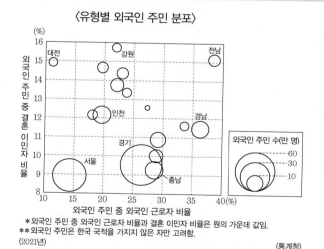

〈유형별 외국인 주민 분포〉

*외국인 주민 중 외국인 근로자 비율과 결혼 이민자 비율은 원의 가운데 값임.
**외국인 주민은 한국 국적을 가지지 않은 자만 고려함.
(2021년)
(통계청)

• 교통·통신이 발달하면서 자본과 노동력이 국경을 넘나드는 세계화가 빠르게 진행되고 있으며, 이에 따라 우리나라에 체류하는 외국인도 증가하고 있다. 국내 체류 외국인 주민 중에서는 기타 외국인, 외국인 근로자, 외국 국적 동포, 결혼 이민자, 유학생 순으로 많다.

• 국내 체류 외국인 주민이 많은 지역은 경기, 서울, 인천, 충남, 경남이며, 특히 수도권의 외국인 주민은 전체 외국인 주민의 약 61.7%에 달한다. 시·도별 지역 내 외국인 주민 중 외국인 근로자 비율이 높은 지역은 전남, 경남이다. 생산직 근로자의 수요가 많은 제조업 발달 지역과 청장년층 인구의 유출로 노동력이 부족한 일부 촌락 등에서 외국인 근로자 비율이 높게 나타난다. 촌락은 대체로 결혼 이민자 비율이 높게 나타나는데, 이는 결혼 적령기 여성 인구의 유출에 따른 남초 현상과 관련이 있다. 유학생은 주로 부산, 대전 등 대도시에 비율이 높게 나타난다.

01

▶ 24061-0113

다음은 한국지리 온라인 수업의 한 장면이다. 답글의 내용이 옳은 학생만을 있는 대로 고른 것은? (단, (가), (나)는 각각 고령화, 저출산 중 하나임.)

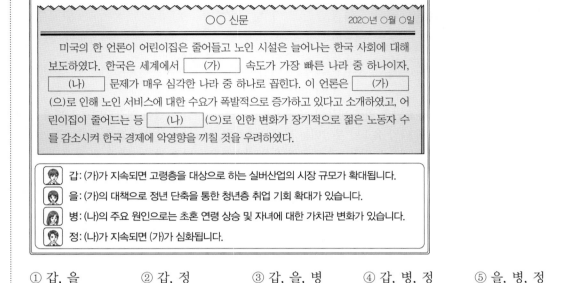

교사: 다음은 우리나라의 인구 문제를 다룬 신문 기사의 일부입니다. 이에 대하여 답글을 달아 보세요.

○○ 신문   2020년 ○월 ○일

미국의 한 언론이 어린이집은 줄어들고 노인 시설은 늘어나는 한국 사회에 대해 보도하였다. 한국은 세계에서 ☐(가)☐ 속도가 가장 빠른 나라 중 하나이자, ☐(나)☐ 문제가 매우 심각한 나라 중 하나로 꼽힌다. 이 언론은 ☐(가)☐ (으)로 인해 노인 서비스에 대한 수요가 폭발적으로 증가하고 있다고 소개하였고, 어린이집이 줄어드는 등 ☐(나)☐ (으)로 인한 변화가 장기적으로 젊은 노동자 수를 감소시켜 한국 경제에 악영향을 끼칠 것을 우려하였다.

갑: (가)가 지속되면 고령층을 대상으로 하는 실버산업의 시장 규모가 확대됩니다.

을: (가)의 대책으로 정년 단축을 통한 청년층 취업 기회 확대가 있습니다.

병: (나)의 주요 원인으로는 초혼 연령 상승 및 자녀에 대한 가치관 변화가 있습니다.

정: (나)가 지속되면 (가)가 심화됩니다.

① 갑, 을   ② 갑, 정   ③ 갑, 을, 병   ④ 갑, 병, 정   ⑤ 을, 병, 정

02

▶ 24061-0114

그래프는 지도에 표시된 세 지역의 표시 과목별 의원 현황 및 인구 변화를 나타낸 것이다. (가)~(다) 지역에 대한 설명으로 옳은 것은?

☐ 산부인과   ■ 소아 청소년과   ☐ 기타   ●─ 인구 변화

* 의원 현황은 각 연도 분기별 의원 수의 평균임.
** 인구 변화는 주민 등록 인구를 기준으로 하며, 2009년 인구를 100으로 했을 때 해당 연도의 상댓값임.

(건강보험심사평가원)

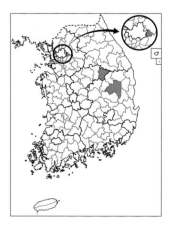

① (가)의 유소년층 인구는 2022년이 2009년보다 많다.
② (다)는 2009~2022년 인구 1인당 의원 수가 감소하였다.
③ (가)는 (나)보다 2022년 중위 연령이 높다.
④ (나)는 (다)보다 2022년 총인구가 많다.
⑤ (다)는 (가)보다 2022년 단위 면적당 산부인과 의원 수가 많다.

03

▶ 24061-0115

그래프는 연령층별 인구 변화를 나타낸 것이다. 이에 대한 설명으로 옳은 것만을 〈보기〉에서 있는 대로 고른 것은? (단, (가)~(다)는 각각 노년층, 유소년층, 청장년층 중 하나임.)

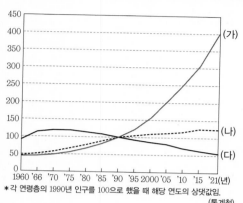

* 각 연령층의 1990년 인구를 100으로 했을 때 해당 연도의 상댓값임.
(통계청)

┌ 보기 ┐
ㄱ. 1960~2021년 인구 증가율은 (가)가 (다)보다 높다.
ㄴ. 2021년 성비는 (나)가 (가)보다 높다.
ㄷ. 1990년 인구는 (다)가 (나)보다 많다.
ㄹ. 2021년 노령화 지수는 1960년의 4배 이상이다.

① ㄱ, ㄴ   ② ㄷ, ㄹ   ③ ㄱ, ㄴ, ㄷ   ④ ㄱ, ㄴ, ㄹ   ⑤ ㄴ, ㄷ, ㄹ

04

▶ 24061-0116

다음 자료의 (가) 시기와 비교한 (나) 시기의 상대적 특성을 그림의 A~E에서 고른 것은? (단, (가), (나)는 각각 1960년대, 2000년대 중 하나임.)

〈우리나라의 시기별 인구 정책 관련 표어〉

(가)	(나)
○ 많이 낳아 고생 말고 적게 낳아 잘 키우자	○ 출산으로 얻은 기쁨! 함께하는 자녀 양육
○ 행복한 가정은 가족계획 실천으로	○ 낳을수록 희망 가득 기를수록 행복 가득

(국가기록원)

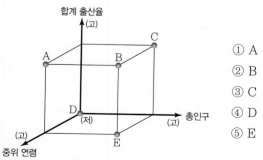

① A
② B
③ C
④ D
⑤ E

* (고)는 높음, 많음을, (저)는 낮음, 적음을 의미함.

05

▶ 24061-0117

그래프는 세 인구 지표의 변화를 나타낸 것이다. (가)~(다)로 옳은 것은?

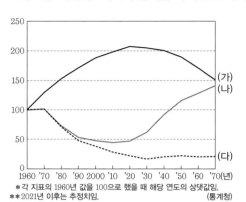

*각 지표의 1960년 값을 100으로 했을 때 해당 연도의 상댓값임.
**2021년 이후는 추정치임.
(통계청)

	(가)	(나)	(다)
①	총인구	총부양비	유소년 부양비
②	총인구	유소년 부양비	총부양비
③	총부양비	총인구	유소년 부양비
④	총부양비	유소년 부양비	총인구
⑤	유소년 부양비	총인구	총부양비

06

▶ 24061-0118

그래프는 지도에 표시된 네 지역의 두 시기 노년 부양비와 노령화 지수를 나타낸 것이다. (가)~(라) 지역에 대한 설명으로 옳은 것만을 〈보기〉에서 고른 것은?

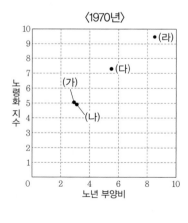

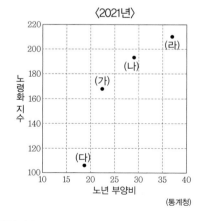

(통계청)

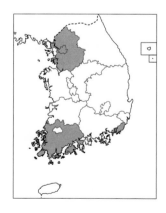

┌ 보기 ┐

ㄱ. (가)는 1970년과 2021년 모두 유소년 부양비가 노년 부양비보다 높다.

ㄴ. (라)의 2021년 청장년층 인구 비율은 50% 이상이다.

ㄷ. (가)는 (나)보다 1970~2021년 노년층 인구 비율이 많이 증가하였다.

ㄹ. (다)는 (라)보다 2021년 유소년층 인구가 많다.

① ㄱ, ㄴ   ② ㄱ, ㄷ   ③ ㄴ, ㄷ   ④ ㄴ, ㄹ   ⑤ ㄷ, ㄹ

07

▶ 24061-0119

그래프는 지도에 표시된 두 지역의 내국인과 외국인의 성별·연령층별 인구 구조를 나타낸 것이다. (가), (나) 지역에 대한 설명으로 옳은 것은?

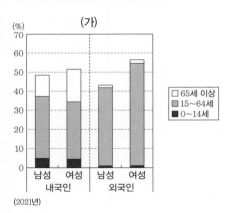

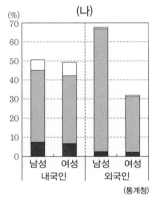

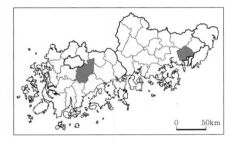

① (가)는 (나)보다 외국인 수가 많다.
② (가)는 (나)보다 외국인 성비가 높다.
③ (나)는 (가)보다 지역 내 총생산이 많다.
④ (가)와 (나)는 모두 외국인이 내국인보다 중위 연령이 높다.
⑤ (가)는 영남권, (나)는 호남권에 위치한다.

08

▶ 24061-0120

그래프는 외국인 취업자에 대한 것이다. 이에 대한 설명으로 옳은 것은? (단, (가), (나)는 각각 외국인 남성, 외국인 여성 중 하나이며, A, B는 각각 광업·제조업, 도소매·음식·숙박업 중 하나임.)

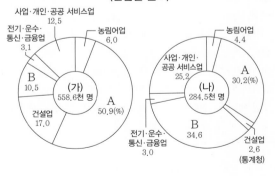

① 수도권 외국인 취업자 성비는 100 미만이다.
② (가)는 (나)보다 광업·제조업 취업자 수가 많다.
③ (나)는 (가)보다 모든 권역에서 취업자 수가 많다.
④ B는 A보다 외국인 취업자 성비가 높다.
⑤ A는 3차 산업, B는 2차 산업에 해당한다.

09

▶ 24061-0121

그래프는 지도에 표시된 다섯 지역의 외국인 주민 유형별 현황을 나타낸 것이다. 이에 대한 설명으로 옳은 것은? (단, (가), (나)는 각각 결혼 이민자, 외국인 근로자 중 하나임.)

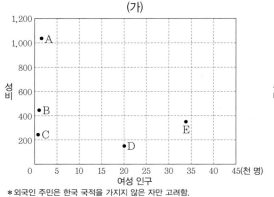

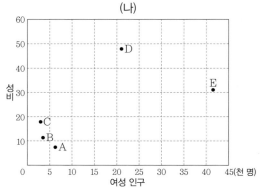

*외국인 주민은 한국 국적을 가지지 않은 자만 고려함.
(2021년)

(통계청)

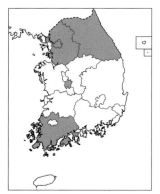

① D에서는 결혼 이민자 남성이 외국인 근로자 남성보다 많다.
② A는 E보다 지역 내 2차 산업 종사자 수가 많다.
③ C는 B보다 외국인 근로자 수가 많다.
④ (가)는 (나)보다 성비가 높다.
⑤ (나)는 (가)보다 전체 외국인 주민에서 차지하는 비율이 높다.

10

▶ 24061-0122

다음 자료의 (가)에 대한 설명으로 옳지 **않은** 것은?

〈우리나라의 특색 있는 공간, ◻️ (가) ◻️ 을/를 가다!〉

경기도 평택시 평택로 88번길 주변에는 '외국 음식 거리'가 있다. 이곳에는 외국인 이주민들이 고국 음식을 판매하는 상점이나 여행사, 식료품점 등이 밀집해 있다. 인근에 신도시가 조성되면서 인구와 상업 시설 등이 빠져나간 원도심에 외국인 이주민들이 유입되며 형성된 것이다. 이 지역은 외국인뿐만 아니라 다채로운 외국 문화를 접하고자 하는 내국인들도 다수 방문하고 있다.	서울시 용산구 이태원동 일대에는 다양한 국적의 외국인을 위한 상점과 편의 시설이 마련되어 있다. 이태원 일대에는 외국 공관이 다수 자리 잡고 있으며, 외국인을 위한 호텔이나 상가가 늘어나면서 다양한 외국 문화를 접하고자 하는 내국인의 방문도 늘어났다. 이슬람교 사원 주변에서 무슬림을 위한 음식 문화를 접하거나, 베트남 퀴논길 근처에서 베트남 음식을 다양하게 맛볼 수 있다.

① 교통·통신의 발달로 분포 범위가 축소되고 있다.
② 이주자의 문화와 우리나라의 문화가 융합된 경관이 나타난다.
③ 언어·종교 등 문화적 배경이 유사한 이주자들이 공동체를 형성한 지역이다.
④ 외국인 근로자, 결혼 이민자 등의 국내 체류 외국인이 증가하면서 형성되었다.
⑤ (가)에서 다양한 문화적 배경을 지닌 구성원이 어우러져 살아가기 위해 세계 시민으로서의 자세가 필요하다.

① 지역의 의미와 지역 구분

(1) 지역의 의미

① 지리적 특성이 다른 곳과 구별되는 지표상의 공간 범위

② 지역은 특정한 기준에 의해 구분되며, 다양한 자연환경과 인문 환경으로 구성됨

(2) 지역성

① 다른 지역과 구분되는 그 지역의 고유한 특성

② 지역의 자연환경과 인문 환경이 오랜 기간 상호 작용하여 형성됨

③ 지역성과 지역의 공간 범위는 시간의 흐름, 교통·통신의 발달, 지역 간 상호 작용 등에 따라 끊임없이 변화함

④ 교통·통신의 발달과 지역 간 교류의 활성화로 지역성은 점차 약화되는 경향이 있음

(3) 지역 구분의 필요성

① 지역 문제의 원인 분석이나 해결 방안 모색에 도움이 됨

② 각 지역의 지역성과 지역 간 차이를 파악할 수 있음

(4) 지역 구분의 유형

① 동질 지역: 특정한 지리적 현상이 동일하게 나타나는 공간 범위 ㉾ 기후 지역, 농업 지역, 문화권 등

② 기능 지역: 중심지와 그 기능의 영향을 받는 배후지로 구성된 공간 범위 ㉾ 상권, 통근권, 도시 세력권 등

③ 점이 지대: 인접한 두 지역의 특성이 혼재되어 나타나는 공간 범위, 문화권·방언권 등의 경계 지대에서 잘 나타남

(5) 우리나라의 지역 구분

① 전통적 지역 구분: 주로 자연적 요소(고개, 산줄기, 대하천 등) 기준으로 관북, 관서, 관동, 해서, 경기, 호서, 호남, 영남 지방으로 구분

② 대지역 구분: 북부 지방(북한 지역), 중부 지방(수도권, 강원권, 충청권), 남부 지방(영남권, 호남권, 제주권)으로 구분

③ 행정적 기준에 따른 지역 구분: 남한의 경우에 17개 광역 행정 구역으로 구분

시	특별시(1)	서울
	광역시(6)	부산, 대구, 인천, 광주, 대전, 울산
	특별자치시(1)	세종
도	도(6)	경기, 충북, 충남, 전남, 경북, 경남
	특별자치도(3)	제주, 강원, 전북

② 북한의 자연환경과 자원

(1) 지형

산지	• 전체 면적의 약 80%가 산지 • 높고 험준한 산지가 북동부 지역을 중심으로 발달 • 백두산 일대에 화산 지형 발달(칼데라호, 용암 대지 등)
하천과 평야	• 압록강, 대동강 등 대하천은 대부분 황해로 유입 • 대동강 하류의 평양평야 등 평야는 서부 지역에 발달 • 동해로 유입하는 하천은 두만강을 제외하면 대부분 규모가 작고 경사가 급함

(2) 기후

기온	• 대륙성 기후: 대륙의 영향을 많이 받아 기온의 연교차가 큼 • 산맥과 바다의 영향으로 동해안 지역이 같은 위도의 서해안 지역보다 겨울 평균 기온이 높음
강수	• 연 강수량은 남한보다 적은 편이며, 지형의 영향으로 지역에 따라 강수량의 차이가 큼 • 다우지: 청천강 중·상류의 바람받이 사면, 관동 지방 등 • 소우지: 대동강 하류 지역, 관북 지방 등

(3) 자연환경과 주민 생활

① 농업: 논보다 밭 면적의 비율이 높음, 남한보다 경지 면적이 넓지만 지형(산지가 많음)과 기후(연평균 기온이 낮고 무상 기간이 짧음) 등이 불리해 토지 생산성은 낮음

② 음식: 옥수수, 감자, 메밀 등 밭작물을 이용한 음식 발달

③ 가옥: 겨울이 춥고 긴 관북 지방 → 전(田)자형의 폐쇄적인 가옥 구조, 정주간

(4) 자원

① 풍부한 지하자원: 석회석, 무연탄, 철광석, 텅스텐, 마그네사이트 등

② 에너지 자원의 소비 구조: 석탄이 가장 높은 비율을 차지함, 높고 험준한 산지가 발달하여 수력의 비율이 높음

③ 북한의 인문 환경

(1) 인구와 도시

① 인구: 2022년 기준 약 2,570만 명, 출생률 감소 등으로 인구 증가율이 낮음, 서부 평야 지역과 동해안에 인접한 평야에 인구 집중, 북동부 내륙 지역은 인구 희박

② 도시: 2022년 기준 도시화율은 약 62.9%로 남한보다 낮음, 주로 남서부 평야 지역과 동해안 연안에 도시 발달

(2) 산업과 교통

① 산업 구조: 군수 공업 중심의 중공업 우선 정책 → 경공업의 부진으로 생활필수품 부족 문제 발생

② 교통: 철도가 여객 수송의 60% 및 화물 수송의 90% 정도 담당, 도로와 하천 및 해상 수송은 철도 수송 연계를 위한 보조 역할

④ 북한의 개방 정책과 통일 국토의 미래

(1) 북한의 개방 정책과 남북 교류

나선 경제특구	• 북한 최초의 경제특구 • 유엔 개발 계획(UNDP)의 지원
신의주 특별 행정구	• 중국과의 무역 통로 역할 • 홍콩식 경제 개발 추진
금강산 관광 지구	• 관광객 유치를 통한 외화 획득 • 관광 시설을 구축하였으나 2008년 이후 잠정 중단
개성 공업 지구	• 남한의 자본과 기술+북한의 저임금 노동력 • 남북 경제 협력의 상징이었으나 2016년 이후 잠정 중단

(2) 통일 국토의 미래: 남한과 북한의 경제적 상호 보완성 증대, 지리적 특성을 살려 물류와 교통의 중심지로 부상, 세계 평화에 기여

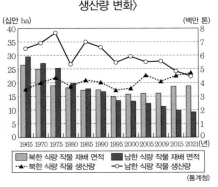

〈남·북한의 식량 작물 재배 면적 및 생산량 변화〉

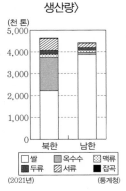

〈남·북한의 식량 작물별 생산량〉

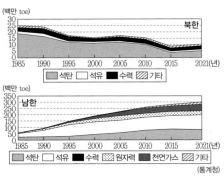

〈남·북한의 1차 에너지 공급 구조 변화〉

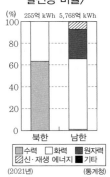

〈남·북한의 발전 양식별 발전량 비율〉

- 남한은 도시화와 산업화, 식생활의 변화 등으로 식량 작물 재배 면적과 생산량이 감소하는 경향이 나타난다. 반면에 북한은 극심한 식량난을 겪은 1990년대 이후 식량 작물 재배 면적과 생산량이 증가 추세에 있으며, 2019년부터 남한의 식량 작물 생산량을 추월하기 시작하였다. 그러나 북한은 남한보다 기후 조건이 불리하여 식량 작물의 토지 생산성은 낮다. 남한과 북한 모두 식량 작물 중 쌀의 생산량 비율이 가장 높다. 남한은 쌀이 식량 작물 생산량 중 약 87%를 차지하지만, 산지의 비율이 높은 북한은 상대적으로 옥수수와 서류 등 밭작물의 생산량 비율이 높다. 북한에서 쌀은 평야가 발달한 관서 지방과 동해안의 해안 평야에서 주로 재배된다.

- 남한은 경제 성장과 산업 발달로 에너지 공급량이 증가하는 추세를 보인다. 반면에 북한은 1990년대 이후 국제 사회의 제재 등으로 1차 에너지 공급량이 큰 폭으로 감소하였고, 남한보다 1차 에너지 공급량이 매우 적다. 남한은 석유＞석탄＞천연가스＞원자력 순으로 공급량이 많으며, 북한은 석탄＞수력＞석유 순으로 공급량이 많다. 북한은 1차 에너지 공급량에서 석탄이 약 51%를 차지할 정도로 석탄 중심의 에너지 공급 구조를 보이며, 석유의 공급 비율은 낮다. 전력 생산에서 높은 산지가 많은 북한은 수력 발전이 약 63%를 차지하며, 남한은 화력 발전이 약 64%를 차지한다.

신의주 특별 행정구는 홍콩을 거울삼아 외자 유치 및 교역 확대를 위해 경제특구로 지정되었으나 중국과의 마찰 등을 이유로 사업이 중단되었다. 2011년에는 신의주와 인접한 압록강 하구 황금평·위화도를 중국과 함께 개발하기로 하였다.

▲ 신의주 특별 행정구

수도권과 지리적으로 인접한 개성 공업 지구는 남한의 기업을 유치할 목적으로 조성되었다. 개성 공업 지구는 남한 기업이 부지의 개발과 이용을 맡고 북한이 노동력을 제공하는 형태로 합작이 이루어졌으나, 2016년 남북 간 마찰이 심화되면서 전면 중단되었다.

▲ 개성 공업 지구

중국, 러시아와 인접한 나선 경제특구는 유엔 개발 계획의 지원을 계기로 1991년 북한 최초의 경제특구로 지정되었다. 북한은 이 지역을 수출 가공 및 금융 기반을 갖춘 동북아시아의 거점으로 개발하고자 하였다. 그러나 제도적 미비와 사회 기반 시설의 부족 등으로 큰 성과를 거두지 못하였다.

▲ 나선 경제특구

금강산 관광 지구는 금강산의 아름다운 자연 경관을 이용하여 남한과 일본 등의 관광객을 유치할 목적으로 조성되었다. 남북 회담 및 이산가족 상봉 등 남북 화합과 협력의 장으로 활용되었으나, 2008년 관광객 피격 사건 이후 남한의 금강산 관광이 중단되었다.

▲ 금강산 관광 지구

　　선진 자본과 기술 유치를 위해 각종 인프라 및 행정적 특혜 등을 제공하는 지역을 경제특구라고 한다. 1970년대 후반 중국에서 처음 설치하였고, 이후 경제 발전에 큰 효과를 보면서 여러 국가에서 유사한 정책을 취하고 있다. 북한도 경제 침체와 식량 부족 문제를 해결하기 위해 1991년 나진·선봉을 경제특구로 지정하고 외국인 투자 관련법 등을 제정하였다. 이후 신의주, 개성, 금강산 등이 경제특구로 추가 지정되었으나, 남한과의 관계 악화, 북한 내 정치적 문제 등으로 운영에 어려움을 겪고 있다. 북한은 2013년에는 29개의 경제 개발구를 설립하겠다는 계획을 발표하였으나 현재까지 제대로 추진되는 곳은 거의 없다.

01

▶ 24061-0123

다음 글의 ⑤~⑩에 대한 설명으로 옳은 것은?

> 서민들이 즐기는 대표적인 음식 중 하나가 순대인데, ⑤순대 양념장은 지역별로 제각각이다. 고춧가루와 혼합한 소금은 경기 지방과 ⑥충남 북부 지역에서 주로 사용하는 것으로 가장 대중적인 순대 양념장이다. ⑥호남 지방에서는 새콤달콤한 초장을, ⑧영남 지방에서는 구수한 막장을, ⑩강원도와 충청도에서는 짭조름한 새우젓을, 제주도에서는 간장을 양념장으로 사용한다.

① ⑤으로 구분한 지역은 동질 지역이다.
② ⑥은 해안과 접하지 않은 도(道)이다.
③ ⑥의 명칭은 1차 산맥에 있는 고개에서 유래하였다.
④ ⑧에는 2개의 광역시와 2개의 특례시가 있다.
⑤ ⑩ 지명의 유래가 된 두 도시 중 하나에는 도청이 위치한다.

02

▶ 24061-0124

지도는 (가), (나) 월의 평균 기온이 같은 지점을 연결한 등치선도이다. 이에 대한 설명으로 옳은 것은? (단, (가), (나)는 각각 1월, 8월 중 하나임.)

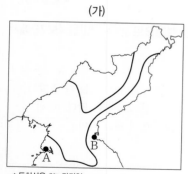 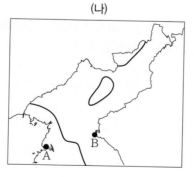

(가) (나)

* 등치선은 6℃ 간격임.
** 1981~2010년의 평년값임.

(기상청)

① (가) 시기는 (나) 시기보다 해양성 기단의 영향을 많이 받는다.
② (나) 시기는 (가) 시기보다 기후적 요인에 의한 자연재해 피해 규모가 크다.
③ A는 B보다 (가) 시기의 강수량이 연 강수량에서 차지하는 비율이 높다.
④ B는 A보다 (나) 시기의 평균 기온이 높다.
⑤ 서울과 평양의 기온 차이는 (가) 시기보다 (나) 시기에 크다.

► 24061-0125

03

다음 글의 ⊙~⑩에 대한 설명으로 옳은 것은?

> 북부 지방에서 험준한 산지는 대부분 북동부에, 평야는 주로 서남부에 분포한다. 우리나라 최고봉인 백두산은 해발 고도가 2,744m에 이르고, 정상에는 약 9.17km² 규모의 ⊙호수가 있다. 한반도의 지붕이라고 불리는 [ⓒ]은/는 ⓒ함경산맥의 북쪽에 있는 평균 해발 고도 1,300m가 넘는 고원으로 ⓔ산림 자원이 풍부하다. 백두산에서 발원한 [⑩]은/는 동해로 유입하지만, 이를 제외한 대부분의 하천은 황해로 흘러가며, 이들 하천 하류에는 넓은 평야가 발달해 있다.

① ⊙은 화구에 물이 고인 화구호이다.
② ⓒ에는 대규모 용암 대지가 분포한다.
③ ⓒ은 관북 지방과 관서 지방의 경계가 된다.
④ ⓔ로 활용되는 식생은 대부분 상록 활엽수림이다.
⑤ ⑩의 하구에는 대규모 항만 시설인 갑문이 설치되어 있다.

► 24061-0126

04

다음 글은 북부 지방에 속한 ⊙~ⓒ 지역에 대해 서술한 것이다. 이에 대한 설명으로 옳은 것만을 〈보기〉에서 고른 것은? (단, ⊙~ⓒ은 각각 나선, 신의주, 원산 중 하나임.)

> [⊙]와/과 [ⓒ]은/는 일제 강점기 때 부설된 철도의 종착역이 있는 지역으로, 둘 다 출발지는 서울이다. [⊙]은/는 북부 지방의 대표적인 다우지이고, [ⓒ]보다 연 강수량이 많다. 한편, 북한 최초의 경제특구로 지정된 [ⓒ]은/는 연 강수량이 적은 편이고, 여름 기온이 높지 않아 [ⓒ]보다 _____(가)_____.

┌ 보기 ┐
ㄱ. ⊙은 대동강 유역에 위치한다.
ㄴ. ⓒ은 특별 행정구로 지정되어 있다.
ㄷ. ⓒ은 ⊙보다 저위도에 위치한다.
ㄹ. (가)에는 '기온의 연교차가 작다'가 들어갈 수 있다.
└

① ㄱ, ㄴ   ② ㄱ, ㄷ   ③ ㄴ, ㄷ   ④ ㄴ, ㄹ   ⑤ ㄷ, ㄹ

05

▶ 24061-0127

그래프는 남·북한의 주요 식량 작물 생산량을 나타낸 것이다. 이에 대한 설명으로 옳지 않은 것은? (단, (가), (나)는 각각 남한, 북한 중 하나이며, A~C는 각각 맥류, 쌀, 옥수수 중 하나임.)

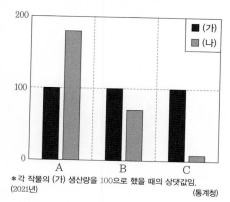

＊각 작물의 (가) 생산량을 100으로 했을 때의 상댓값임.
(2021년)　　　　　　　　　　　　　　　(통계청)

① A는 대부분 논에서 재배된다.
② B의 수입량은 남한이 북한보다 많다.
③ C는 남한에서 식용보다 사료용으로 많이 소비된다.
④ A는 C보다 재배 지역의 평균 해발 고도가 높다.
⑤ (가)와 (나)는 모두 A가 C보다 생산량이 많다.

06

▶ 24061-0128

표는 남·북한의 두 시기 1차 에너지 공급량을 나타낸 것이다. 이에 대한 설명으로 옳은 것은? (단, (가), (나)는 각각 남한, 북한 중 하나이며, A~E는 각각 석유, 석탄, 수력, 원자력, 천연가스 중 하나임.)

(단위: 천 toe)

구분	(가)		(나)	
	2000년	2020년	2000년	2020년
A	11,250	5,860	42,925	72,241
B	2,540	3,200	1,404	1,523
C	1,117	1,060	100,619	110,240
D	–	–	27,241	34,119
E	–	–	18,924	54,970

(통계청)

① A는 B보다 재생 가능성이 높은 에너지이다.
② B는 C보다 수송용으로 이용되는 비율이 높다.
③ C는 D보다 (나)에서 상용화된 시기가 늦다.
④ D는 E보다 (나)에서 2000년에 전력 생산으로 공급된 양이 많다.
⑤ (가)와 (나)의 1차 에너지 총공급량 차이는 2000년이 2020년보다 크다.

07

▶ 24061-0129

그래프는 남·북한의 교통로 길이 변화를 나타낸 것이다. 이에 대한 설명으로 옳지 <u>않은</u> 것은? (단, (가), (나)는 각각 남한, 북한 중 하나이며, A~C는 각각 도로, 지하철, 철도 중 하나임.)

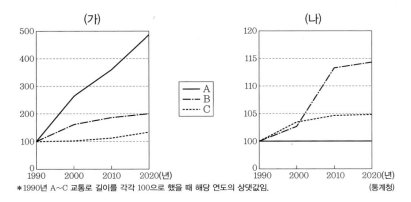

＊1990년 A~C 교통로 길이를 각각 100으로 했을 때 해당 연도의 상댓값임.

(통계청)

① A는 B보다 단위 거리당 평균 건설비가 비싸다.

② B를 이용하는 교통수단은 A를 이용하는 교통수단보다 문전 연결성이 우수하다.

③ C를 이용하는 교통수단은 A를 이용하는 교통수단보다 전력을 운송 에너지원으로 활용하는 비율이 높다.

④ (가)는 (나)보다 여객 수송 분담률에서 B를 이용하는 교통수단이 차지하는 비율이 높다.

⑤ (나)는 (가)보다 2020년 A~C의 총길이에서 C의 길이가 차지하는 비율이 높다.

08

▶ 24061-0130

그래프는 남·북한의 발전 양식별 발전량 비율을 나타낸 것이다. 이에 대한 설명으로 옳은 것은? (단, (가), (나)는 각각 남한, 북한 중 하나이며, A~C는 각각 수력, 원자력, 화력 중 하나임.)

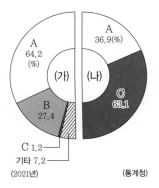

(2021년)　(통계청)

① A는 C보다 발전량 대비 온실가스 배출량이 적다.

② (가)는 (나)보다 A의 발전량이 적다.

③ (가)에서 A는 B보다 상용화된 시기가 이르다.

④ (가)에서 B는 C보다 발전소와 해안과의 평균 거리가 멀다.

⑤ (가)와 (나)는 모두 C의 발전용 에너지원을 대부분 수입한다.

09

▶ 24061-0131

다음 글의 (가) 현상이 지속될 경우 북한에서 나타날 현상에 대한 추론으로 적절하지 <u>않은</u> 것은?

전 지구적 범위에서 진행되는 [(가)]은/는 남한만의 문제가 아니다. 북한도 남한과 마찬가지로 [(가)](으)로 인해 해수면 상승이 진행되고 있으며, 2050년까지 북한의 해수면은 약 30cm 상승할 것으로 예상된다. 해수면 상승의 직접적 영향을 받을 북한 인구는 약 55만 명으로 추정되며, 대대적인 주민 이주가 불가피할 것으로 보인다. 또한 [(가)](으)로 인해 태풍의 강도는 앞으로 더욱 강력해지면서 북한이 태풍의 영향권에 포함되는 빈도가 높아질 것이고, 이로 인한 식량난은 더욱 가중될 것으로 우려된다. 이외에도 [(가)](으)로 인해 북한에서 크고 작은 다양한 변화가 야기될 것으로 예상된다.

① 금강산의 단풍 절정 시기가 늦어질 것이다.
② 황해도의 그루갈이 가능 경지가 확대될 것이다.
③ 백두산의 수목 한계선 해발 고도가 낮아질 것이다.
④ 마식령에 있는 스키장의 겨울철 적설 기간이 단축될 것이다.
⑤ 원산 명사십리 해수욕장의 바닷물 평균 수온이 상승할 것이다.

10

▶ 24061-0132

다음 글의 (가)~(라)에 대한 설명으로 옳은 것만을 〈보기〉에서 고른 것은? (단, (가)~(라)는 각각 갈탄, 무연탄, 석회석, 철광석 중 하나임.)

북한에 부존하는 대표적인 에너지 자원은 석탄이다. 이 중 [(가)]은/는 매장량의 80% 이상이 평남 북부 탄전에 편중되어 있고, 연간 1천만 톤 이상 생산하고 있어 생산량이 남한보다 10배 이상 많다. 남한에서 생산하지 않는 [(나)]은/는 안주를 비롯하여 함북 북부 탄전, 함북 남부 탄전 등에서 생산하는데, 생산량은 [(가)]의 절반 정도이다. 북한은 광물의 표본실이라고 불릴 정도로 광물 자원도 다양하다. 금속 광물 중 소비량이 가장 많은 [(다)]은/는 남한에서는 강원도에서만 소량 생산하지만, 북한은 매장량이 약 50억 톤으로 남한보다 100배 이상 많고 생산량도 남한보다 훨씬 많다. 그러나 남한은 북한보다 [(라)] 생산량이 많아, 시멘트는 남한이 북한보다 약 10배 많이 생산한다.

┌ **보기** ┐
ㄱ. (가)는 주로 조선 누층군에 분포한다.
ㄴ. 남한에서 (다)를 제련*하는 공업은 주로 적환지에 입지한다.
ㄷ. 남한과 북한은 모두 (나)보다 (가)의 소비량이 많다.
ㄹ. (라)가 매장된 지층은 (나)가 매장된 지층보다 형성 시기가 늦다.

* 제련: 광석을 용광로에 넣고 녹여서 함유한 금속을 분리·추출하여 정제하는 일

① ㄱ, ㄴ   ② ㄱ, ㄷ   ③ ㄴ, ㄷ   ④ ㄴ, ㄹ   ⑤ ㄷ, ㄹ

① 수도권의 공간 범위와 특성

(1) **공간 범위**: 서울특별시, 인천광역시, 경기도로 구성

(2) **지역별 특성**

① 서울: 우리나라의 수도로서 정치 · 경제 · 문화의 중심지

② 인천: 인천 국제공항과 인천항을 중심으로 국제 물류 기능 발달

③ 경기: 수도권에서 인구가 가장 많으며, 서울의 배후지 역할을 함

(3) **인구와 산업의 중심지**

① 인구와 각종 기능이 집중함

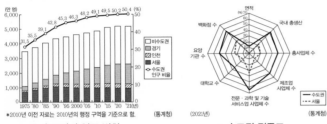

▲ 수도권의 인구 변화 (통계청)   ▲ 수도권 집중도 (2021년) (통계청)

*2010년 이전 자료는 2010년의 행정 구역을 기준으로 함.

② 도로, 철도, 항공 노선 등이 서울을 중심으로 연결되어 있음

② 수도권의 공간 구조 변화

(1) **산업 공간 구조의 변화**

1960년대	서울을 중심으로 섬유 · 봉제업 등 경공업 발달
1970년대	지가 상승, 환경 오염, 교통 혼잡 등의 문제로 서울 주변 (인천, 경기)으로 제조업 분산
1980년대	인천(남동 공단), 경기(안산 · 시흥의 반월 · 시화 공단)의 제조업 성장 가속화
1990년대	탈공업화로 2차 산업 비율이 낮아지고 생산자 서비스업을 중심으로 3차 산업이 빠르게 성장
2000년대 이후	기술 · 지식 집약적 첨단 산업의 중심지로 성장

(2) **산업 유형에 따른 공간적 분화**

① 지식과 정보가 집중해 있고 고급 연구 인력이 풍부하여 지식 기반 산업의 중심지로 성장

② 서울은 지식 기반 서비스업(연구 개발, 업무 관리 등), 인천 · 경기는 지식 기반 제조업(정보 통신 기기, 반도체 등) 발달

③ 수도권의 문제점과 해결 방안

(1) **수도권의 문제점**

① 인구 · 산업의 과도한 집중: 주택 부족, 교통 혼잡, 환경 오염 등 발생

② 수도권과 비수도권 간의 격차 심화: 국토 공간 불균형에 따른 사회적 비용 증가

③ 수도권 내 불균형 문제: 수도권 내에서 서울에 대한 의존성이 높음

(2) **수도권 문제의 해결 노력**

① 과도한 인구 및 기능의 집중 억제: 과밀 부담금 제도, 수도권 공장 총량제 등

② 국토 공간의 불균형 완화: 세종특별자치시, 혁신 도시 건설 등

③ 수도권 내 불균형 해소: 수도권 정비 계획을 통한 다핵 연계형 공간 구조로의 전환 등

④ 강원 지방의 특성

(1) **자연환경**: 태백산맥을 경계로 영서 지방과 영동 지방으로 구분

① 기후

영서 지방	• 내륙에 위치하여 영동 지방보다 기온의 연교차가 큼 • 늦봄에서 초여름에 고온 건조한 높새바람이 불어옴
영동 지방	• 태백산맥과 동해의 영향으로 영서 지방보다 겨울철 기온이 높음 • 겨울철 북동 기류의 영향으로 강설량이 많음

② 지형

영서 지방	• 하천의 유로가 긴 편임 • 침식 분지(춘천, 원주 등), 고위 평탄면 등 발달
영동 지방	• 하천의 유로가 짧고 평균 경사가 급한 편임 • 동해안에 좁은 해안 평야와 크고 작은 석호 발달

(2) **인문 환경**: 산지가 많아 경지율과 인구 밀도가 낮음

① 영서 지방

• 한강을 따라 경기도와 교류 → 수도권과 비슷한 방언 사용

• 산지가 많아 밭농사 비율이 높음 → 옥수수, 감자, 메밀 등을 활용한 전통 음식 발달

• 태백 산지 주변의 고위 평탄면에서는 고랭지 농업이 이루어짐

② 영동 지방

• 경북 동해안 및 북부 해안 지방과 교류가 많음 → 동해안을 따라 비슷한 방언 사용

• 해안 지형과 항만을 바탕으로 수산업 및 관광 산업 발달

⑤ 강원 지방의 산업과 주민 생활

(1) **산업 구조의 변화**

① 밭작물 중심의 농업과 풍부한 임산 및 수산 자원을 바탕으로 1차 산업 발달

② 산업화 과정에서 풍부한 지하자원을 토대로 우리나라 최대의 광업 지역으로 성장

③ 1980년대 이후 가정용 연료의 변화와 석탄 산업 합리화 정책으로 석탄 산업 쇠퇴 → 광업 지역의 경제 침체 및 인구 감소

(2) **새로운 성장을 모색하는 강원 지방**

① 첨단 산업 중심의 산업 구조 고도화 추진: 춘천(바이오 산업), 원주(첨단 의료 기기 관련 산업), 강릉(해양 · 신소재 산업) 등

② 1차 산업 기반의 소득원 창출 노력: 지역 특산물을 활용한 제품 생산, 농어촌 체험 관광 등

③ 관광 산업 육성

• 고랭지 농목업 경관, 카르스트 지형, 동해안의 해안 지형 활용

• 폐광 · 폐철로 활용: 석탄 박물관(태백), 레일 바이크(정선, 춘천)

④ 동계 스포츠 중심지로 발전: 2018년 평창 동계 올림픽을 계기로 고속 철도 등의 교통망과 숙박 시설 확충

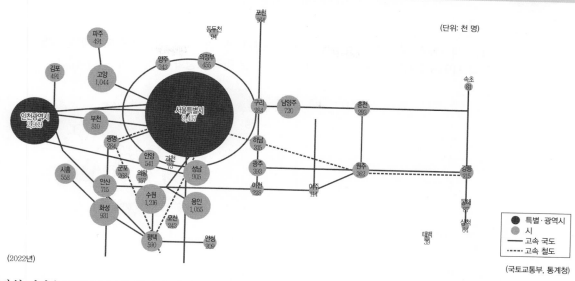

(단위: 천 명)

(2022년)

특별·광역시
시
고속 국도
고속 철도

(국토교통부, 통계청)

수도권과 강원 지방은 교통 및 도시 발달의 지역적 차이가 크다. 수도권에는 서울특별시, 인천광역시 이외에 시(市)가 총 28개가 있으며, 인구 규모 100만 명 이상의 시(市)도 수원, 용인, 고양으로 3개나 있다. 반면에 강원도에는 시(市)가 총 7개가 있으며, 인구 규모가 가장 큰 시(市)는 원주로 약 36만 명이다. 수도권에는 원주보다 인구 규모가 큰 시(市)가 15개나 있다. 수도권은 서울을 중심으로 고속 국도와 고속 철도가 체계적으로 발달해 있어 이동의 접근성이 매우 높아 거대한 대도시권을 형성하고 있다. 이에 비해 강원 지방은 상대적으로 교통 발달이 미약하다. 최근 강원 지방의 원주, 강릉에 고속 철도가 개통되고 영동 고속 국도 외에 춘천, 속초를 연결하는 서울-양양 고속 국도가 개통되면서 강원 지방을 찾는 관광객이 많아졌다.

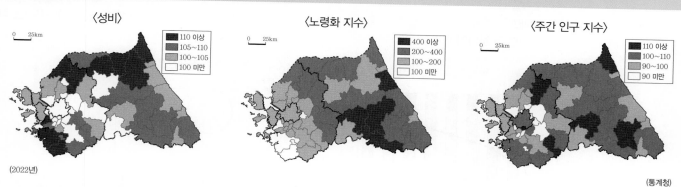

〈성비〉
110 이상
105~110
100~105
100 미만

〈노령화 지수〉
400 이상
200~400
100~200
100 미만

〈주간 인구 지수〉
110 이상
100~110
90~100
90 미만

(2022년)

(통계청)

- 수도권과 강원 지방의 성비를 살펴보면 성비가 높은 지역은 대체로 제조업이 발달하거나 군사 시설이 밀집한 지역들이다. 제조업이 발달한 시흥, 화성, 평택 등과 접경 지역에 위치한 고성, 인제, 양구, 화천, 연천 등은 성비가 110 이상이다. 이에 비해 서울을 비롯하여 서울 주변 지역들은 성비가 100 미만으로 낮다.
- 수도권과 강원 지방의 노령화 지수를 살펴보면 상대적으로 수도권은 낮고 강원 지방은 높다. 특히 강원 지방의 양양, 횡성, 평창, 영월은 노령화 지수가 400 이상으로 노년층 인구가 유소년층 인구의 4배 이상이다. 이에 비해 수도권의 하남, 김포, 화성, 평택, 오산, 시흥 등은 노령화 지수가 100 미만으로 유소년층 인구가 노년층 인구보다 많다.
- 수도권과 강원 지방의 주간 인구 지수를 살펴보면 수도권의 과천, 이천, 포천과 강원 지방의 고성, 횡성, 정선은 110 이상으로 매우 높고, 서울과 화성 등도 주간 인구 지수가 높다. 이에 비해 서울로의 통근·통학 인구가 많은 서울 주변 지역인 고양, 남양주, 의정부, 광명, 군포 등은 주간 인구 지수가 90 미만으로 매우 낮다. 한편, 강원 지방에서 시에 해당하는 강릉, 원주, 춘천, 속초, 동해, 태백 등은 주간 인구 지수가 100 미만이다.

01

▶ 24061-0133

표는 세 지표별 수도권 상위 5개 지역을 나타낸 것이다. 이에 대한 설명으로 옳은 것은? (단, (가)~(다)는 각각 지도에 표시된 세 지역 중 하나이며, ㉠, ㉡은 각각 노령화 지수, 성비 중 하나임.)

순위	㉠	제조업 출하액	㉡
1	(가)	(나)	가평
2	연천	인천	연천
3	시흥	평택	(다)
4	(나)	안산	(가)
5	평택	이천	여주

* 제조업 출하액은 종사자 수 10인 이상 사업체를 대상으로 함.
(2022년)　　　　　　　　　　　　　　　　　　(통계청)

① ㉠에는 '노령화 지수', ㉡에는 '성비'가 들어갈 수 있다.
② 화성은 포천보다 성비가 높다.
③ (가)는 (나)보다 지역 내 총생산이 많다.
④ (나)는 (가)보다 외국인 근로자 수가 많다.
⑤ (나)는 (다)보다 노년 부양비가 높다.

02

▶ 24061-0134

그래프는 수도권 시·도별 주요 특성을 나타낸 것이다. 이에 대한 설명으로 옳은 것은? (단, (가)~(다)는 각각 A~C 중 하나임.)

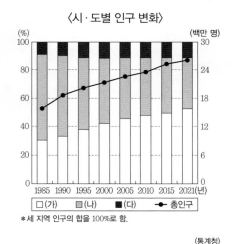

〈시·도별 인구 변화〉

*세 지역 인구의 합을 100%로 함.

(통계청)

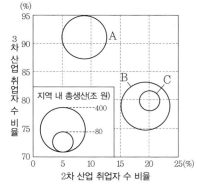

〈시·도별 지역 내 총생산 및 산업 구조〉

*2·3차 산업 취업자 수 비율은 원의 가운데 값임.
**산업 취업자 수 비율은 2022년, 지역 내 총생산은 2020년 자료임.

(통계청)

① A는 1985년부터 인구가 지속적으로 증가하였다.
② 수도권 정비 계획은 주로 C의 과밀 문제를 해결하기 위해 추진되었다.
③ A는 B보다 2020년 1인당 지역 내 총생산이 많다.
④ (가)는 (나)보다 생산자 서비스업 사업체 수가 많다.
⑤ (다)는 (나)보다 지역 내 3차 산업 취업자 수 비율이 높다.

03

▶ 24061-0135

그래프는 지도에 표시된 세 지역의 인구 특성을 나타낸 것이다. (가)~(다) 지역에 대한 설명으로 옳은 것은?

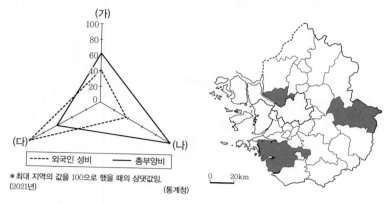

* 최대 지역의 값을 100으로 했을 때의 상댓값임.
(2021년)
(통계청)

① (가)에는 수도권 2기 신도시가 건설되었다.
② (나)는 (다)보다 지역 내 주택 유형 중 아파트 비율이 높다.
③ (다)는 (가)보다 서울로의 통근·통학 인구가 많다.
④ (다)는 (나)보다 제조업 출하액이 많다.
⑤ (가)~(다) 중 노령화 지수는 (가)가 가장 높다.

04

▶ 24061-0136

그래프는 세 지역의 용도별 토지 이용 현황을 나타낸 것이다. (가)~(다) 지역에 대한 설명으로 옳은 것은? (단, (가)~(다)는 각각 경기, 서울, 인천 중 하나임.)

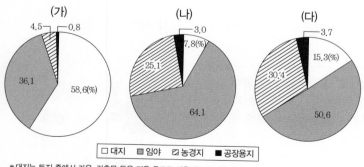

* 대지는 토지 중에서 가옥, 건축물 등을 지을 용도로 사용되는 토지를 말함.
** 대지, 임야, 농경지, 공장용지의 합을 100%로 함.
(2022년)
(통계청)

① (가)에는 남한강과 북한강이 합류하는 지점이 있다.
② (나)에는 우리나라 최대 규모의 국제공항이 위치해 있다.
③ (다)는 세 지역 중 지역 내 총생산이 가장 많다.
④ (가)는 (나)보다 상업지의 평균 지가가 비싸다.
⑤ (다)는 (가)보다 전문·과학 및 기술 서비스업 종사자 수가 많다.

05
▶ 24061-0137

그래프는 지도에 표시된 네 지역의 인구 특성을 나타낸 것이다. A~D 지역에 대한 설명으로 옳은 것만을
〈보기〉에서 고른 것은? (단, A와 B는 서울, C와 D는 경기에 위치함.)

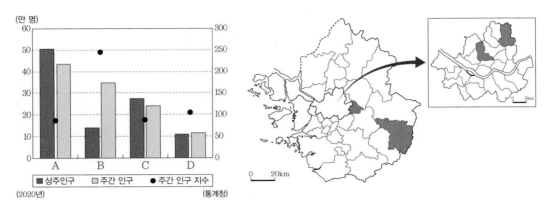

보기

ㄱ. A는 B보다 상업 및 업무 기능이 강하다.
ㄴ. B는 D보다 인구 밀도가 높다.
ㄷ. C는 D보다 출근 시간대 통근·통학 순 유출 인구가 많다.
ㄹ. D는 A보다 초등학교당 학생 수가 많다.

---

① ㄱ, ㄴ   ② ㄱ, ㄷ   ③ ㄴ, ㄷ   ④ ㄴ, ㄹ   ⑤ ㄷ, ㄹ

06
▶ 24061-0138

다음 글의 ㉠~㉣에 대한 설명으로 옳은 것은? (단, ㉠~㉣은 지도에 표시된 네 지역 중 하나임.)

　　강원도는 태백산맥의 대관령을 기준으로 동쪽의 영동 지방과 서쪽
의 영서 지방으로 나뉜다. 영동 지방에 위치한 　㉠　와/과 영서
지방에 위치한 　㉡　은/는 강원도 도명(道名)의 유래가 된 지역
으로 오늘날에도 강원도의 중심 도시들이다. 한편, 　㉢　은/는
강원특별자치도청 소재지이며, 군사 분계선 접경 지역 중 　㉣
은/는 위치적 특성을 이용한 배꼽 축제로 유명하다.

① ㉠에는 기업 도시가 조성되어 있다.
② ㉢에는 고속 철도 정차 역이 있다.
③ ㉡은 ㉢보다 제조업 출하액이 많다.
④ ㉣은 ㉠보다 청장년층 인구의 성비가 낮다.
⑤ ㉠~㉣ 중 총인구는 ㉢이 가장 많다.

07

▶ 24061-0139

다음은 여행기의 일부이다. (가)~(다) 지역군을 지도의 A~E에서 고른 것은?

○○강은 큰 여울을 뜻하는 한여울 또는 대탄(大灘, 큰 여울)으로 불렸다. ○○강을 따라가는 여행길은 매력적인 풍경으로 유명하다. (가) 의 직탕 폭포, (나) 의 비둘기낭 폭포, (다) 의 재인 폭포는 경관이 아름다워 지역 홍보에 활용된다. 또한 유네스코 세계 지질 공원(지오파크)으로 지정된 (가) 의 주상 절리길에 가면 아찔한 절벽 트레킹을 경험할 수 있다.

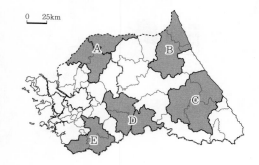

① A
② B
③ C
④ D
⑤ E

08

▶ 24061-0140

그래프는 지도에 표시된 세 지역의 월별 강수량 비율을 나타낸 것이다. (가)~(다) 지역에 대한 설명으로 옳은 것은?

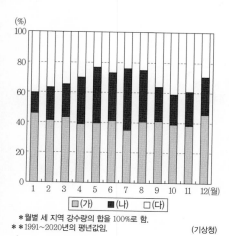

* 월별 세 지역 강수량의 합을 100%로 함.
** 1991~2020년의 평년값임.
(기상청)

① (가)는 (나)보다 해발 고도가 낮다.
② (나)는 (다)보다 기온의 연교차가 크다.
③ (다)는 (가)보다 연 강수량이 많다.
④ (다)는 (나)보다 바다와의 최단 거리가 멀다.
⑤ 높새바람은 주로 (나)에서 (다) 쪽으로 분다.

09

▸ 24061-0141

지도는 세 지표의 강원도 시·군별 비율을 나타낸 것이다. (가)~(다) 지표로 옳은 것은?

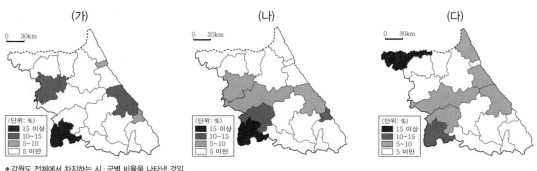

＊강원도 전체에서 차지하는 시·군별 비율을 나타낸 것임.
(2021년)

(통계청)

	(가)	(나)	(다)
①	총인구	논 면적	제조업 출하액
②	총인구	제조업 출하액	논 면적
③	논 면적	제조업 출하액	총인구
④	제조업 출하액	총인구	논 면적
⑤	제조업 출하액	논 면적	총인구

10

▸ 24061-0142

다음은 한국지리 수업 장면이다. 발표 내용이 옳은 학생만을 고른 것은?

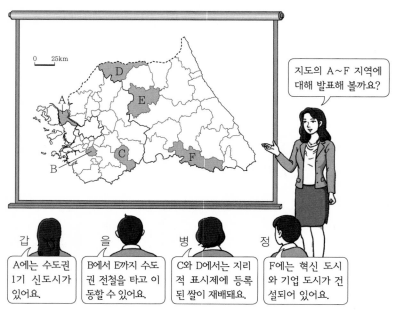

지도의 A~F 지역에 대해 발표해 볼까요?

갑: A에는 수도권 1기 신도시가 있어요.

을: B에서 E까지 수도권 전철을 타고 이동할 수 있어요.

병: C와 D에서는 지리적 표시제에 등록된 쌀이 재배돼요.

정: F에는 혁신 도시와 기업 도시가 건설되어 있어요.

① 갑, 을 ② 갑, 병 ③ 을, 병 ④ 을, 정 ⑤ 병, 정

1 빠르게 성장하는 충청 지방

(1) 지역 특색

① 공간 범위: 대전광역시, 세종특별자치시, 충청북도, 충청남도를 포함

② 수도권과의 높은 인접성, 교통 발달로 빠른 성장
- 과거 내륙 수운이 황해와 연결되어 있을 때 충주, 공주, 부여, 강경 등이 하천 교통의 중심지로 성장
- 경부선(1905년)과 호남선(1914년) 철도의 개통으로 철도 교통의 결절지인 대전 성장
- 1970년대 이후 경부·호남·중부·서해안 고속 도로 등의 건설로 교통·물류의 중심지 역할 수행
- 2000년대 이후 수도권 전철 연장, 고속 철도 개통으로 수도권과의 접근성 향상
- 최근 교통 발달과 수도권 과밀화에 따른 분산 정책 시행 → 수도권의 행정, 산업, 교육 등 다양한 기능 이전으로 성장 가속화

(2) 산업과 도시의 변화

① 산업 발달의 요인
- 수도권에 공장 신·증설을 규제하는 수도권 공장 총량제 시행에 따라 수도권의 공업 기능 이전
- 교통 발달에 따른 수도권과의 접근성 향상, 대중국 무역 전진 기지로서 성장 기대

② 산업의 입지
- 중화학 공업: 아산(자동차), 당진(제철), 서산(석유 화학) 등을 중심으로 발달
- 첨단 산업: 아산(전자), 대전(대덕 연구 개발 특구), 청주(오송 생명 과학 단지, 오창 과학 산업 단지) 등을 중심으로 성장

③ 도시의 성장과 변화
- 수도권과 인접한 천안·아산, 제조업이 발달한 당진·서산 등의 인구 증가
- 행정 중심 복합 도시(세종특별자치시) 건설, 충청남도청 이전 (홍성·예산의 내포 신도시)
- 기업 도시(태안−관광 레저형, 충주−지식 기반형), 혁신 도시 (진천·음성, 대전, 내포 신도시) 조성

2 다양한 산업이 발전하는 호남 지방

(1) 지역 특색

① 공간 범위: 광주광역시, 전북특별자치도, 전라남도를 포함

② 자연 및 인문 환경
- 동부의 산지 지역, 서남부의 평야 및 도서 지역으로 구성
- 넓은 평야와 서·남해안을 중심으로 농업, 어업 발달
- 농산물과 해산물 풍부, 음식·판소리·민속놀이 등 다양한 문화 발달

(2) 농지 개간 및 간척 사업

① 우리나라 최대의 곡창 지대로 만경강, 동진강 유역의 호남평야와 영산강 유역의 나주평야를 중심으로 대규모 농경지 조성

② 대규모 농지 개간 및 간척 사업
- 일제 강점기: 쌀을 수탈하기 위해 수리 시설을 확충하고 넓은 면적의 저습지와 갯벌을 농지로 개간(김제시 광활면)
- 1960년대 이후: 대규모 간척 사업 추진(부안군 계화도, 영산강 하구, 해남, 고흥, 새만금 일대 등)

③ 다양하게 활용되는 간척지
- 간척 사업을 통한 농지 확보 → 쌀 자급률 증대에 기여
- 금강 하구의 군산, 영산강 하구의 영암, 광양만 일대의 여수·광양 등의 간척지에 산업 단지 조성
- 국내 최대의 간척지인 새만금 간척지에 다양한 산업과 도시 개발 사업 추진 중

(3) 산업 구조의 변화

① 1차 산업
- 농업 발달: 온화한 기후, 비옥한 평야 발달
- 염전, 양식업 발달: 긴 해안선과 넓은 갯벌 분포

② 제조업의 성장
- 서해안 고속 도로와 호남 고속 철도 등의 개통
- 균형 발전을 위한 정부의 지원을 바탕으로 제조업 및 첨단 산업 분야의 투자 진행

1970년대	여수 석유 화학 산업 단지, 이리(현재 익산) 수출 자유 지역을 중심으로 제조업 발달
1980년대	광양 제철소가 조성된 광양만을 중심으로 제철 공업 등 중화학 공업 발달
1990년대 이후	• 중국과의 교역에 유리한 산업 단지 조성(군산 국가 산업 단지, 대불 국가 산업 단지 등) • 고부가 가치 산업 육성(광주의 광(光) 산업 및 자동차 공업, 전주의 첨단 부품 소재 산업 등)

③ 경제 자유 구역, 혁신 도시와 기업 도시
- 광양만권 경제 자유 구역: 광양·여수·순천, 경남 하동을 중심으로 동북아시아 물류 중심지 지향
- 광주 경제 자유 구역: 광주를 중심으로 인공 지능(AI)을 이용한 다양한 분야의 신산업 육성
- 혁신 도시: 전주·완주(농업·생명 클러스터 구축), 나주(녹색 전력 연구 개발 기반 조성)
- 기업 도시: 영암·해남−관광 레저형 기업 도시

④ 관광 산업: 자연환경과 문화유산을 기반으로 관광 산업 발달

③ 공업과 함께 발달한 영남 지방

(1) 지역 특색

① 공간 범위: 부산광역시, 대구광역시, 울산광역시, 경상북도, 경상남도를 포함

② 자연 및 인문 환경
- 태백산맥과 소백산맥으로 둘러싸여 있으며, 낙동강 유역에 크고 작은 평야와 분지 분포
- 조차가 작고 수심이 깊은 해안을 끼고 있어 대형 선박의 입·출항이 편리한 항만 발달
- 수도권과 함께 우리나라의 산업화를 이끌어 온 주요 공업 지역

(2) 산업 특색

① 1차 산업
- 북부 내륙 지역: 과수 농업 발달
- 낙동강 하구 삼각주와 대도시 근교 지역: 시설 원예 농업 발달

② 제조업
- 정부의 거점 개발 정책과 수출 위주의 중화학 공업 육성 정책으로 발달
- 1960년대: 부산과 대구를 중심으로 신발, 섬유 공업 등의 노동 집약적 경공업 발달
- 1970년대 이후: 대규모 산업 단지가 조성되면서 중화학 공업을 중심으로 성장

영남 내륙 공업 지역	• 풍부한 노동력, 편리한 도로 및 철도 교통을 배경으로 성장 • 대구(자동차, 기계, 섬유), 구미(전자)
남동 임해 공업 지역	• 원료 및 제품 수출입에 유리한 항만 발달, 정부의 중화학 공업 육성 정책을 배경으로 성장 • 울산: 석유 화학, 정유, 자동차, 조선 등 • 포항(제철), 창원(기계), 거제(조선) 등

(3) 인구와 도시

① 인구 분포: 전통적 대도시인 부산과 대구, 공업 도시로 성장한 울산, 창원, 포항, 구미 등지에 인구가 많이 분포

② 대도시의 교외화
- 1990년대 이후 부산, 대구의 인구와 기능이 주변 지역으로 분산되는 교외화 현상 발생
- 대도시의 통근권 확대 → 김해, 양산, 경산 등의 도시 성장
- 군위가 대구에 편입(2023년 7월)

③ 역사 문화 도시
- 안동: 세계 문화유산으로 등재된 하회 마을 등의 전통 문화유산을 중심으로 관광 산업 육성, 경상북도청 이전으로 행정 기능 강화
- 경주: 석굴암과 불국사, 경주 역사 유적 지구, 양동 마을 등이 세계 문화유산으로 등재

④ 세계적인 관광지로 발전하는 제주도

(1) 자연환경

① 기후
- 저위도에 위치하고 주변에 난류가 흐름 → 연평균 기온이 높으며, 기온의 연교차가 작음
- 해안 저지대는 겨울철에도 따뜻하여 난대성 식물이 자람
- 해발 고도가 높아질수록 기온이 낮아져 식생의 수직적 분포 차이가 잘 나타남

② 지형
- 신생대 화산 활동으로 형성
- 한라산: 전체적으로 순상 화산체이지만 산정부는 종상 화산
- 다양한 화산 지형 발달: 기생 화산(오름, 악), 용암 동굴, 주상 절리 등
- 지표의 대부분이 절리가 발달한 현무암으로 덮여 있어 물이 지하로 잘 스며듦 → 건천 발달, 해안가 위주로 용천 발달
- 독특하고 아름다운 자연환경: 유네스코 생물권 보전 지역(2002년), 세계 자연 유산(2007년), 세계 지질 공원(2010년)으로 지정

▲ 제주도의 세계 유산

(2) 독특한 문화와 산업 발달

① 독특한 문화
- 전통 취락: 물을 얻기 쉬운 해안가의 용천대를 중심으로 발달
- 전통 가옥: 현무암을 이용하여 돌담을 쌓고 새(억새의 일종)로 만든 줄을 그물 모양으로 엮어 낮은 지붕을 덮어서 강풍에 대비, 곡식의 창고 기능을 하는 고팡 발달
- 잡곡과 해산물을 활용한 음식 문화 발달
- 독특한 방언과 풍습 발달

② 산업 특색
- 1차 산업: 경지는 대부분 밭과 과수원으로 이용 → 채소, 난대성 작물인 감귤과 차 등 재배
- 2차 산업: 다른 시·도에 비해 상대적으로 발달 미약
- 3차 산업: 관광 산업 위주로 발달

(3) 발전을 위한 노력

① 국제 자유 도시(2002년) 및 제주특별자치도(2006년) 지정: 국내외 기업에 각종 규제 완화와 조세 혜택 등 제공, 국방과 외교 등을 제외한 광범위한 분야에 걸쳐 자치권 확보 → 관광, 교육, 의료, 첨단 산업 등을 핵심 산업으로 선정하여 육성

② 투자 활성화와 청정한 자연환경 등의 영향으로 유입 인구 증가 → 각종 기반 시설 부족, 무분별한 개발과 환경 훼손, 개발 이익의 도(道) 외 유출 등 부작용 우려

③ 발전 전략: 융복합 관광 산업 육성(마이스(MICE) 산업 등), 농림 어업의 고부가 가치화, 바이오 산업 등 육성

- 수도권의 과밀화 문제를 해소하고 지방의 자립적 발전 역량을 확충하기 위해 공공 기관을 이전하여 혁신 도시를 조성하고 민간 기업의 투자를 유치·촉진하여 기업 도시를 조성함으로써 지역 균형 발전과 국가 경쟁력 강화를 꾀할 수 있다. 충청·호남·영남·제주 권역에서도 혁신 도시와 기업 도시가 기존 도청 소재지들과 어우러져 지역 경쟁력을 강화해 나가고 있다.

- 충청·호남·영남 지방에서는 지역 특성을 소재로 다양한 축제가 개최되고 있다. 지역 특산물을 소재로 단양 마늘 축제, 순창 장류 축제, 보성 다향 대축제, 광양 매화 축제 등이 개최되며, 지형적 특성을 소재로 보령 머드 축제, 김제 지평선 축제, 진도 신비의 바닷길 축제, 순천 순천만 갈대 축제 등이 개최되고 있다. 또한 곤충을 소재로 무주 반딧불 축제, 함평 나비 대축제 등이 개최되고 있다.

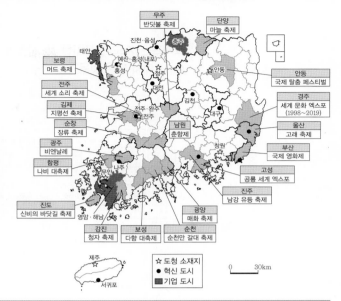

순위	서산시(39조 원)		당진시(23조 원)		아산시(68조 원)		구미시(52조 원)		포항시(27조 원)	
	업종	비율(%)	업종	비율(%)	업종	비율(%)	업종	비율(%)	업종	비율(%)
1	정유	39.9	C	68.6	D	54.3	D	63.9	C	80.3
2	A	38.2	금속 가공 제품 (기계 및 가구 제외)	7.4	B	17.7	전기	6.0	비금속 광물 제품	5.2
3	B	15.7	B	5.2	기타 기계 및 장비	9.2	C	5.0	금속 가공 제품 (기계 및 가구 제외)	4.0
	기타	6.2	기타	18.8	기타	18.8	기타	25.1	기타	10.5

순위	광주광역시(36조 원)		여수시(56조 원)		광양시(18조 원)		거제시(16조 원)		울산광역시(164조 원)	
	업종	비율(%)	업종	비율(%)	업종	비율(%)	업종	비율(%)	업종	비율(%)
1	B	41.5	A	60.2	C	84.5	E	96.8	B	26.9
2	전기	18.0	정유	37.0	비금속 광물 제품	4.8	금속 가공 제품 (기계 및 가구 제외)	1.9	정유	24.5
3	고무 및 플라스틱 제품	8.3	C	0.5	금속 가공 제품 (기계 및 가구 제외)	2.5	식료품	0.6	A	20.0
	기타	32.2	기타	2.3	기타	8.2	기타	0.7	기타	28.6

　* 종사자 수 10인 이상 사업체를 대상으로 함.
　** 괄호 안의 숫자는 지역 내 제조업 출하액임.
　*** 지역 내 제조업 출하액 비율 3위까지의 업종만 나타냄.
　**** 전기 장비 제조업은 전기, 코크스·연탄 및 석유 정제품 제조업은 정유로 나타냄.
(2020년)　　　(통계청)

- 주요 지역에서 발달한 가장 대표적인 공업을 떠올릴 때, 해당 공업이 통계청의 광공업 제조업 조사 산업 분류 지표 중 어디에 해당하는지를 파악해 둘 필요가 있다. 표의 네 번째 주석에 나와 있는 전기와 정유처럼 제조업 분류표상 자동차 및 트레일러는 자동차, 전자 부품·컴퓨터·영상·음향 및 통신 장비는 전자, 1차 금속은 제철, 기타 운송 장비는 조선, 화학 물질 및 화학 제품(의약품 제외) 제조업은 석유 화학 공업으로 파악해 둔다.

- A는 여수, 서산, 울산에서 출하액 비율이 높은 석유 화학, B는 광주, 울산, 아산, 서산 등에서 출하액 비율이 높은 자동차, C는 광양, 포항, 당진 등에서 출하액 비율이 높은 제철, D는 구미, 아산에서 출하액 비율이 높은 전자, E는 거제에서 출하액 비율이 압도적으로 높은 조선이다.

01

▶ 24061-0143

그래프는 지도에 표시된 세 지역의 제조업 업종별 출하액 비율을 나타낸 것이다. (가)~(다) 지역을 지도의 A~C에서 고른 것은?

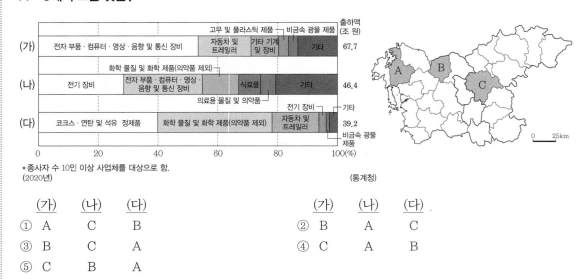

*종사자 수 10인 이상 사업체를 대상으로 함.
(2020년)   (통계청)

	(가)	(나)	(다)		(가)	(나)	(다)
①	A	C	B	②	B	A	C
③	B	C	A	④	C	A	B
⑤	C	B	A				

02

▶ 24061-0144

그래프는 지도에 표시된 세 지역의 인구 특성을 나타낸 것이다. (가)~(다) 지역에 대한 설명으로 옳지 <u>않은</u> 것은?

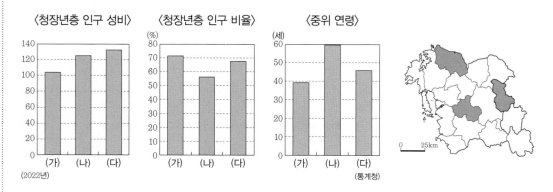

① (다)는 광역시와 행정 구역 경계가 맞닿아 있다.
② (가)는 (나)보다 인구 밀도가 높다.
③ (가)는 (다)보다 총인구가 많다.
④ (다)는 (나)보다 제조업 출하액이 많다.
⑤ (가)~(다) 중 총부양비가 가장 높은 곳은 (나)이다.

03

▶ 24061-0145

지도의 A~D 지역군과 관련된 탐구 주제로 적절한 것만을 〈보기〉에서 고른 것은?

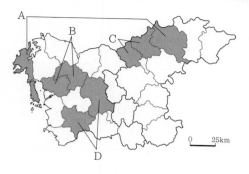

| 보기 |

ㄱ. A - 혁신 도시 조성에 따른 지역 경제의 변화
ㄴ. B - 도청 이전으로 나타난 지역 내 인구 변화의 요인
ㄷ. C - 기업 도시 조성 이후 지역 내 고용 창출 및 산업 입지 변화
ㄹ. D - 백제 역사 유적 지구의 세계 유산 등재 이후 나타난 관광객 수의 변화

① ㄱ, ㄴ   ② ㄱ, ㄷ   ③ ㄴ, ㄷ   ④ ㄴ, ㄹ   ⑤ ㄷ, ㄹ

04

▶ 24061-0146

다음 자료는 세 지역의 음식을 주제로 한 여행 방송의 일부 내용이다. (가)~(다) 지역을 지도의 A~E에서 고른 것은?

(가)	(나)	(다)
이곳에서는 석회암 지대라는 지리적 특성과 내륙 특유의 큰 일교차를 활용해 마늘을 재배하고 있습니다. 이곳 마늘은 육쪽인 것이 가장 큰 특징이며, 단단하고 독특한 맛과 향이 일품입니다. 전통 시장에서 맛보는 마늘 모양의 빵도 또 하나의 볼거리입니다.	이곳에는 전통 장류 산업을 활성화하고 ○○ 고추장의 명성과 전통적 제조 비법을 이어 가기 위해 1997년 조성된 민속 마을이 있습니다. 옹기에 담긴 각종 장류를 활용해 만든 다양한 장아찌 반찬을 맛본 후 발효 테마파크와 옹기 체험관도 둘러보세요.	이곳은 오랜 역사를 자랑하는 차 재배지라고 합니다. 약 150만 평의 넓은 녹차밭을 둘러보며 시원한 녹차 아이스크림 맛본다면 여행이 더 즐거워집니다. 또한 주변의 한국 차 박물관과 세계 차나무 식물원도 함께 둘러보세요.
 ▲ 흑마늘빵	 ▲ 옹기에 담긴 각종 장류	 ▲ 녹차 아이스크림

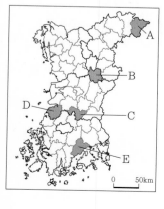

	(가)	(나)	(다)
①	A	B	D
②	A	C	E
③	A	D	E
④	B	C	D
⑤	B	D	E

05

▶ 24061-0147

그래프는 지도에 표시된 세 지역의 인구 구조를 나타낸 것이다. (가)~(다) 지역에 대한 설명으로 옳은 것은?

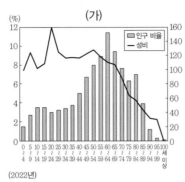
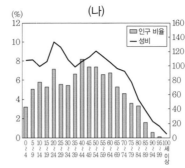
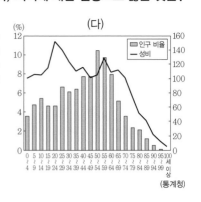

(2022년)

(통계청)

① (가)는 (다)보다 지역 내 유소년층 인구 비율이 높다.
② (나)는 (가)보다 중위 연령이 높다.
③ 행정 구역상 (가)와 (다)는 군(郡), (나)는 시(市)에 해당한다.
④ (가)~(다) 중 노령화 지수가 가장 높은 곳은 (다)이다.
⑤ 세 지역 모두 청장년층에서 남초 현상이 나타난다.

06

▶ 24061-0148

다음 자료는 네 지역의 제조업 업종별 출하액 기준 1위 제조업을 나타낸 것이다. (가)~(라)에 해당하는 공업으로 옳은 것은?

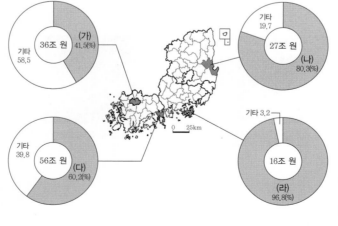

＊종사자 수 10인 이상 사업체를 대상으로 함.
＊＊원 안의 숫자는 지역 내 제조업 출하액임.
＊＊＊자동차 및 트레일러는 자동차, 1차 금속은 제철,
기타 운송 장비는 조선, 화학 물질 및 화학 제품
(의약품 제외) 제조업은 석유 화학 공업으로 나타냄.
(2020년)　　　　　　　　(통계청)

	(가)	(나)	(다)	(라)
①	제철	조선	자동차	석유 화학
②	제철	석유 화학	자동차	조선
③	조선	제철	자동차	석유 화학
④	자동차	제철	석유 화학	조선
⑤	자동차	조선	석유 화학	제철

07

▶ 24061-0149

그래프는 지도에 표시된 네 지역의 농업 특성과 1인당 지역 내 총생산을 나타낸 것이다. (가)~(라) 지역에 대한 설명으로 옳은 것은?

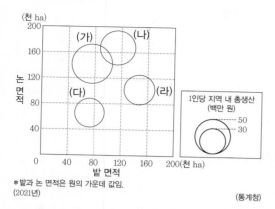

*밭과 논 면적은 원의 가운데 값임.
(2021년)

(통계청)

① (가)는 (나)보다 맥류 생산량이 많다.
② (가)는 (라)보다 과수 재배 면적이 넓다.
③ (나)는 (라)보다 제조업 종사자 수가 많다.
④ (다)는 (나)보다 지역 내 총생산이 많다.
⑤ (가)는 경남, (다)는 충남이다.

08

▶ 24061-0150

다음 자료는 지형·지질적 특징을 활용한 지역 축제에 관한 것이다. (가), (나) 지역을 지도의 A~D에서 고른 것은?

지역	축제 사진	특징
(가)		• 대표적인 중생대 백악기 공룡 발자국 화석 산지이자 중생대 새 발자국 화석 산지로는 화석 수가 세계에서 가장 많은 곳으로 공룡 세계 엑스포가 개최됨. • 첨단 영상과 디지털 기술을 바탕으로 복원된 공룡을 만나 볼 수 있는 특별관이 있으며, 다채로운 공룡 체험 프로그램 등이 운영됨.
(나)		• 현대판 '모세의 기적', 조수 간만의 차로 바닷길이 열리는 자연 현상이 나타나 사람들이 바닷물에 잠겨 있던 구간을 걸어 들어가 볼 수 있음. • 축제 장소 일대의 갯벌에서 물고기잡이 행사인 '개매기 체험'과 '조개잡이 체험' 등의 활동이 이루어짐.

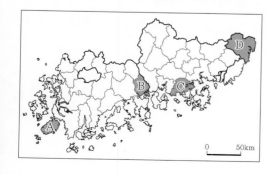

	(가)	(나)
①	B	C
②	C	A
③	C	B
④	D	A
⑤	D	B

▶ 24061-0151

09

다음은 지역 탐방 보고서의 일부이다. (가), (나) 지역을 지도의 A~C에서 고른 것은?

〈화폐 속 문화유산을 보유한 지역 탐방〉

◎ 1일 차 - [(가)] 지역 탐방

일반적으로 시중에 유통되는 화폐 중 막내 격인 십 원짜리 동전은 최근 유통량이 급격히 감소하고 있다. 동전의 한쪽 면에는 국보 제20호로 지정된 탑이 새겨져 있다. 이 탑은 인공 석조 기단 위에 지은 목조 건축물로 수준 높은 고대 불교 건축의 정수를 보여 준다. 이 탑을 보유한 사찰인 ○○사는 □□암과 함께 1995년 유네스코 세계 문화유산으로 등재되었다.

◎ 2일 차 - [(나)] 지역 탐방

△△ 서원은 천 원짜리 구권 지폐에 오랜 기간 담겨 어렴풋이 그 모습을 떠올릴 수 있을 정도로 친숙한 곳이다. 천 원짜리 신권 지폐에 그려진 겸재 정선의 계상정거도는 △△ 서원의 초창기 모습을 묘사한 그림이다. 조선 중기 향촌 지식인(사림)에 의해 건립된 △△ 서원은 성리학을 가르치던 교육 기관으로서의 가치와 주요 건축물의 탁월한 건축미를 인정받아 2019년 다른 지역의 여러 서원과 함께 유네스코 세계 문화유산으로 등재되었다.

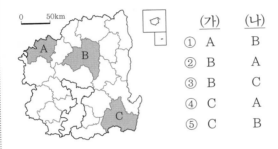

	(가)	(나)
①	A	B
②	B	A
③	B	C
④	C	A
⑤	C	B

▶ 24061-0152

10

다음 자료의 ㉠~㉢에 대한 설명으로 옳은 것만을 〈보기〉에서 있는 대로 고른 것은?

◇◇ 신문 2023년 ○○월 □□일

전체 기사 사회 경제 교육 **칼럼**

[제주 옛이야기]

㉠한라산은 예로부터 많은 이름으로 불려 왔다. 태풍을 막아 주는 방어진과 같다 해서 진산, 정상 부근의 못이 물을 담는 그릇을 닮았다 해서 부악이라고 불렸는데, 또 하나의 이름인 두무악(頭無嶽)이라는 명칭은 산꼭대기가 마치 머리 없이 목만 남은 모양이라고 하여 붙여졌다. 전설에 의하면 옛날 한 사냥꾼이 사냥 중에 잘못하여 활 끝으로 천제(天帝)의 배꼽을 건드렸는데, 이에 화가 난 천제가 한라산 꼭대기를 뽑아 멀리 던져 버렸고, 그 던져진 곳이 지금의 ㉡산방산이며, 뽑혀서 움푹 팬 곳이 ㉢백록담이 되었다고 한다.

┌ 보기 ┐

ㄱ. ㉠은 유네스코 세계 자연 유산에 등재되어 있다.

ㄴ. ㉡은 유동성이 큰 용암이 굳어져 형성되었다.

ㄷ. ㉢은 분화구가 함몰되어 형성된 칼데라에 물이 고여 형성되었다.

① ㄱ   ② ㄴ   ③ ㄱ, ㄴ   ④ ㄱ, ㄷ   ⑤ ㄴ, ㄷ

문항에 따라 배점이 다르니, 각 물음의 끝에 표시된 배점을 참고하시오. 3점 문항에만 점수가 표시되어 있습니다. 점수 표시가 없는 문항은 모두 2점입니다.

1 ▶ 24061-0153
(가) 지도와 비교한 (나) 지도의 상대적 특성으로 옳은 것만을 〈보기〉에서 있는 대로 고른 것은?

(가)
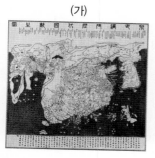

(나)
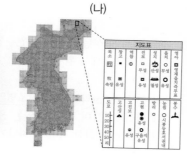

| 보기 |
ㄱ. 제작 시기가 이르다.
ㄴ. 축척의 정확성이 높다.
ㄷ. 실학사상의 영향을 크게 받았다.
ㄹ. 제작 과정에 국가의 개입이 많았다.

① ㄱ, ㄴ　　② ㄱ, ㄹ　　③ ㄴ, ㄷ
④ ㄱ, ㄷ, ㄹ　　⑤ ㄴ, ㄷ, ㄹ

2 ▶ 24061-0154
그래프는 네 지역의 기후 특성을 나타낸 것이다. (가), (나)에 해당하는 기후 지표로 옳은 것은? (단, A~D는 각각 강원특별자치도, 경기도, 경상북도, 전북특별자치도의 도청 소재지 중 하나임.) [3점]

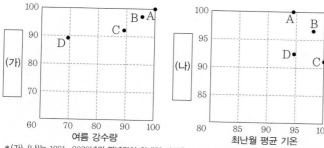

*(가), (나)는 1991~2020년의 평년값이 최대인 지역을 100으로 했을 때의 상댓값임. (기상청)

	(가)	(나)
①	연평균 기온	기온의 연교차
②	기온의 연교차	여름 강수 집중률
③	겨울 강수 집중률	연평균 기온
④	여름 강수 집중률	기온의 연교차
⑤	여름 강수 집중률	겨울 강수 집중률

3 ▶ 24061-0155
그래프에 대한 설명으로 옳은 것은? (단, (가)~(라)는 각각 고생대, 시·원생대, 신생대, 중생대 중 하나이며, A, B는 각각 퇴적암, 화성암 중 하나임.) [3점]

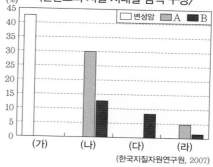

〈한반도의 지질 시대별 암석 구성〉
(한국지질자원연구원, 2007)

① 경남 고성의 공룡 화석은 (나)의 A에 분포한다.
② 지리산의 주된 기반암은 (나)의 B이다.
③ 경주 불국사의 다보탑과 석가탑은 (다)의 B로 만들어졌다.
④ 중부 지방은 (라)에 있었던 지각 운동으로 동고서저의 경동 지형을 이루게 되었다.
⑤ (라)의 A는 (가)의 변성암보다 형성 시기가 이르다.

4 ▶ 24061-0156
다음 자료의 (가)~(라) 호수에 대한 설명으로 옳은 것은? (단, (가)~(라)는 각각 지도에 나타낸 네 호수 중 하나임.)

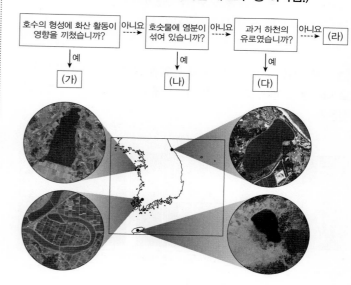

① (가)는 화산 폭발 후 화구의 함몰로 형성된 칼데라호이다.
② (나)는 자연 상태에서 시간이 지날수록 면적이 확대된다.
③ (다)의 형태는 측방 침식보다 하방 침식이 큰 영향을 끼쳤다.
④ (가)는 (다)보다 형성 시기가 이르다.
⑤ (나)는 (라)보다 농업용수로 이용될 가능성이 높다.

▶ 24061-0157

5 그래프는 지도에 표시된 네 지역의 월평균 기온 편차와 월 강수량 편차를 나타낸 것이다. (가)~(라) 지역에 대한 설명으로 옳지 <u>않은</u> 것은? [3점]

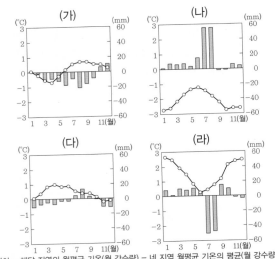

* 편차 = 해당 지역의 월평균 기온(월 강수량) - 네 지역 월평균 기온의 평균(월 강수량의 평균)
** 1991~2020년의 평년값을 기준으로 하며, 선은 기온 편차, 막대는 강수량 편차임. (기상청)

① (가)는 (다)보다 1월과 7월의 강수량 차이가 작다.
② (가)는 (라)보다 최한월 평균 기온이 낮다.
③ (나)는 (라)보다 해발 고도가 높다.
④ (다)는 (라)보다 여름 강수 집중률이 높다.
⑤ (라)는 (나)보다 기온의 연교차가 크다.

▶ 24061-0158

6 다음 자료는 화석 에너지의 권역별 공급량을 상대적인 크기로 나타낸 것이다. (가)~(다) 에너지에 대한 설명으로 옳지 <u>않은</u> 것은?

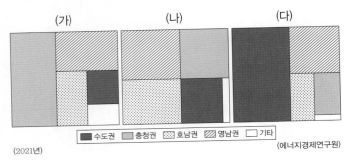

(2021년) (에너지경제연구원)

① (가)는 (나)보다 발전용 연료로 소비되는 비율이 높다.
② (가)는 (다)보다 연소 시 대기 오염 물질 배출량이 많다.
③ (나)는 (가)보다 국내 생산 비율이 높다.
④ (나)는 (다)보다 국내에 상업적으로 공급된 시기가 이르다.
⑤ (다)는 (나)보다 가정·상업 부문에 공급되는 비율이 높다.

▶ 24061-0159

7 다음 자료는 우리나라의 지질 명소에 관한 것이다. 이에 대한 설명으로 옳지 <u>않은</u> 것은?

〈노동 동굴〉
㉠지하수의 침투로 인해 공동이 확장되면서 천장이 낙반하여 커다란 광장을 이루며, 경사가 40~50도에 이른다. 내부에는 다양한 모양의 종유석, 석순, 석주 등이 있다.

〈도담 삼봉〉
명승으로 지정되었으며, ㉡조선 누층군 홍월리층 석회암과 돌로마이트로 구성된 석회암의 원추형 봉우리로 남한강 물이 흐르는 그 한가운데에 위치해 있다.

〈산방산〉
해발 고도 395m의 거대한 ㉢조면암질 용암 돔으로 약 80만 년 전에 형성되었으며, 인근에 있는 용머리 응회환과 함께 제주에서 가장 오래된 화산 지형 중 하나이다.

〈직탕 폭포〉
물이 ㉣현무암 대지 위를 오랫동안 흐르면서 풍화와 침식 작용을 받는 과정에서 형성되었다. 높이는 약 3m에 불과하지만, 너비는 약 80여 m에 이른다.

① ㉠의 과정을 통해 용식 작용이 일어난다.
② ㉡은 평안 누층군보다 형성 시기가 이르다.
③ ㉢은 ㉣보다 울릉도에서 분포 비율이 높다.
④ 산방산은 한라산 산록부보다 평균 경사가 완만하다.
⑤ 노동 동굴은 제주도의 만장굴보다 내부 구조가 복잡하다.

▶ 24061-0160

8 그래프는 세 도(道)의 원인별 자연재해 피해액 비율을 나타낸 것이다. 이에 대한 설명으로 옳은 것은? (단, (가)~(다)는 각각 강원, 경북, 전남 중 하나이며, A~D는 각각 대설, 지진, 태풍, 호우 중 하나임.) [3점]

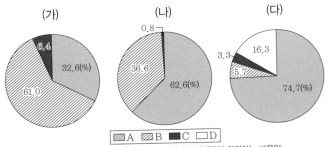

* 대설, 지진, 태풍, 호우 피해액 합에서 각 자연재해별 피해액이 차지하는 비율임.
** 2012~2021년의 누적 피해액(2021년도 환산 가격)을 기준으로 함. (행정안전부)

① (다)는 대설보다 지진 피해액이 많다.
② (나)는 (가)보다 호우 피해액 비율이 높다.
③ B 피해는 여름보다 겨울에 많이 발생한다.
④ C는 B보다 강원 지역 연 강수량에 끼친 영향이 크다.
⑤ A는 지형적 요인, D는 기후적 요인으로 발생한다.

9 ▶ 24061-0161
그래프는 지도에 표시된 서울 세 구(區)의 상주인구와 통근·통학 유입 및 유출 인구를 나타낸 것이다. A~C에 대한 설명으로 옳은 것만을 〈보기〉에서 고른 것은? [3점]

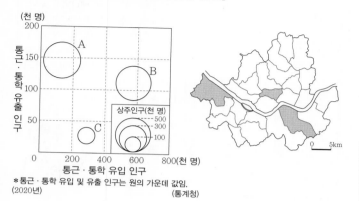

* 통근·통학 유입 및 유출 인구는 원의 가운데 값임.
(2020년)　(통계청)

| 보기 |
ㄱ. A는 B보다 주간 인구가 많다.
ㄴ. A는 C보다 주간 인구 지수가 높다.
ㄷ. B는 C보다 초등학교 학생 수가 많다.
ㄹ. C는 A보다 생산자 서비스업 매출액이 많다.

① ㄱ, ㄴ　　② ㄱ, ㄷ　　③ ㄴ, ㄷ
④ ㄴ, ㄹ　　⑤ ㄷ, ㄹ

10 ▶ 24061-0162
그래프는 세 광물 자원의 자급률 변화를 나타낸 것이다. (가)~(다)에 대한 설명으로 옳은 것은? (단, (가)~(다)는 각각 고령토, 석회석, 철광석 중 하나임.)

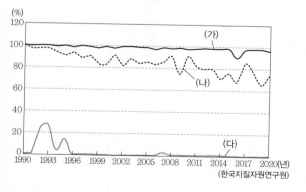

(한국지질자원연구원)

① (가)가 가장 많이 매장되어 있는 지질 계통은 평안 누층군이다.
② (나)의 연평균 생산량은 강원이 경남보다 많다.
③ (다)는 시멘트의 원료이며 대부분 수입에 의존한다.
④ (가)는 (다)보다 전국 생산량에서 차지하는 강원의 비율이 높다.
⑤ (나)는 (가)보다 생산량이 건설 산업에 미치는 영향이 크다.

11 ▶ 24061-0163
그래프는 지도에 표시된 네 지역의 연령층별 인구 비율을 나타낸 것이다. 이에 대한 설명으로 옳은 것만을 〈보기〉에서 고른 것은? [3점]

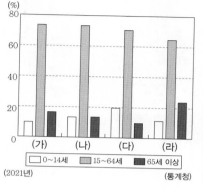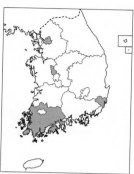

(2021년)　(통계청)

| 보기 |
ㄱ. (가)는 (나)보다 인구 밀도가 높다.
ㄴ. (다)는 시(市) 지역, (라)는 도(道) 지역이다.
ㄷ. 울산은 전남보다 총부양비가 높다.
ㄹ. 세종은 서울보다 노령화 지수가 높다.

① ㄱ, ㄴ　　② ㄱ, ㄷ　　③ ㄴ, ㄷ
④ ㄴ, ㄹ　　⑤ ㄷ, ㄹ

12 ▶ 24061-0164
다음 글에서 설명하는 축제가 열리는 지역을 지도의 A~E에서 고른 것은?

해마다 5월이면 광한루 일원에서 성춘향과 이몽룡이 처음 만난 날에 맞추어 열리는데, 1931년에 시작된 이 축제는 우리나라 지역 축제의 효시로 꼽힌다. 다양한 문화 공연을 통해 믿음을 저버리지 않은 춘향의 정신을 기리는 한편 우리 전통문화의 가치를 드높이고 있으며, 축제 프로그램의 일환으로 전국 춘향 선발 대회가 개최되어 전통적인 미와 재능을 겸비한 미인을 선발한다. 한편, 대동길놀이라는 행사를 통해 시민 모두가 참여하고 즐길 수 있는 축제를 몸과 마음으로 느낄 수 있다.

① A
② B
③ C
④ D
⑤ E

▶ 24061-0165

13 다음 자료의 (가)~(다)에 들어갈 농업 지표로 옳은 것은?

〈강원권의 (가) 〉　〈호남권의 (나) 〉　〈영남권의 (다) 〉

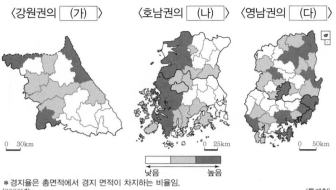

* 경지율은 총면적에서 경지 면적이 차지하는 비율임.
(2020년)　(통계청)

낮음 　 높음

	(가)	(나)	(다)
①	경지율	경지 중 논 면적 비율	농가 중 겸업농가 비율
②	경지율	농가 중 겸업농가 비율	경지 중 논 면적 비율
③	경지 중 논 면적 비율	경지율	농가 중 겸업농가 비율
④	경지 중 논 면적 비율	농가 중 겸업농가 비율	경지율
⑤	농가 중 겸업농가 비율	경지율	경지 중 논 면적 비율

▶ 24061-0166

14 지도는 네 제조업의 종사자 특화 계수 1.5 이상인 시·도를 나타낸 것이다. (가)~(라)에 대한 설명으로 옳은 것은? (단, (가)~(라)는 각각 1차 금속, 섬유 제품(의복 제외), 자동차 및 트레일러, 전자 부품·컴퓨터·영상·음향 및 통신 장비 제조업 중 하나임.) [3점]

(가)　(나)　(다)　(라)

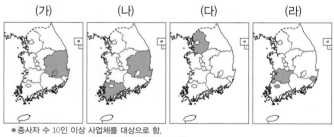

* 종사자 수 10인 이상 사업체를 대상으로 함.

** 종사자 특화 계수 = $\dfrac{\text{지역의 해당 산업 종사자 비율}}{\text{전국의 해당 산업 종사자 비율}}$

(2020년)　(통계청)

① (가)는 (라)보다 제품의 평균 중량이 무겁다.
② (나)는 (가)보다 총생산비 중 노동비가 차지하는 비율이 높다.
③ (다)는 (나)보다 적환지에 입지하려는 경향이 크다.
④ (다)에서 생산된 제품은 (라)의 주요 원재료로 이용된다.
⑤ 경북은 (가) 출하액이 (나) 출하액보다 많다.

▶ 24061-0167

15 다음은 한국지리 발표 수업 장면이다. 이에 대한 설명으로 옳은 것은? (단, A~C는 각각 수력, 태양광, 풍력 중 하나임.)

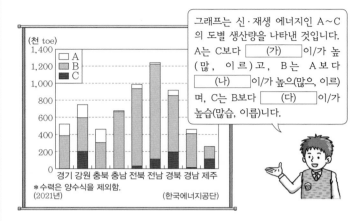

그래프는 신·재생 에너지인 A~C의 도별 생산량을 나타낸 것입니다. A는 C보다 (가) 이/가 높(많, 이르)고, B는 A보다 (나) 이/가 높으(많으, 이르)며, C는 B보다 (다) 이/가 높습(많습, 이릅)니다.

* 수력은 양수식을 제외함.
(2021년)　(한국에너지공단)

① (가)에는 '겨울철 발전량 비율'이 들어갈 수 있다.
② (나)에는 '상업적 발전 시기'가 들어갈 수 있다.
③ (다)에는 '발전 설비 용량'이 들어갈 수 있다.
④ A는 B보다 하루 중 발전 가능 시간이 길다.
⑤ B는 풍속, C는 일사량이 발전량에 큰 영향을 미친다.

▶ 24061-0168

16 그래프는 지도에 표시된 세 지역의 체류 자격별 등록 외국인 비율을 나타낸 것이다. 이에 대한 설명으로 옳은 것은? (단, A~C는 각각 결혼 이민, 선원 취업, 연구 자격 등록 외국인 중 하나임.) [3점]

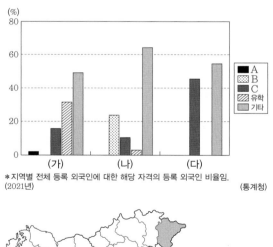

* 지역별 전체 등록 외국인에 대한 해당 자격의 등록 외국인 비율임.
(2021년)　(통계청)

① A는 B보다 평균 학력 수준이 높다.
② A는 C보다 촌락에 거주하는 비율이 높다.
③ B는 C보다 성비가 낮다.
④ (가)는 (나)보다 대학교 수가 적다.
⑤ (나)는 충북, (다)는 충남에 위치한다.

17 다음은 한국지리 온라인 학습 화면이다. (가)에 들어갈 지표로 가장 적절한 것은?

▶ 24061-0169

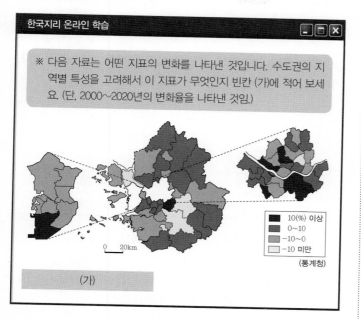

한국지리 온라인 학습

※ 다음 자료는 어떤 지표의 변화를 나타낸 것입니다. 수도권의 지역별 특성을 고려해서 이 지표가 무엇인지 빈칸 (가)에 적어 보세요. (단, 2000~2020년의 변화율을 나타낸 것임.)

10(%) 이상
0~10
-10~0
-10 미만

(통계청)

(가)

① 농가 수　　② 상주인구　　③ 제조업체 수
④ 유소년 부양비　　⑤ 주간 인구 지수

18 그래프는 강원 지방의 지목별 면적 상위 5개 시·군을 나타낸 것이다. A~C 지역에 대한 설명으로 옳은 것은? (단, A~C는 각각 지도에 표시된 세 지역 중 하나임.)

▶ 24061-0170

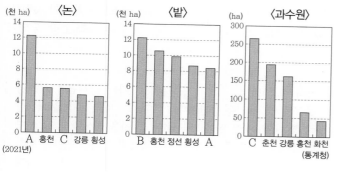

① A는 강원 지방에서 인구가 가장 많다.
② C는 고속 철도로 수도권과 연결되어 있다.
③ B는 A보다 청장년층 인구의 성비가 높다.
④ C는 A보다 노령화 지수가 높다.
⑤ C는 B보다 평균 해발 고도가 높다.

19 그래프는 세 도(道)의 인구 규모에 따른 도시 순위를 나타낸 것이다. 이에 대한 설명으로 옳은 것은? (단, (가)~(다)는 각각 강원, 경기, 경남 중 하나임.) [3점]

▶ 24061-0171

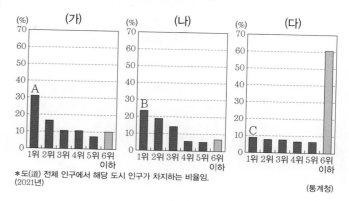

*도(道) 전체 인구에서 해당 도시 인구가 차지하는 비율임.
(2021년)　　(통계청)

① A와 C는 도청 소재지이다.
② B는 A보다 인구가 많다.
③ B와 C에는 모두 혁신 도시가 조성되어 있다.
④ (가)는 (다)보다 도시 수가 많다.
⑤ (나)는 (다)보다 도시 인구가 많다.

20 다음은 한국지리 수업 장면이다. 교사의 질문에 옳게 답한 학생을 고른 것은? [3점]

▶ 24061-0172

교사: 지도에 표시한 지역 중 두 지역을 골라 공통점을 말해 보세요.

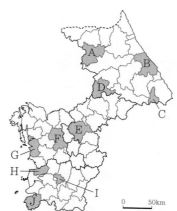

갑: A와 E의 지역명 중 한 글자는 소속된 도(道)의 지명에 활용되었습니다.
을: B와 J의 연안에는 람사르 습지로 등록되어 보호받는 습지가 있습니다.
병: C와 G에는 과거 호황을 누렸던 석탄 산업을 기념하기 위해 조성한 석탄 박물관이 있습니다.
정: D와 H에는 수도권에서 이전해 온 공공 기관을 중심으로 신도시가 조성되어 있습니다.
무: F와 I에는 세계 문화유산으로 등재된 백제 역사 유적이 있습니다.

① 갑　② 을　③ 병　④ 정　⑤ 무

문항에 따라 배점이 다르니, 각 물음의 끝에 표시된 배점을 참고하시오. 3점 문항에만 점수가 표시되어 있습니다. 점수 표시가 없는 문항은 모두 2점입니다.

▶ 24061-0173

1 (가), (나) 지도에 대한 설명으로 옳지 <u>않은</u> 것은?

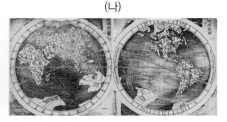

(가)   (나)

① (가)는 국가 주도로 제작되었다.
② (나)에는 경·위선이 표현되어 있다.
③ (가)는 (나)보다 제작된 시기가 이르다.
④ (나)는 (가)보다 표현된 지역의 범위가 넓다.
⑤ (가)와 (나)에는 모두 중국 중심의 세계관이 반영되어 있다.

▶ 24061-0174

2 다음 〈조건〉만을 고려하여 충북에 외국인 문화 센터를 설립하고자 한다. 선정된 후보지에 대한 설명으로 옳은 것은? [3점]

〈조건〉
1. 외국인 문화 센터는 시(市)에 설립함.
2. 평가 항목별 배점 기준은 다음과 같으며, 점수의 합이 가장 큰 지역을 선정함.

다문화 혼인 비율	점수	인구 천 명당 외국인 수	점수
10% 이상	3점	20명 이상	3점
5~10% 미만	2점	10~20명 미만	2점
5% 미만	1점	10명 미만	1점

〈다문화 혼인 비율〉   〈인구 천 명당 외국인 수〉

10% 이상
5~10% 미만
5% 미만

20명 이상
10~20명 미만
10명 미만

0 25km   0 25km

*다문화 혼인 비율은 2014~2020년 누적값이고, 인구 천 명당 외국인 수는 2020년 값임.
(통계청)

① 충청북도청 소재지이다.
② 혁신 도시가 조성되어 있다.
③ 충남과 행정 구역 경계가 맞닿아 있다.
④ 지식 기반형 기업 도시가 조성되어 있다.
⑤ 경부 고속 철도와 호남 고속 철도의 분기점이 있다.

▶ 24061-0175

3 표는 우리나라 직선 기선 기점의 일부를 나타낸 것이다. (가)~(라)에 대한 설명으로 옳은 것은? [3점]

직선 기선 기점	수리적 위치
(가)	36° 05′ 29″ N, 129° 33′ 28″ E
(나)	35° 02′ 13″ N, 129° 05′ 35″ E
(다)	34° 00′ 17″ N, 127° 19′ 28″ E
(라)	36° 07′ 16″ N, 125° 58′ 03″ E

① (가)의 해안에는 대규모 염전이 운영되고 있다.
② (나)의 서쪽 10해리 지점의 상공은 우리나라의 영공이다.
③ (다)의 동쪽 10해리 해역은 한·일 중간 수역이다.
④ (나)는 (다)보다 태양의 남중 시각이 늦다.
⑤ (라)는 (가)보다 최한월 평균 기온이 높다.

▶ 24061-0176

4 다음은 (가), (나) 지역의 전통 가옥 구조물을 서술한 것이다. 이에 대한 설명으로 옳은 것은? (단, ㉠, ㉡은 각각 고팡, 우데기 중 하나임.)

- 곡식 저장고인 ┌─㉠─┐ 은/는 ┌─(가)─┐ 사람들의 '조냥 정신'을 알 수 있는 공간이다. ┌─㉠─┐ 에는 곡식을 저장한 큰 항아리와 작은 항아리가 있다. 밥 지을 곡식을 퍼 갈 때마다 정량에서 한 줌씩 덜어 작은 항아리에 비축하는데, 이를 '조냥한다'라고 한다. ┌─㉠─┐ 이/가 별채가 아닌 구들방 옆에 있는 것은 식량을 그만큼 중하게 여겼기 때문이다.
- 식물 줄기를 엮어 만든 ┌─㉡─┐ 을/를 보면 ┌─(나)─┐ 의 겨울철 폭설을 짐작할 수 있다. ┌─㉡─┐ 은/는 지붕 안쪽에 여러 개의 기둥을 둘러 세운 뒤, 출입구만 남겨 둔 채 집 주위로 둘러친 외벽을 말한다. ┌─㉡─┐ 은/는 겨울철 방설벽 역할을 하고, 벽체와 ┌─㉡─┐ 사이의 공간은 눈이 쌓였을 때 옥내 활동 공간으로 이용할 수 있다.

① ㉠에 보관된 곡식은 대부분 논에서 수확한다.
② ㉡은 주로 볏짚을 엮어 만들었다.
③ (가)는 (나)보다 고위도에 위치한다.
④ (나)는 (가)보다 여름 강수 집중률이 높다.
⑤ (가)와 (나)는 모두 저지대에 상록 활엽수림이 분포한다.

▶ 24061-0177

5 지도의 A~E에 대한 설명으로 옳은 것은?

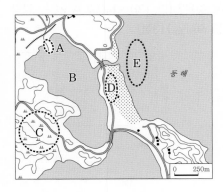

① A는 하천의 퇴적 작용으로 형성된 선상지이다.
② B 호수는 후빙기 해수면 상승 이후에 형성되었다.
③ D의 모래 언덕은 주로 북서 계절풍의 영향으로 형성되었다.
④ E는 밀물 시 바다, 썰물 시 육지가 된다.
⑤ C 농경지는 B 호수의 물을 농업용수로 활용한다.

▶ 24061-0178

6 그래프는 특별·광역시의 제조업 업종별 출하액을 나타낸 것이다. (가)~(다)에 대한 설명으로 옳은 것만을 〈보기〉에서 고른 것은? (단, (가)~(다)는 각각 기타 운송 장비, 섬유 제품(의복 제외), 자동차 및 트레일러 제조업 중 하나임.)

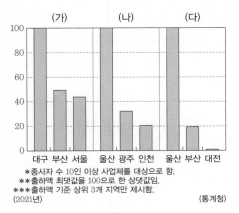

*종사자 수 10인 이상 사업체를 대상으로 함.
**출하액 최댓값을 100으로 한 상댓값임.
***출하액 기준 상위 3개 지역만 제시함.
(2021년)   (통계청)

┃ 보기 ┃
ㄱ. (가)는 (나)보다 시설 설비에 투입되는 사업체당 자본 규모가 작다.
ㄴ. (나)는 (다)보다 총 제품 매출액 중 기업체를 대상으로 판매한 제품 매출액이 차지하는 비율이 높다.
ㄷ. (다)는 (가)보다 전국에서 영남권이 차지하는 출하액 비율이 높다.
ㄹ. (가)는 소비자와 잦은 접촉이 필요한 시장 지향형 공업, (다)는 원료의 해외 의존도가 높은 적환지 지향형 공업이다.

① ㄱ, ㄴ   ② ㄱ, ㄷ   ③ ㄴ, ㄷ
④ ㄴ, ㄹ   ⑤ ㄷ, ㄹ

▶ 24061-0179

7 지도의 A~F에 대한 설명으로 옳은 것은?

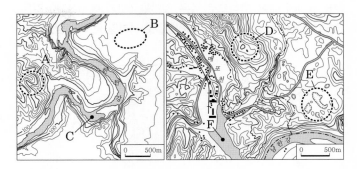

① A의 지하에는 용식 작용으로 형성된 동굴이 발달해 있다.
② D는 소규모 용암 분출로 형성된 작은 화산체이다.
③ E에는 흑갈색의 간대 토양이 분포한다.
④ B는 E보다 주된 기반암의 형성 시기가 늦다.
⑤ 하천의 C 지점과 F 지점은 모두 하루에 두 번씩 수위가 주기적으로 오르내린다.

▶ 24061-0180

8 그래프는 지도에 표시된 네 구(區)의 인구 특성을 나타낸 것이다. A~D에 대한 설명으로 옳은 것만을 〈보기〉에서 고른 것은? [3점]

〈상주인구와 주간 인구〉

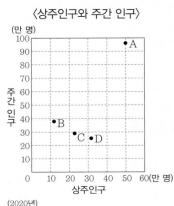

〈유소년층과 노년층 인구 비율〉

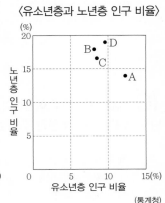

(2020년)   (통계청)

┃ 보기 ┃
ㄱ. B는 A보다 주간 순 유입 인구가 많다.
ㄴ. C는 D보다 지역 내 제조업체 취업자 수 비율이 높다.
ㄷ. A~D 중 총부양비가 가장 높은 구(區)는 주간 인구 지수가 가장 낮다.
ㄹ. A~D 중 주간 인구 지수가 가장 높은 구(區)는 유소년 부양비가 가장 높다.

① ㄱ, ㄴ ② ㄱ, ㄷ ③ ㄴ, ㄷ ④ ㄴ, ㄹ ⑤ ㄷ, ㄹ

▶ 24061-0181

9 지도는 서리와 관련된 일자를 상대적으로 표현한 것이다. (가), (나)에 대한 분석으로 옳은 것만을 〈보기〉에서 고른 것은? (단, (가), (나)는 각각 마지막 서리일, 첫 서리일 중 하나임.) [3점]

(가)   (나)

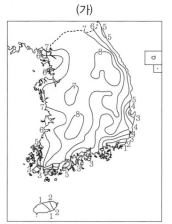 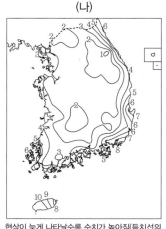

*등치선의 수치는 가장 이른 일자를 1로 표현하고, 현상이 늦게 나타날수록 수치가 높아짐(등치선의 수치는 10일 단위로 1을 가감함.).
**1991~2020년의 평년값임.

(기상청)

┌─ 보기 ┐
ㄱ. (가)는 지구 온난화 현상의 진행으로 늦어지는 추세이다.
ㄴ. (나)는 같은 위도에서 해발 고도가 높을수록 대체로 이르다.
ㄷ. (가)에서 (나) 사이의 기간은 서귀포가 서울보다 길다.
ㄹ. (나)에서 (가) 사이의 기간을 무상 기간이라고 한다.
└─────────┘

① ㄱ, ㄴ   ② ㄱ, ㄷ   ③ ㄴ, ㄷ
④ ㄴ, ㄹ   ⑤ ㄷ, ㄹ

▶ 24061-0182

10 다음 글은 제주 여행기의 일부이다. ㉠을 방문한 시각에 해당 지역의 날씨를 추론한 것으로 가장 적절한 것은?

┌─────────────────────────────┐
㉠제주의 녹차밭을 보기 위해 숙소를 나섰다. 이른 아침에 도착하니 여행객은 드물었다. 한라산 서부 능선 끝자락에 자리 잡은 녹차밭에는 수많은 바람개비가 돌아간다. 일반 여행객들은 바람을 이용하여 전기를 생산하는 풍력 발전기로 알고 있지만, 실제는 녹차 재배에 적합한 환경을 조성해 주기 위해 선풍기처럼 전기를 소모하면서 바람을 일으키는 장치이다. 바람개비는 날씨에 따라 멈추어 있기도 하고 돌아가기도 한다. 새벽잠을 설치며 방문한 덕분에 바람개비가 쉬지 않고 돌아가는 이국적인 풍광을 감상할 수 있었다.
└─────────────────────────────┘

① 북태평양 기단의 영향으로 폭염 경보가 내렸을 것이다.
② 장기간 머문 정체 전선의 영향으로 많은 비가 내렸을 것이다.
③ 야간에 냉각된 차가운 공기가 지표면에 정체되어 있었을 것이다.
④ 열대 저기압이 접근하면서 집중 호우를 동반한 강풍이 불었을 것이다.
⑤ 한라산 동사면에 지형성 강수를 내린 동풍에 의해 푄 현상이 나타났을 것이다.

▶ 24061-0183

11 다음 자료는 세 지역의 상대적 기후 특성을 나타낸 것이다. 이에 대한 설명으로 옳은 것은? (단, (가)~(다)와 A~C는 각각 지도에 표시된 세 지역 중 하나임.) [3점]

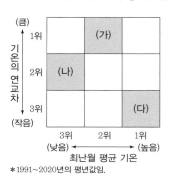 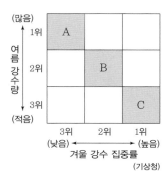

최난월 평균 기온   겨울 강수 집중률
*1991~2020년의 평년값임.

(기상청)

① (가)는 (나)보다 여름 강수량이 많다.
② (다)는 (가)보다 겨울 강수 집중률이 낮다.
③ A는 B보다 최난월 평균 기온이 높다.
④ C는 B보다 기온의 연교차가 작다.
⑤ 최한월 평균 기온은 C>B>A 순으로 높다.

▶ 24061-0184

12 다음 글의 ㉠~㉅에 대한 설명으로 옳은 것은?

┌─────────────────────────────┐
㉠북위 41° 59′, 동경 128° 05′에 위치한 ┌㉡┐의 해발 고도는 국가별 수준원점에 따라 달리 표기된다. 남한에서는 2,744m로, 북한에서는 2,750m로, 중국에서는 장백산이라고 부르며 2,749m로 표기한다. ㉢압록강, ㉣두만강, 쑹화강의 발원지인 ┌㉡┐ 일대에는 ㉤고생대부터 신생대까지 여러 시대의 지층들이 분포하고, ㉥중생대 쥐라기에서 신생대 제4기까지 화산 분출이 지속되었다. 일부 지역이 신생대 제4기에 열하 분출한 현무암질 용암으로 덮여 있는 ┌㉅┐은/는 한반도의 지붕이라고 불린다.
└─────────────────────────────┘

① ㉡은 우리나라의 극북에 해당한다.
② ㉥에 형성된 지체 구조에는 해성층이 널리 분포한다.
③ ㉅에서는 논농사가 활발하게 이루어진다.
④ ㉢은 ㉣보다 하구에서의 조차가 크다.
⑤ ㉠은 속성 정보, ㉤은 공간 정보이다.

13 다음 글의 (가)~(다) 지역을 지도의 A~D에서 고른 것은?

▶ 24061-0185

(가) 조정래 대하소설 '아리랑'의 무대로 우리나라 최대의 곡창 지대이다. 고대 유물인 벽골제를 통해 예로부터 벼농사가 발달한 지역임을 알 수 있고, 매해 10월에는 메뚜기 잡기, 벼 베기 등 농경 문화와 관련된 다양한 체험을 할 수 있는 지평선 축제를 개최한다.

(나) 동국여지승람과 세종실록지리지 등에는 예로부터 차나무 가 자생하고 있어 녹차를 만들어 왔다고 기록되어 있다. 녹 차밭을 관광 자원화하고 녹차를 주제로 한 다향 대축제가 매년 개최되고 있으며, 이곳의 녹차는 지리적 표시제 제1호 로 등록되어 있다.

(다) 대한민국 국가 대표 브랜드 대상을 보유하고 있는 굴비를 주제로 한 지역 축제가 개최되고, 지역 상권 회복을 위해 4월 20일을 굴비 먹는 날로 지정하여 홍보하고 있다. 또한 2020년 기준 국내 총 전력 생산량의 약 5%를 담당하는 한 빛 원자력 발전소가 운영되고 있다.

	(가)	(나)	(다)
①	A	C	B
②	A	D	B
③	B	C	A
④	B	C	D
⑤	B	D	C

14 표는 지도에 표시된 세 도(道)의 작물별 노지 재배 면적을 나타낸 것이다. 이에 대한 설명으로 옳은 것만을 <보기>에서 고른 것은? (단, A~D는 각각 과수, 맥류, 벼, 채소 중 하나임.) [3점]

▶ 24061-0186

(단위: ha)

구분	A	B	C	D
(가)	94,757	53,992	28,578	609
(나)	28,708	4,241	24,574	98
(다)	70	16,422	17,152	1,967

(2022년)   (통계청)

┌─ 보기 ─────────────────────────────
ㄱ. A는 B보다 국내 자급률이 높다.
ㄴ. C는 D보다 시설 재배로 생산되는 비율이 높다.
ㄷ. (가)는 (나)보다 지역 내 겸업농가 비율이 높다.
ㄹ. 지리적 표시제에 등록된 한라봉은 (나), 지리적 표시제에 등록된 쌀은 (다)에서 생산된다.
└──────────────────────────────────

① ㄱ, ㄴ   ② ㄱ, ㄷ   ③ ㄴ, ㄷ   ④ ㄴ, ㄹ   ⑤ ㄷ, ㄹ

15 그래프는 지도에 표시된 네 지역의 신·재생 에너지원별 생산량 비율을 나타낸 것이다. 이에 대한 설명으로 옳지 않은 것은? (단, A~C는 각각 수력, 풍력, 태양광 중 하나임.) [3점]

▶ 24061-0187

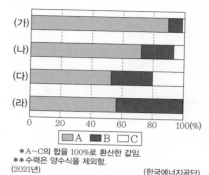

*A~C의 합을 100%로 환산한 값임.
**수력은 양수식을 제외함.
(2021년)   (한국에너지공단)

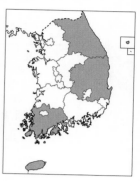

① A는 B보다 생산 시설이 가정에 설치된 비율이 높다.
② B는 C보다 전력 생산에 이용된 시기가 이르다.
③ C는 A보다 발전소 건설로 인한 홍수 예방 효과가 크다.
④ (가)는 (나)보다 조류를 활용한 전력 생산의 잠재력이 크다.
⑤ (다)는 (라)보다 B 발전소가 운영되는 지점의 평균 해발 고도가 높다.

16 그래프는 네 지역의 산업별 취업자 수 비율을 나타낸 것이다. (가)~(라) 지역에 대한 설명으로 옳지 않은 것은? (단, (가)~(라)는 각각 거제, 부여, 서귀포, 태백 중 하나임.) [3점]

▶ 24061-0188

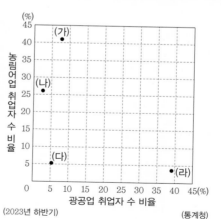

(2023년 하반기)   (통계청)

① (가)는 (나)보다 농가당 농업용수 사용량이 많다.
② (나)는 (다)보다 1990년 이후 인구 증가율이 높다.
③ (다)는 (라)보다 지역 내 총생산이 많다.
④ (라)는 (가)보다 여성 100명당 남성 인구가 많다.
⑤ (나)와 (라)는 모두 해안에 접해 있다.

▶ 24061-0189

17 표는 남·북한의 전력 생산 현황을 나타낸 것이다. 이에 대한 설명으로 옳은 것만을 〈보기〉에서 고른 것은? (단, (가), (나)는 각각 남한, 북한 중 하나이며, A, B는 각각 수력, 화력 중 하나임.) [3점]

(단위: %)

구분	(가)		(나)			
	A	B	A	B	원자력	대체 에너지 및 기타
발전량	46.2	53.8	㉠	67.0	㉡	6.0
설비 용량	58.8	41.2	5.2	64.2	18.5	12.1

(2019년) (통계청)

┌ 보기 ┐
ㄱ. (가)는 (나)보다 총발전량이 많다.
ㄴ. A는 B보다 발전량 대비 온실가스 배출량이 많다.
ㄷ. B는 A보다 연간 전력 생산량 중 겨울철 전력 생산량이 차지하는 비율이 높다.
ㄹ. ㉠에는 5.2보다 낮은 수치가, ㉡에는 18.5보다 높은 수치가 들어간다.

① ㄱ, ㄴ   ② ㄱ, ㄷ   ③ ㄴ, ㄷ
④ ㄴ, ㄹ   ⑤ ㄷ, ㄹ

▶ 24061-0190

18 그래프는 수도권의 시·도별 통근·통학 인구 이동을 나타낸 것이다. (가)~(다) 지역에 대한 설명으로 옳은 것만을 〈보기〉에서 있는 대로 고른 것은?

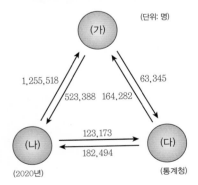

(단위: 명)

(2020년) (통계청)

┌ 보기 ┐
ㄱ. (가)는 (나)보다 주간 인구 지수가 높다.
ㄴ. (나)는 (다)보다 지역 내 총생산이 많다.
ㄷ. (다)는 (가)보다 지역 내 제조업 종사자 수 비율이 높다.
ㄹ. 인구 밀도는 (나)>(가)>(다) 순으로 높다.

① ㄱ, ㄴ   ② ㄱ, ㄹ   ③ ㄷ, ㄹ
④ ㄱ, ㄴ, ㄷ   ⑤ ㄴ, ㄷ, ㄹ

▶ 24061-0191

19 지도의 (가), (나) 지형의 공통점으로 옳은 것만을 〈보기〉에서 있는 대로 고른 것은?

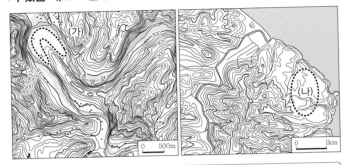

┌ 보기 ┐
ㄱ. 기반암은 화산암으로 이루어져 있다.
ㄴ. 토양층에서는 둥근 자갈을 발견할 수 있다.
ㄷ. 경사가 완만하여 농경지로 이용하기에 유리하다.

① ㄱ   ② ㄴ   ③ ㄷ   ④ ㄱ, ㄴ   ⑤ ㄴ, ㄷ

▶ 24061-0192

20 다음은 인터넷에서 키워드를 통해 찾은 지역의 지리 정보이다. (가)~(라) 지역을 지도의 A~F에서 고른 것은? [3점]

키워드	지역	먹거리/볼거리	지역을 대표하는 대중가요
도청 소재지	(가)	막국수	〈소양강 처녀〉 해 저문 소양강에 황혼이 지면 외로운 갈대밭에 슬피 우는 두견새야 열여덟 딸기 같은 어린 내 순정 너마저 몰라 주면 나는 나는 어쩌나 아 그리워서 애만 태우는 소양강 처녀
석호	(나)	정동진	〈경포대의 밤〉 경포대 솔밭길 따라 너와 함께 걷던 날엔 하늘에도 호수에도 너의 눈동자에도 보석같이 푸른 달빛 한 모금 커피 향에 취해 발자국을 찍던 바닷길 저 멀리 고기잡이배들 불빛도 찬란하더라 영화 속의 주인공처럼 사랑을 속삭이던 잊을 수 없는 잊을 수 없는 경포대의 밤
적환지 지향형 공업	(다)	과메기	〈영일만 친구〉 바닷가에서 오두막집을 짓고 사는 어릴 적 내 친구 푸른 파도 마시라 넓은 바다의 아침을 맞는다 누가 뭐래도 나의 친구는 바다가 고향이란다 갈매기 나래 위에 시를 적어 띄우는 젊은 날 뛰는 가슴 안고 수평선까지 달려 나가는 돛을 높이 올리자 거친 바다를 달려라 영일만 친구야
원자력 발전소	(라)	석굴암	〈신라의 달밤〉 아 신라의 밤이여 불국사의 종소리 들리어 온다 지나가는 나그네야 걸음을 멈추어라 고요한 달빛 아래 금옥산 기슭에서 노래를 불러 보자 신라의 밤 노래를

	(가)	(나)	(다)	(라)
①	A	B	C	E
②	A	B	E	F
③	A	C	F	E
④	D	C	.	F
⑤	D	C	F	E

문항에 따라 배점이 다르니, 각 물음의 끝에 표시된 배점을 참고하시오. 3점 문항에만 점수가 표시되어 있습니다. 점수 표시가 없는 문항은 모두 2점입니다.

▶ 24061-0193

1 지도의 (가)~(바)에 대한 설명으로 옳은 것은?

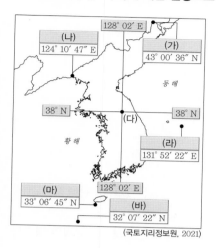

(국토지리정보원, 2021)

① (가)는 러시아와 국경을 접한다.
② (다)가 속한 군(郡)에서는 배꼽 축제가 개최된다.
③ (바)의 수직 상공은 우리나라의 영공에 해당한다.
④ (가)는 (나)보다 일출 시각이 늦다.
⑤ (라)와 (마)는 모두 직선 기선의 기점에 해당한다.

▶ 24061-0194

2 다음 자료에 대한 설명으로 옳은 것은? (단, A, B는 각각 신생대, 중생대 중 하나이며, ㉠, ㉡은 각각 경동성 요곡 운동, 대보 조산 운동 중 하나임.) [3점]

〈지질 시대별 암석 구성〉

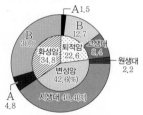

(한국지질자원연구원, 2007)

〈지질 시대별 주요 지각 변동〉

	A	
지질 시대	제3기	제4기
지질 계통	제3계	제4계
주요 지각 변동	㉠	화산 활동

	B		
지질 시대	트라이 아스기	쥐라기	백악기
지질 계통	평안 누층군	대동 누층군	경상 누층군
주요 지각 변동	송림 변동	㉡	불국사 변동

① A의 화성암은 대부분 관입에 의해 형성된 화강암이다.
② B의 퇴적암에서는 공룡 발자국 화석이 발견된다.
③ ㉠은 랴오둥 방향의 지질 구조선 형성에 영향을 미쳤다.
④ ㉡으로 태백산맥과 함경산맥이 형성되었다.
⑤ A는 중생대, B는 신생대이다.

▶ 24061-0195

3 다음은 한국지리 수업 장면이다. 발표 내용이 옳은 학생만을 고른 것은? [3점]

*괄호 안의 숫자는 최고 지점의 해발 고도임.

갑	을	병	정
A의 정상부에는 화산 활동 과정에서 화구의 함몰로 형성된 칼데라가 있어요.	A는 E보다 냉대림 분포의 하한 해발 고도가 낮아요.	D는 B보다 산 정부에 노출된 암석의 비율이 높아요.	B와 C는 주된 기반암이 시·원생대에 형성되었어요.

① 갑, 을 ② 갑, 병 ③ 을, 병 ④ 을, 정 ⑤ 병, 정

▶ 24061-0196

4 다음 글의 ㉠~㉤에 대한 설명으로 옳지 않은 것은?

우리나라의 전통적 지역 구분은 산줄기, 고개, 하천 등의 지형지물이나 시설물을 기준으로 이루어졌다. 특히 고개를 의미하는 '령(嶺)'은 지역의 전통 명칭을 정하는 데 큰 역할을 한다. 예를 들면, 관동 지방은 ㉠대관령을 기준으로 ㉡영동 지방과 ㉢영서 지방으로 나뉘고, 영남 지방은 ㉣조령의 남쪽이라는 의미이다. 한편, 영남 지방과 호남 지방은 산줄기와 두 지역의 사이를 가로지르는 ㉤섬진강의 일부가 지역 구분의 기준이 된다.

① ㉠과 ㉣은 모두 백두대간에 위치한다.
② ㉡에서 인구가 가장 많은 도시는 강원도 명칭의 유래가 된 지역이다.
③ ㉢에서 인구가 가장 많은 도시에는 혁신 도시가 조성되어 있다.
④ ㉣은 영남 지방과 충청 지방을 연결한다.
⑤ ㉤의 하구에는 하굿둑이 건설되어 있다.

▶ 24061-0197

5 다음은 두 지리지와 대동여지도의 일부이다. 이에 대한 설명으로 옳은 것은? (단, (가), (나)는 각각 『신증동국여지승람』, 『택리지』 중 하나이며, A, B는 각각 원주, 충주 중 하나임.) [3점]

(가)	[A]은/는 청주 동북쪽 백여 리 되는 곳에 있다. …(중략)… 이 곳은 한양에서 동남쪽으로 삼백 리가 된다. …(중략)… 읍에서 서북 쪽으로 칠 리쯤 가면, 두 강이 합류하는 곳 안쪽에 작은 산 하나가 솟아 있다. 이것은 신라 때 우륵선인이 가야금을 타던 곳으로, 탄금 대라 한다.
(나)	[B] 목 【건치 연혁】 본래 고구려의 평원군이다. …(후략)… 【형승】 동쪽에는 치악이 서리고, 서쪽에는 섬강이 달린다. …(후략)… 【산천】 치악산 주의 동쪽 25리에 있는 진산이다. …(후략)… 【토산】 옥석·영양·잣·오미자·쏘가리 …(후략)… 【역원】 단구역, 신림역, 안창역, 신흥역 …(후략)…

(다)

① (가)는 (나)보다 통치를 위한 정보 수집에 유리하다.
② (나)는 (가)보다 편찬된 시기가 늦다.
③ (나)는 (다) 지도를 토대로 내용을 구성하였다.
④ A에서 B까지 수운만을 활용하여 이동할 수 있다.
⑤ (다) 지도에서 A는 B보다 불이나 연기를 피워 연락을 취하는 통신 수단과의 최단 거리가 가깝다.

▶ 24061-0198

6 지도의 A~E에 대한 설명으로 옳은 것은?

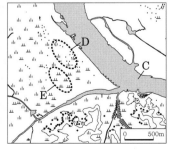

① A는 자유 곡류 하천, C는 감입 곡류 하천에 해당한다.
② B는 과거 A 하천 유로의 일부였다.
③ C 하천은 A 하천보다 하방 침식 작용이 활발하다.
④ D는 E보다 평균 해발 고도가 낮다.
⑤ E는 D보다 퇴적물의 평균 입자 크기가 크다.

▶ 24061-0199

7 그래프는 지도에 표시된 네 지역의 기후 값 차이를 나타낸 것이다. A~D 지역에 대한 설명으로 옳은 것은? (단, (가), (나)는 각각 1월, 8월 중 하나임.) [3점]

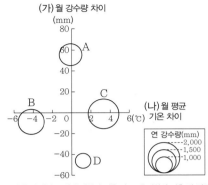

* 기후 값 차이 = 해당 지역의 기후 값 - 네 지역의 기후 값 평균
** 1991~2020년의 평년값임.
(기상청)

① A는 B보다 관측지의 해발 고도가 높다.
② A는 C보다 (나)월의 강수량이 많다.
③ C는 B보다 기온의 연교차가 크다.
④ D는 B보다 (가)월에 평균 풍속이 약하다.
⑤ A~D 중 일출 시각은 B가 가장 이르다.

▶ 24061-0200

8 그래프는 (가) 자연 현상에 관한 것이다. 이에 대한 설명으로 옳지 않은 것은? (단, ⓒ, ⓔ은 각각 중심 기압, 최대 풍속 중 하나임.)

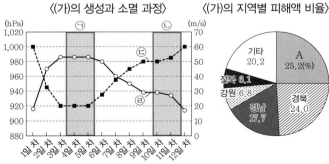

* 2021년에 발생한 (가) 자연 현상 사례이며, 매일 09시 관측 자료임.
* 2012~2021년의 누적 피해액임.
(행정안전부)

① (가)는 강풍과 폭우를 동반한다.
② (가)로 인해 남해안의 적조가 해소되기도 한다.
③ (가)는 대체로 진행 방향의 오른쪽이 왼쪽보다 피해 규모가 크다.
④ ⓒ 시기는 ⓛ 시기보다 최대 풍속이 약했다.
⑤ A는 남부 지방에 속한다.

▶ 24061-0201

9 그래프는 지도에 표시된 세 지역의 인구 변화를 나타낸 것이다. (가)~(다) 지역에 대한 설명으로 옳은 것은? [3점]

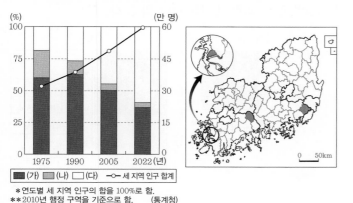

＊연도별 세 지역 인구의 합을 100%로 함.
＊＊2010년 행정 구역을 기준으로 함.　(통계청)

① (가)의 인구는 1975년이 2005년보다 많다.
② (가)는 (나)보다 노령화 지수가 높다.
③ (나)는 (다)보다 유소년 부양비가 높다.
④ (다)는 (가)보다 2022년에 통근·통학 인구가 많다.
⑤ (가)는 영남권, (나)와 (다)는 호남권에 위치한다.

▶ 24061-0202

10 그림은 지도에 표시된 세 구(區) 간 통근·통학 인구 이동과 주요 지목별 토지 이용 현황을 나타낸 것이다. (가)~(다)에 대한 설명으로 옳은 것은? [3점]

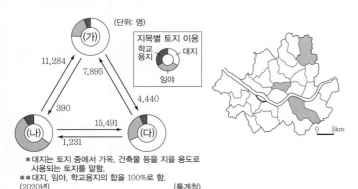

＊대지는 토지 중에서 가옥, 건축물 등을 지을 용도로 사용되는 토지를 말함.
＊＊대지, 임야, 학교용지의 합을 100%로 함.
(2020년)　(통계청)

① (가)는 (나)보다 상주인구가 많다.
② (나)는 (가)보다 상업지의 평균 지가가 비싸다.
③ (나)는 (다)보다 주간 인구 지수가 낮다.
④ (다)는 (가)보다 시가지의 형성 시기가 이르다.
⑤ (가)와 (다)는 한강의 북쪽, (나)는 한강의 남쪽에 위치한다.

▶ 24061-0203

11 그래프는 권역별 지역 내 총생산 및 전력 생산량·소비량을 나타낸 것이다. 이에 대한 설명으로 옳은 것은? (단, (가)~(라), A~D는 각각 수도권, 영남권, 충청권, 호남권 중 하나임.)

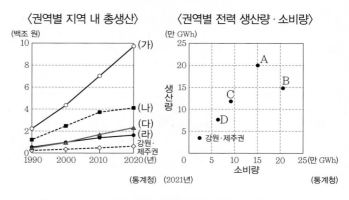

＜권역별 지역 내 총생산＞　　＜권역별 전력 생산량·소비량＞

(통계청)　(2021년)　(통계청)

① (다)는 전력 생산량보다 전력 소비량이 많다.
② (다)는 (라)보다 (가)로부터의 유입 인구가 많다.
③ (가)는 (나)보다 전력 생산량이 많다.
④ A는 B보다 지역 내 총생산이 많다.
⑤ D는 A~C 모두와 행정 구역 경계가 맞닿아 있다.

▶ 24061-0204

12 그래프는 세 화석 에너지원의 시·도별 공급량 비율을 나타낸 것이다. 이에 대한 설명으로 옳은 것은? (단, A~C는 각각 지도에 표시된 세 시·도 중 하나임.) [3점]

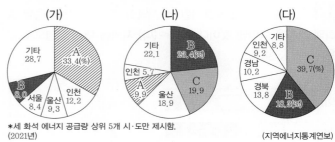

＊세 화석 에너지 공급량 상위 5개 시·도만 제시함.
(2021년)　(지역에너지통계연보)

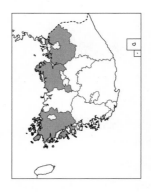

① (가)는 (나)보다 발전량 비율이 높다.
② (나)는 (다)보다 1차 에너지 소비 구조에서 차지하는 비율이 낮다.
③ (다)는 (가)보다 우리나라에서 상용화된 시기가 늦다.
④ A는 B보다 석탄 공급량이 많다.
⑤ B는 C보다 (다)를 이용한 화력 발전량이 많다.

▶ 24061-0205

13 지도는 세 작물의 재배 면적 상위 5개 시·도를 나타낸 것이다. (가)~(다) 작물에 대한 설명으로 옳은 것은? (단, (가)~(다)는 각각 과수(과실), 논벼(쌀), 맥류 중 하나임.) [3점]

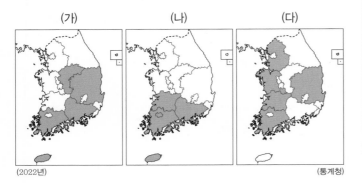

(2022년) (통계청)

① (가)는 (나)보다 전국 생산량이 적다.
② (나)는 (다)보다 총 재배 면적이 넓다.
③ (다)는 (가)보다 재배 경지의 평균 경사가 급하다.
④ (다)는 (나)보다 우리나라의 자급률이 높다.
⑤ (가)는 주로 (나)의 그루갈이 작물로 재배된다.

▶ 24061-0206

14 그래프는 지도에 표시된 세 지역의 주요 제조업 업종별 출하액 비율을 나타낸 것이다. (가)~(다) 지역에 대한 설명으로 옳은 것은? [3점]

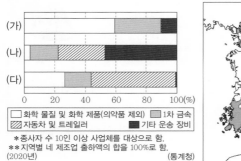

☐ 화학 물질 및 화학 제품(의약품 제외) ▨ 1차 금속
▧ 자동차 및 트레일러 ■ 기타 운송 장비
＊종사자 수 10인 이상 사업체를 대상으로 함.
＊＊지역별 네 제조업 출하액의 합을 100%로 함.
(2020년) (통계청)

① (다)의 일부는 남동 임해 공업 지역에 해당한다.
② (가)는 (나)보다 제조업 종사자 수가 많다.
③ (가)는 (다)보다 제조업 출하액이 많다.
④ (다)는 (나)보다 자동차 및 트레일러 제조업 출하액이 많다.
⑤ (나)와 (다)는 행정 구역 경계가 맞닿아 있다.

▶ 24061-0207

15 다음 자료는 두 서비스업의 종사자 수 비율을 나타낸 것이다. 이에 대한 설명으로 옳은 것은? (단, (가), (나)는 각각 숙박 및 음식점업, 전문·과학 및 기술 서비스업 중 하나임.)

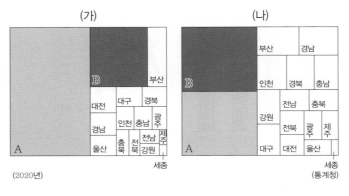

(2020년) (통계청)

① (가)는 (나)보다 기업과의 거래액이 많다.
② (나)는 (가)보다 사업체당 평균 종사자 수가 많다.
③ (가)는 소비자 서비스업, (나)는 생산자 서비스업에 해당한다.
④ A는 B보다 지역 내 총생산이 많다.
⑤ B는 A보다 지역 내 3차 산업 종사자 비율이 높다.

▶ 24061-0208

16 그래프는 지도에 표시된 세 지역의 (가)~(다) 지표별 상댓값을 나타낸 것이다. (가)~(다) 지표로 옳은 것은?

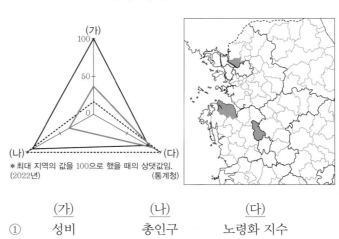

＊최대 지역의 값을 100으로 했을 때의 상댓값임.
(2022년) (통계청)

	(가)	(나)	(다)
①	성비	총인구	노령화 지수
②	성비	노령화 지수	총인구
③	총인구	성비	노령화 지수
④	총인구	노령화 지수	성비
⑤	노령화 지수	총인구	성비

17 ▶ 24061-0209

사진의 A~E에 대한 설명으로 옳지 <u>않은</u> 것은? (단, A~E 는 각각 갯벌, 사빈, 석호, 해식애, 해안 사구 중 하나임.)

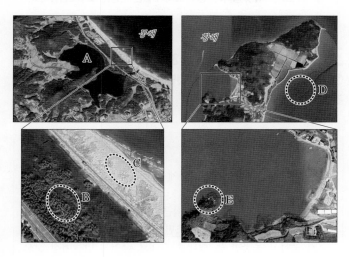

① A는 후빙기 이후에 형성되었다.
② B는 C보다 퇴적물의 평균 입자 크기가 크다.
③ C는 주로 파랑과 연안류에 의해 퇴적된 지형이다.
④ D는 육지에서 배출된 오염 물질을 정화하는 작용을 한다.
⑤ E는 파랑 에너지가 집중되는 곳에 잘 발달한다.

18 ▶ 24061-0210

다음은 지도에 표시된 네 지역에 관한 것이다. (가)~(라) 지역에 대한 설명으로 옳은 것은?

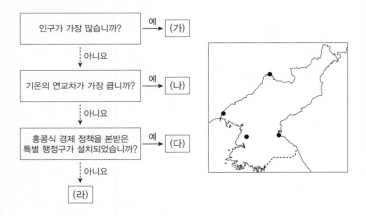

① (나)에는 경원선 철도의 종착역이 있다.
② (가)는 (라)보다 연 강수량이 많다.
③ (라)는 (다)보다 여름 강수 집중률이 높다.
④ (나)와 (다)는 모두 압록강 유역에 위치한다.
⑤ (가)는 관북 지방, (라)는 관서 지방에 속한다.

19 ▶ 24061-0211

다음 자료는 (가)~(다) 지역과 관련된 해시태그의 일부이 다. 이에 대한 설명으로 옳은 것은? (단, (가)~(다)는 각각 지도 에 표시된 세 지역 중 하나이며, A, B는 각각 낙동강, 북한강 중 하나임.)

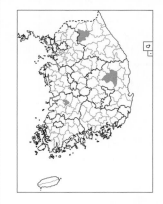

① (가)는 (나)보다 인구 밀도가 높다.
② (나)는 (다)보다 노년 부양비가 높다.
③ (다)는 (가)보다 기온의 연교차가 크다.
④ (가)~(다)에는 모두 도청이 위치한다.
⑤ A는 남해, B는 황해로 흘러든다.

20 ▶ 24061-0212

지도는 경기도의 세 지표별 상·하위 5개 지역을 나타낸 것이다. (가)~(다) 지표로 옳은 것은? [3점]

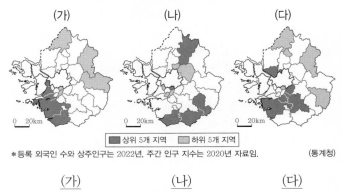

*등록 외국인 수와 상주인구는 2022년, 주간 인구 지수는 2020년 자료임. (통계청)

	(가)	(나)	(다)
①	상주인구	등록 외국인 수	주간 인구 지수
②	상주인구	주간 인구 지수	등록 외국인 수
③	등록 외국인 수	상주인구	주간 인구 지수
④	등록 외국인 수	주간 인구 지수	상주인구
⑤	주간 인구 지수	등록 외국인 수	상주인구

실전 모의고사 **4회** (제한시간 30분) (배점 50점) 정답과 해설 48쪽

문항에 따라 배점이 다르니, 각 물음의 끝에 표시된 배점을 참고하시오. 3점 문항에만 점수가 표시되어 있습니다. 점수 표시가 없는 문항은 모두 2점입니다.

▶ 24061-0213

1 지도의 A~F에 대한 설명으로 옳은 것은?

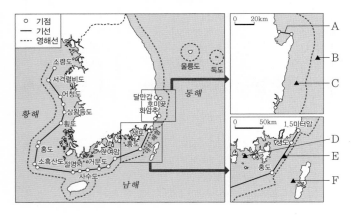

① A는 통상 기선이다.
② B는 우리나라의 영역에 해당하며 주권이 미치는 수역이다.
③ E에서 영해는 기선으로부터 3해리를 적용한다.
④ F는 한·일 중간 수역에 해당한다.
⑤ B~E의 수직 상공은 모두 영공에 해당한다.

▶ 24061-0214

2 (가), (나)는 조선 시대에 편찬된 지리지의 일부이다. 이에 대한 설명으로 옳은 것은? (단, (가), (나)는 각각 『신증동국여지승람』, 『택리지』 중 하나임.)

(가) ㉠춘천은 옛 예맥이 천 년 동안이나 도읍했던 터로 소양강을 임했고, 그 바깥에 우두라는 큰 마을이 있다. 한나라 무제가 팽오를 시켜 우수주와 통하였다는 곳이 바로 이 지역이다. 산속에는 평야가 널따랗게 펼쳐졌고 두 강이 한복판으로 흘러간다. 토질이 단단하고 기후가 고요하며 강과 산이 맑고 휜하며 ㉡땅이 기름져서 여러 대를 사는 사대부가 많다.

(나) 춘천 도호부(春川 都護府)
【건치 연혁】 본래 맥국인데, 신라의 선덕왕 6년에 우수주로 하여 군주를 두었다.
【속현】 기린현은 부의 동쪽 140리에 있다. 본래 고구려의 기지군이었다. …(후략)…
【산천】 봉산은 부의 북쪽 1리에 있는 진산(鎭山)이다.
【토산】 옻, 잣, 오미자, 영양, 꿀, 지치, …(후략)…

① ㉠은 현재 속해 있는 도(道) 지명의 유래가 된 지역이다.
② ㉡은 가거지(可居地)의 조건 중 생리(生利)에 해당한다.
③ (나)는 실학의 영향을 받아 제작되었다.
④ (가)는 (나)보다 국가 통치 자료로서 활용도가 높았다.
⑤ (나)는 (가)의 내용을 요약하여 제작된 지리지이다.

▶ 24061-0215

3 다음 자료는 국가 지질 공원 지형 명소를 설명한 것이다. ㉠~㉣에 대한 설명으로 옳은 것만을 〈보기〉에서 있는 대로 고른 것은? [3점]

○ 한탄강, 철원 일대의 ㉠_____은/는 신생대 제4기 ㉡현무암질 용암이 골짜기를 따라 흘러내리면서 형성된 평평한 지형으로 우리나라 내륙 지역에서 관찰할 수 있는 전형적인 _____㉠_____이다.
○ 알봉은 울릉도에서도 가장 최근의 화산 활동과 분화 흔적을 볼 수 있는 봉우리이다. ㉢조면·안산암질 용암이 멀리 흐르지 못하고 봉긋한 돔 형태로 그대로 굳어져 만들어진 것으로, 마치 새의 알처럼 생겼다 하여 붙여진 이름이다. 알봉 둘레길을 통해 갈 수 있는 깃대봉 전망대에 오르면 ㉣알봉 봉우리의 분화구를 볼 수 있다.

┌ 보기 ┐
ㄱ. ㉠에는 '용암 대지'가 들어갈 수 있다.
ㄴ. ㉣은 화구 주변이 함몰된 칼데라 분지이다.
ㄷ. ㉡은 ㉢보다 점성이 크다.

① ㄱ   ② ㄴ   ③ ㄱ, ㄷ
④ ㄴ, ㄷ   ⑤ ㄱ, ㄴ, ㄷ

▶ 24061-0216

4 지도의 A~E 해안 지형에 대한 설명으로 옳은 것은? (단, A~E는 각각 갯벌, 사빈, 해식애, 해안 단구, 해안 사구 중 하나임.)

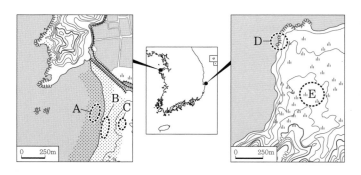

① C는 주로 조류의 퇴적 작용으로 형성된다.
② D는 파랑 에너지가 분산되는 해안에서 잘 발달한다.
③ E는 파랑의 침식으로 형성된 평탄면이 융기한 해안 단구이다.
④ A의 주된 구성 물질은 B에서 바람에 의해 이동해 온 것이 대부분이다.
⑤ B는 C보다 퇴적 물질의 평균 입자 크기가 작다.

▶ 24061-0217

5 다음은 한국지리 수업 장면이다. 발표 내용이 옳은 학생만을 있는 대로 고른 것은? [3점]

갑: 펀치볼 마을은 침식 분지에 입지해 있어요.

을: 높새바람이 불 때 설악산 동쪽 사면은 비 그늘에 해당해요.

병: C는 중생대에 관입한 마그마가 굳어서 형성된 거예요.

정: A는 B보다 형성 시기가 늦어요.

① 갑, 을   ② 갑, 정   ③ 을, 병
④ 갑, 병, 정   ⑤ 을, 병, 정

▶ 24061-0218

6 (가), (나)는 하천 유역에 발달하는 지형의 항공 사진과 지형도를 나타낸 것이다. 이에 대한 설명으로 옳은 것은?

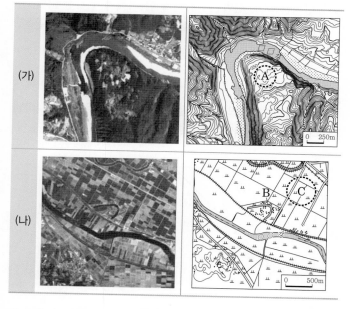

① (가)의 하천은 자유 곡류 하천, (나)의 하천은 감입 곡류 하천에 해당한다.
② A의 퇴적층에서는 둥근 자갈이 발견된다.
③ B 호수의 면적은 시간이 지날수록 넓어진다.
④ C는 A보다 퇴적물의 평균 입자 크기가 크다.
⑤ A~C는 모두 하천의 퇴적 작용으로 형성된 범람원이다.

▶ 24061-0219

7 다음은 신문 기사의 일부이다. ㉠, ㉡에 영향을 끼친 기후 요인으로 가장 적절한 것은?

◇◇ 신문   2023년 ○○월 □□일

정치 경제 사회 문화 연예 스포츠

육지는 폭설, 제주도는 봄

전국적으로 한파가 몰아친 오늘 남녘땅 ㉠제주와 서울의 기온 차이는 10℃ 가까이 나고 있습니다. 겨울 동백은 이미 제주뿐 아니라 부산 동백섬과 전남의 여수 오동도, 장흥 천관산 등 남도에서 흐드러지게 피었습니다. 제주 서귀포시 남원읍 ○○○ 농장에서는 겨울 추위에 아랑곳없이 노란 유채꽃이 활짝 피었습니다. ㉡유채꽃 밭은 저 멀리 눈 쌓인 한라산과 대비를 이루며 이색 정취를 자아내고 있습니다.

	㉠	㉡
①	위도	수륙 분포
②	위도	해발 고도
③	수륙 분포	위도
④	수륙 분포	해발 고도
⑤	해발 고도	위도

▶ 24061-0220

8 그래프는 지도에 표시된 네 지역의 기후 자료이다. (가)~(라) 지역에 대한 설명으로 옳은 것은? [3점]

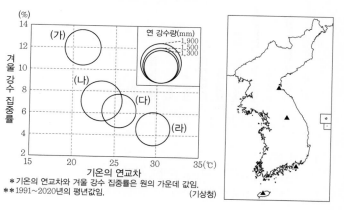

* 기온의 연교차와 겨울 강수 집중률은 원의 가운데 값임.
** 1991~2020년의 평년값임.
(기상청)

① (가)의 전통 가옥에는 대부분 정주간이 있다.
② (나)는 네 지역 중 가장 남쪽에 위치한다.
③ (다)는 (나)보다 겨울 강수량이 많다.
④ (라)는 (다)보다 최한월 평균 기온이 높다.
⑤ (가)~(라) 중 여름 강수 집중률이 가장 높은 곳은 (라)이다.

▶ 24061-0221

9 지도는 두 시기의 전형적인 기압 배치를 나타낸 것이다. (가), (나) 시기의 기후 특성과 주민 생활에 대한 설명으로 옳은 것은? (단, (가), (나)는 각각 겨울, 한여름 중 하나임.)

(가) (나)

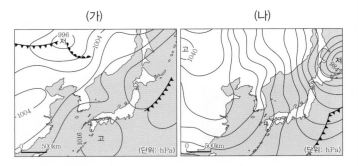

① (가) 시기에는 시베리아 고기압의 영향으로 북서 계절풍이 탁월하게 분다.
② (나) 시기에는 북태평양 기단의 영향으로 무더위와 열대야가 발생한다.
③ 호남 지방의 전통 가옥에 설치된 까대기는 (나) 시기의 바람과 강수 피해를 막기 위한 시설이다.
④ (나) 시기는 (가) 시기보다 상대 습도가 높다.
⑤ 솜옷과 가죽옷은 (가) 시기를, 삼베와 모시옷은 (나) 시기를 대비하기 위한 전통 의복이다.

▶ 24061-0222

10 그래프는 네 권역의 인구 상위 3개 도시의 인구 규모를 나타낸 것이다. 이에 대한 분석으로 옳은 것만을 〈보기〉에서 고른 것은? (단, (가)~(라)는 각각 수도권, 영남권, 충청권, 호남권 중 하나임.) [3점]

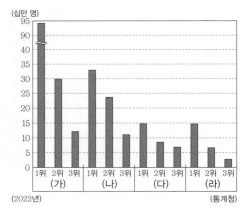

┌─ 보기 ┐
ㄱ. 우리나라는 종주 도시화 현상이 나타나고 있다.
ㄴ. 수도권과 영남권의 인구 규모 1~3위 도시는 모두 광역시이다.
ㄷ. (나)의 3위 도시는 (다)의 1위 도시보다 1인당 지역 내 총생산이 많다.
ㄹ. (다)는 호남권, (라)는 충청권이다.
└─────┘

① ㄱ, ㄴ   ② ㄱ, ㄷ   ③ ㄴ, ㄷ   ④ ㄴ, ㄹ   ⑤ ㄷ, ㄹ

▶ 24061-0223

11 다음 자료는 자연재해의 월별 피해 발생에 관한 학습 내용을 정리한 것이다. (가)~(다)에 대한 설명으로 옳지 않은 것은? (단, (가)~(다)는 각각 대설, 태풍, 호우 중 하나임.) [3점]

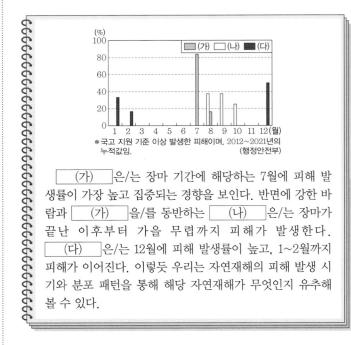

(가)은/는 장마 기간에 해당하는 7월에 피해 발생률이 가장 높고 집중되는 경향을 보인다. 반면에 강한 바람과 (가)을/를 동반하는 (나)은/는 장마가 끝난 이후부터 가을 무렵까지 피해가 발생한다. (다)은/는 12월에 피해 발생률이 높고, 1~2월까지 피해가 이어진다. 이렇듯 우리는 자연재해의 피해 발생 시기와 분포 패턴을 통해 해당 자연재해가 무엇인지 유추해 볼 수 있다.

① (나)의 누적(2012~2021년) 피해액은 충북이 전남보다 많다.
② 영동 지방은 겨울철 북동 기류의 영향으로 (다) 피해가 자주 발생한다.
③ (가)는 (다)보다 우리나라 연 강수량에 미치는 영향이 크다.
④ 농경지는 (가), 선박은 (나)로 인한 피해액이 가장 많다.
⑤ (가)~(다) 중 누적(2012~2021년) 피해액이 가장 적은 것은 (다)이다.

▶ 24061-0224

12 그래프는 서울의 구(區)별 주간 인구와 상주인구를 나타낸 것이다. (가)~(다) 지역을 지도의 A~C에서 고른 것은?

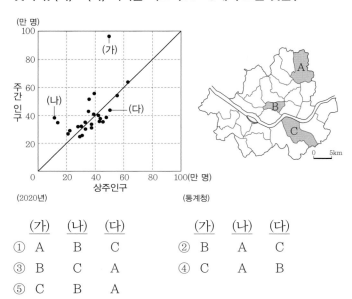

	(가)	(나)	(다)		(가)	(나)	(다)
①	A	B	C	②	B	A	C
③	B	C	A	④	C	A	B
⑤	C	B	A				

13 ▶ 24061-0225
그래프는 지도에 표시된 세 지역의 용도별 토지 면적 비율 변화를 나타낸 것이다. (가)~(다) 지역에 대한 설명으로 옳은 것은? [3점]

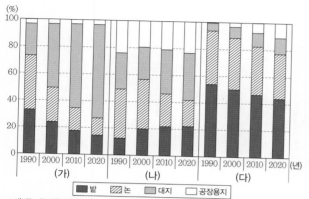

* 대지는 주거용 및 상업용 건물을 짓는 데 활용되는 땅임.
** 밭, 논, 대지, 공장용지 면적의 합을 100%로 했을 때의 상댓값임.
(통계청)

① (나)에는 수도권 1 · 2기 신도시가 모두 건설되었다.
② (가)는 (다)보다 2020년 지역 내 농가 인구 비율이 높다.
③ (나)는 (가)보다 2020년 정보 · 서비스업 분야의 종사자 수가 많다.
④ (다)는 (나)보다 2020년 제조업 종사자 수가 많다.
⑤ (가)는 서울의 주거 기능, (나)는 공업 기능을 분담하는 경향이 상대적으로 강하다.

14 ▶ 24061-0226
표의 (가)~(다) 지역에 대한 설명으로 옳은 것은? (단, (가)~(다)는 각각 독도, 백령도, 이어도 중 하나임.)

지역	위치	주요 특징
(가)	37° 55′ N, 124° 39′ E	서해 5도 가운데 가장 큰 섬으로, 남한 기준 최서단 및 서해 최북단에 위치한다.
(나)	37° 14′ N, 131° 52′ E	동도, 서도로 불리는 두 개의 큰 섬과 89개의 부속 섬으로 이루어져 있다.
(다)	32° 07′ N, 125° 11′ E	마라도에서 남서쪽으로 약 149km 떨어진 지점에 위치한 수중 암초로, 암초의 가장 윗부분이 평균 해수면보다 4.6m 낮아 10m 이상의 파도가 치지 않는 한 그 모습을 관찰하기는 어렵다.

① (나)에는 종합 해양 과학 기지가 건설되어 있다.
② (다)는 천연 보호 구역으로 지정되어 있다.
③ (나)는 (다)보다 일출 시각이 이르다.
④ (가)와 (나)에는 우리나라 영토의 4극 지점이 있다.
⑤ (가)~(다) 모두 최종 빙기에 육지와 연결되어 있었다.

15 ▶ 24061-0227
다음은 세 지역의 축제 홍보 자료이다. (가)~(다) 지역을 지도의 A~C에서 고른 것은? [3점]

(가)	(나)	(다)
천혜의 자연환경에서 만들어진 갯벌을 활용한 머드 축제	판소리, 농악 등의 국악을 바탕으로 열리는 세계 소리 축제	지리적 표시제에 등록된 지역 특산품인 마늘을 이용한 축제

	(가)	(나)	(다)
①	A	B	C
②	A	C	B
③	B	A	C
④	B	C	A
⑤	C	B	A

16 ▶ 24061-0228
표는 두 광역 자치 단체의 제조업 관련 자료이다. ㉠~㉤에 대한 설명으로 옳은 것만을 〈보기〉에서 있는 대로 고른 것은? [3점]

대구광역시 (출하액 28.2조)		지역 내 순위	울산광역시 (출하액 164.4조)	
제조업	출하액 비율(%)		제조업	출하액 비율(%)
㉠	19.5	1위	㉠	26.9
기계	16.0	2위	정유	24.5
금속 가공	14.3	3위	㉢석유 화학	20.0
㉡섬유	8.7	4위	㉣제철	10.8
전기	7.0	5위	㉤조선	7.1

* 종사자 수 10인 이상 사업체를 대상으로 함.
(2020년) (통계청)

〈보기〉
ㄱ. ㉠은 많은 부품을 조립하여 제품을 생산하는 종합 조립 공업이다.
ㄴ. ㉣의 제품은 ㉤의 주요 재료로 활용된다.
ㄷ. ㉡은 ㉢보다 우리나라 산업화를 주도한 시기가 이르다.
ㄹ. 대구의 ㉠ 출하액은 울산의 ㉤ 출하액보다 많다.

① ㄱ, ㄴ　　② ㄴ, ㄹ　　③ ㄷ, ㄹ
④ ㄱ, ㄴ, ㄷ　　⑤ ㄱ, ㄷ, ㄹ

▶ 24061-0229

17 그래프는 지도에 표시된 세 지역의 인구 특성을 나타낸 것이다. (가)~(다) 지역에 대한 설명으로 옳은 것은?

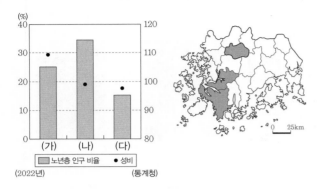

(2022년)　　　(통계청)

① (가)는 (나)보다 제조업 출하액이 많다.
② (가)는 (다)보다 여성 인구가 많다.
③ (다)는 (나)보다 중위 연령이 높다.
④ (가)는 내륙에 위치하고, (나)와 (다)는 바다에 접해 있다.
⑤ (가)~(다) 중 인구 밀도는 (나)가 가장 높다.

▶ 24061-0230

18 그래프는 지도에 표시된 네 지역의 논과 밭의 비율을 나타낸 것이다. 이에 대한 설명으로 옳은 것은? (단, A, B는 각각 논, 밭 중 하나임.) [3점]

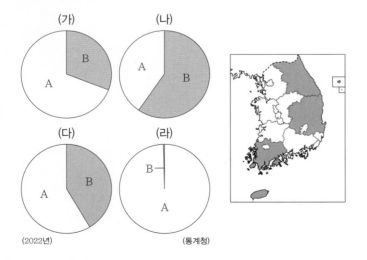

(2022년)　　　(통계청)

① (나)는 (가)보다 쌀 생산량이 많다.
② (라)는 (다)보다 지역 내 전업농가 비율이 높다.
③ (나)와 (다)는 행정 구역 경계가 맞닿아 있다.
④ (가)~(라) 중 과실 생산량이 가장 많은 곳은 (가)이다.
⑤ 경북은 A보다 B의 비율이 높다.

▶ 24061-0231

19 그래프는 1차 에너지의 권역별 공급 비율을 나타낸 것이다. (가)~(마)에 대한 설명으로 옳은 것은? (단, (가)~(마)는 각각 석유, 석탄, 수력, 원자력, 천연가스 중 하나임.) [3점]

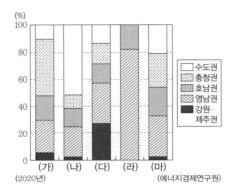

(2020년)　　　(에너지경제연구원)

① (가)는 해외에서 전량 수입한다.
② (나)는 냉동 액화 기술의 발달 이후 소비량이 급증하였다.
③ (라)는 유량이 많고 낙차가 큰 곳이 발전에 유리하다.
④ (다)는 (라)보다 발전 과정에서 발생하는 폐기물의 처리 비용이 많이 든다.
⑤ (가)~(마)를 이용한 발전 중 (마)를 이용한 발전량이 가장 많다.

▶ 24061-0232

20 다음 자료는 영남 지방을 답사한 학생이 메모한 내용의 일부이다. (가)~(다) 지역을 지도의 A~D에서 고른 것은?

(가) 의 특징
○ '경상도' 지명의 유래가 된 도시
○ 다양한 불교 유적, 옛 왕궁 터, 고분, 산성 등을 토대로 역사 유적 지구로 지정

(나) 의 특징
○ 경상남도청 소재지이자 비수도권 유일의 특례시
○ 인구 100만 명이 넘는 경남 최대의 도시로, 벚꽃 축제로 유명한 군항제가 열리는 곳

(다) 의 특징
○ 람사르 습지로 등록된 우포늪이 위치
○ 낙동강이 서쪽과 남쪽 경계를 형성하고 있으며, 북쪽과 남쪽으로 인구 100만 명 이상의 도시와 접해 있음.

	(가)	(나)	(다)			(가)	(나)	(다)
①	A	B	D		②	A	D	C
③	B	C	D		④	B	D	A
⑤	B	D	C					

문항에 따라 배점이 다르니, 각 물음의 끝에 표시된 배점을 참고하시오. 3점 문항에만 점수가 표시되어 있습니다. 점수 표시가 없는 문항은 모두 2점입니다.

▶ 24061-0233

1 다음은 온라인 수업의 한 장면이다. 답글의 내용이 옳은 학생만을 있는 대로 고른 것은?

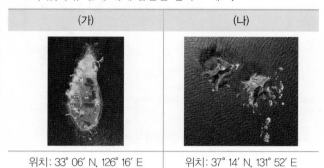

교사: (가), (나) 섬에 대해 답글을 달아 보세요.

(가)	(나)
위치: 33° 06′ N, 126° 16′ E	위치: 37° 14′ N, 131° 52′ E

[답글]
└ 갑: (가)에는 종합 해양 과학 기지가 건설되어 있습니다.
└ 을: (나)는 천연 보호 구역으로 지정되어 있습니다.
└ 병: (가)는 (나)보다 일출 시각이 이릅니다.
└ 정: (가)와 (나)는 모두 신생대 화산 활동으로 형성되었습니다.

① 갑, 을
② 갑, 병
③ 을, 정
④ 갑, 병, 정
⑤ 을, 병, 정

▶ 24061-0234

2 그래프는 섬진강 두 지점의 월평균 유량을 나타낸 것이다. (가)와 비교한 (나)의 상대적 특성으로 옳은 것은? [3점]

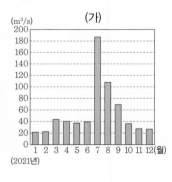
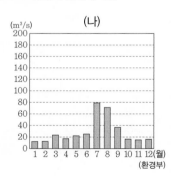

(가) (2021년)
(나) (환경부)

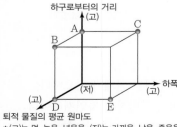

하구로부터의 거리
퇴적 물질의 평균 원마도
*(고)는 멂, 높음, 넓음, (저)는 가까움, 낮음, 좁음을 의미함.

① A
② B
③ C
④ D
⑤ E

▶ 24061-0235

3 다음 자료의 A~D 암석에 대한 설명으로 옳은 것은? (단, A~D는 각각 석회암, 중생대 퇴적암, 현무암, 화강암 중 하나임.)

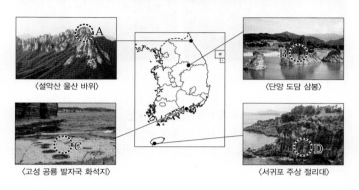

〈설악산 울산 바위〉
〈단양 도담 삼봉〉
〈고성 공룡 발자국 화석지〉
〈서귀포 주상 절리대〉

① C는 해성층에 주로 분포한다.
② D는 주로 시멘트 공업의 원료로 이용된다.
③ A는 D보다 우리나라 암석 분포에서 차지하는 비율이 높다.
④ C는 B보다 형성 시기가 이르다.
⑤ A와 B는 모두 화성암으로 분류된다.

▶ 24061-0236

4 (가), (나) 통계 자료를 각각 한 장의 지도로 나타내고자 할 때, 가장 적절한 유형을 A~C에서 고른 것은?

(가) 지역 간 인구 이동
(단위: 천 명)

전입지\전출지	ㄱ	ㄴ	ㄷ	…
ㄱ		112	89	…
ㄴ	132		63	…
ㄷ	99	135		…
⋮	⋮	⋮	⋮	⋮

(2020년)

(나) 지역별 산업 구조
(단위: %)

지역	농림어업	광공업	서비스업	합계
ㄱ	5.4	24.6	70.0	100
ㄴ	3.7	10.2	86.1	100
ㄷ	1.7	19.8	78.5	100
⋮	⋮	⋮	⋮	⋮

(통계청)

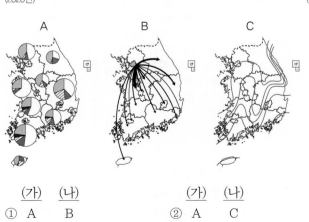

A   B   C

	(가)	(나)			(가)	(나)
①	A	B		②	A	C
③	B	A		④	B	C
⑤	C	A				

▶ 24061-0237

5 사진의 A∼D에 대한 설명으로 옳은 것만을 〈보기〉에서 있는 대로 고른 것은? (단, A∼D는 각각 갯벌, 사빈, 시 스택, 육계도 중 하나임.)

 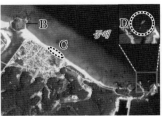

┌─ 보기 ┐
ㄱ. A는 파랑 에너지가 분산되는 곳에 잘 발달한다.
ㄴ. B는 사주에 의해 육지와 연결되었다.
ㄷ. D는 파랑의 차별 침식으로 형성되었다.
ㄹ. A는 C보다 퇴적 물질의 평균 입자 크기가 크다.

① ㄱ, ㄴ   ② ㄱ, ㄹ   ③ ㄷ, ㄹ
④ ㄱ, ㄴ, ㄷ   ⑤ ㄴ, ㄷ, ㄹ

▶ 24061-0239

7 그래프는 A∼D 지역과 (가) 지역 간의 기후 값 차이를 나타낸 것이다. 이에 대한 설명으로 옳은 것은? (단, A∼D와 (가)는 각각 지도에 표시된 다섯 지역 중 하나이며, ㉠, ㉡은 각각 겨울, 여름 중 하나임.) [3점]

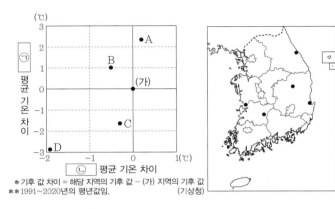

* 기후 값 차이 = 해당 지역의 기후 값 − (가) 지역의 기후 값
** 1991∼2020년의 평년값임.   (기상청)

① A는 C보다 여름 강수 집중률이 높다.
② B는 D보다 기온의 연교차가 크다.
③ C는 B보다 연 강수량이 많다.
④ D는 A보다 연평균 기온이 높다.
⑤ 포항은 (가)보다 무상 기간이 길다.

▶ 24061-0238

6 다음 자료의 ㉠∼㉤에 대한 설명으로 옳지 <u>않은</u> 것은? [3점]

〈천연기념물로 지정된 우리나라의 아름다운 지형 경관〉			
지정 번호	제537호	제440호	제437호
특징	경기도 포천의 ㉠넓고 평평한 대지 사이에 한탄강을 따라 협곡과 폭포가 발달하였으며, 협곡의 급경사면에 ㉡다각형의 수직 절리가 나타난다.	강원도 정선 백복령 일대에 지하수나 빗물에 의해 형성된 ㉢우묵한 모양의 와지가 50여 개 분포한다.	강원도 강릉 정동진의 해안을 따라 ㉣평탄한 지형이 해발 75∼85m 높이에 발달해 있고, 해변에 ㉤급경사의 절벽이 나타난다.

① ㉠은 주로 현무암질 용암이 흘러서 형성되었다.
② ㉡은 용암이 냉각되는 과정에서 수축되어 형성되었다.
③ ㉢에서는 배수가 불량하여 논농사가 주로 이루어진다.
④ ㉣의 퇴적층에서는 둥근 자갈이 발견된다.
⑤ ㉤은 파랑의 침식으로 형성되었다.

▶ 24061-0240

8 그래프에 대한 설명으로 옳지 <u>않은</u> 것은? (단, (가)∼(라)는 각각 대설, 지진, 태풍, 호우 중 하나임.) [3점]

〈(가)∼(라) 자연재해의 시 · 도별 피해액 비율〉

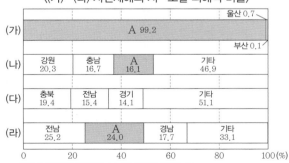

* 상위 3개 지역만 표시하고, 나머지 지역은 기타로 함.
** 2012∼2021년의 누적 피해액이며, 2021년도 환산 가격 기준임.   (행정안전부)

① A는 호남 지방에 위치한다.
② 전남은 서울보다 호우 피해액이 많다.
③ (가)의 피해를 예방하기 위해 내진 설계가 필요하다.
④ (라)는 강한 바람과 많은 비를 동반하는 자연재해이다.
⑤ 겨울철 피해 발생 비율은 (나)가 (다)보다 높다.

▶ 24061-0241

9 그래프는 지도에 표시된 네 지역에 대한 것이다. (가)~(라) 지역에 대한 설명으로 옳은 것은?

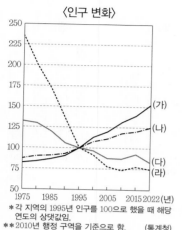

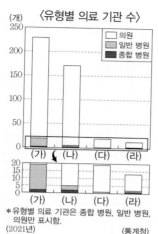

*각 지역의 1995년 인구를 100으로 했을 때 해당 연도의 상댓값임.
**2010년 행정 구역을 기준으로 함. (통계청)

*유형별 의료 기관은 종합 병원, 일반 병원, 의원만 표시함.
(2021년) (통계청)

① (가)에는 강원특별자치도청이 있다.
② (가)는 (다)보다 중심지 기능이 다양하다.
③ (나)는 (가)보다 인구가 많다.
④ (다)는 (라)보다 경지 중 밭 면적 비율이 높다.
⑤ (라)는 (나)보다 금융 기관 수가 많다.

▶ 24061-0242

10 그래프는 지도에 표시된 네 지역의 산업별 종사자 수 비율과 사업체 수를 나타낸 것이다. (가)~(라) 지역에 대한 설명으로 옳은 것은? [3점]

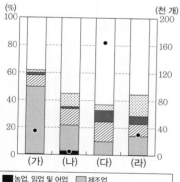

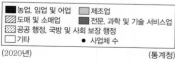

(2020년) (통계청)

① (나)에는 혁신 도시가 조성되어 있다.
② (가)는 (나)보다 지역 내 총생산이 적다.
③ (다)는 (라)보다 총인구가 적다.
④ (라)는 (나)보다 노령화 지수가 낮다.
⑤ (가)는 광역시, (다)는 특별자치시이다.

▶ 24061-0243

11 그래프는 지도에 표시된 네 지역군(群)에 대한 것이다. (가)~(라) 지역에 대한 설명으로 옳은 것은?

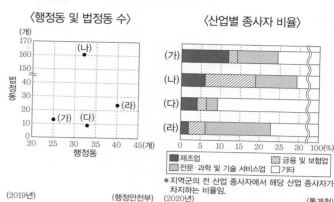

(2019년) (행정안전부)

*지역군의 전 산업 종사자에서 해당 산업 종사자가 차지하는 비율임.
(2020년) (통계청)

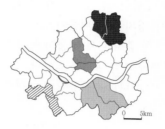

① (가)는 (나)보다 주간 인구 지수가 높다.
② (나)는 (다)보다 초등학교 학급 수가 많다.
③ (다)는 (라)보다 출근 시간대 순 유입 인구가 많다.
④ (라)는 (가)보다 총면적이 넓다.
⑤ (가)와 (나)는 한강의 북쪽에, (다)와 (라)는 한강의 남쪽에 위치한다.

▶ 24061-0244

12 다음 자료는 세 재생 에너지에 대한 것이다. 〈조건〉을 모두 만족하는 (가)~(다)를 그래프의 A~C에서 고른 것은? (단, (가)~(다), A~C는 각각 수력, 태양광, 풍력 중 하나임.) [3점]

〈조건〉
○ (가)는 (나)보다 전국 생산량이 많다.
○ (나)는 (다)보다 제주에서의 발전량이 많다.
○ (다)는 (가)보다 전력 생산에 이용된 시기가 이르다.

〈A~C 재생 에너지의 권역별 발전량 비율〉

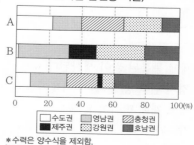

*수력은 양수식을 제외함.
(2021년) (한국에너지공단)

	(가)	(나)	(다)
①	A	B	C
②	A	C	B
③	B	C	A
④	C	A	B
⑤	C	B	A

▶ 24061-0245

13 그래프는 지도에 표시된 세 지역에 대한 것이다. (가)~(다) 지역에 대한 설명으로 옳은 것은?

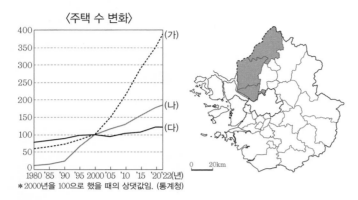

〈주택 수 변화〉

*2000년을 100으로 했을 때의 상댓값. (통계청)

① (가)는 (나)보다 2022년 서울로의 통근·통학 인구가 많다.
② (나)는 (다)보다 2022년 지역 내 경지 면적 비율이 높다.
③ (다)는 (가)보다 2022년 주택 유형 중 아파트 비율이 높다.
④ (나)는 서울, (다)는 강원과 행정 구역의 경계를 접한다.
⑤ 1980~2022년 인구 증가율은 (가)>(나)>(다) 순으로 높다.

▶ 24061-0246

14 그래프는 지도에 표시된 네 지역의 영농 형태별 농가 수 비율을 나타낸 것이다. (가)~(라) 지역에 대한 설명으로 옳지 <u>않은</u> 것은?

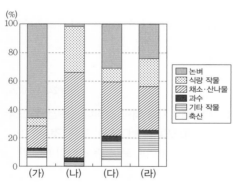

범례:
논벼
식량 작물
채소·산나물
과수
기타 작물
축산

*식량 작물은 콩, 옥수수, 겉보리, 밀 등 논벼 외 식량 작물을 의미함.
(2022년)　(통계청)

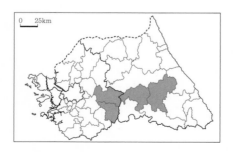

① (가)에서는 지리적 표시제에 등록된 쌀이 생산된다.
② (나)는 (가)보다 지역 내 경지 면적 중 밭 면적 비율이 높다.
③ (다)는 (나)보다 고랭지 채소 재배 면적이 넓다.
④ (라)는 (다)보다 노령화 지수가 높다.
⑤ (가)는 수도권, (라)는 강원권에 위치한다.

▶ 24061-0247

15 그래프는 네 지역의 산업별 취업자를 나타낸 것이다. (가)~(라) 지역을 지도의 A~D에서 고른 것은? [3점]

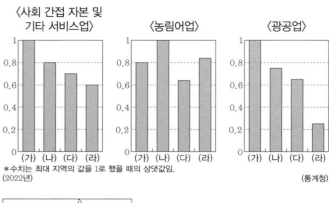

〈사회 간접 자본 및 기타 서비스업〉　〈농림어업〉　〈광공업〉

*수치는 최대 지역의 값을 1로 했을 때의 상댓값.
(2022년)　(통계청)

	(가)	(나)	(다)	(라)
①	A	B	C	D
②	A	D	C	B
③	C	B	A	D
④	C	D	A	B
⑤	D	A	B	C

▶ 24061-0248

16 그래프는 네 권역의 인구 지표를 나타낸 것이다. (가)~(라) 권역에 대한 설명으로 옳은 것만을 〈보기〉에서 있는 대로 고른 것은? (단, (가)~(라)는 각각 수도권, 영남권, 충청권, 호남권 중 하나임.)

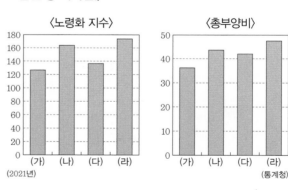

〈노령화 지수〉　〈총부양비〉

(2021년)　(통계청)

〈보기〉
ㄱ. (가)는 (라)보다 노년층 인구가 많다.
ㄴ. (나)는 (가)보다 인구가 많다.
ㄷ. (다)는 (나)보다 유소년 부양비가 높다.
ㄹ. (라)는 (다)보다 중위 연령이 높다.

① ㄱ, ㄴ　　② ㄱ, ㄷ　　③ ㄴ, ㄹ
④ ㄱ, ㄷ, ㄹ　　⑤ ㄴ, ㄷ, ㄹ

▶ 24061-0249

17 그래프는 지도에 표시된 세 지역의 지역 내 외국인 주민 유형별 비율을 나타낸 것이다. 이에 대한 설명으로 옳은 것은? [3점]

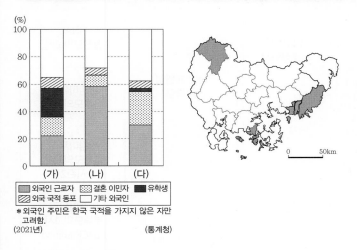

(2021년) (통계청)

① 거창은 부산보다 외국인 근로자 수가 많다.
② 부산은 거창보다 지역 내 외국인 주민 중 결혼 이민자 비율이 높다.
③ (가)는 (나)보다 지역 내 1차 산업 종사자 비율이 높다.
④ (나)는 (다)보다 외국인 주민의 성비가 높다.
⑤ (다)는 (가)보다 대학교 수가 많다.

▶ 24061-0250

18 그래프는 남·북한의 1차 에너지원별 공급량 비율을 나타낸 것이다. 이에 대한 설명으로 옳은 것은? (단, (가), (나)는 각각 남한, 북한 중 하나이며, A~E는 각각 석유, 석탄, 수력, 원자력, 천연가스 중 하나임.) [3점]

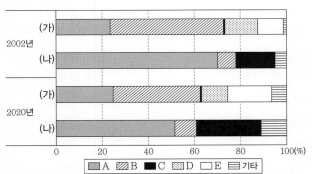

＊기타는 북한에서 신탄, 폐기물 등을 포함하고, 남한에서 신·재생 및 폐기물을 포함함.
(2021년) (통계청)

① (가)는 (나)보다 전체 발전량에서 C를 이용한 발전량 비율이 높다.
② (나)는 (가)보다 2020년 1차 에너지 총공급량이 많다.
③ A의 생산량은 (나)가 (가)보다 많다.
④ C는 D보다 남한에서의 발전소 가동률이 높다.
⑤ E는 B보다 발전 과정에서 대기 오염 물질 배출량이 많다.

▶ 24061-0251

19 그림은 세 제조업의 출하액 상위 3개 시·도를 나타낸 것이다. A~C에 대한 설명으로 옳은 것은? (단, A~C는 각각 1차 금속, 섬유 제품(의복 제외), 전자 부품·컴퓨터·영상·음향 및 통신 장비 제조업 중 하나임.) [3점]

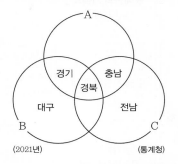

(2021년) (통계청)

① A는 B보다 전국 출하액에서 경기가 차지하는 비율이 낮다.
② B는 C보다 최종 제품의 무게가 무겁다.
③ C는 A보다 항공을 이용한 제품 운송 비율이 높다.
④ A와 C는 각각 B보다 전국 출하액이 많다.
⑤ B와 C는 각각 수도권이 영남권보다 출하액이 많다.

▶ 24061-0252

20 다음 자료는 가정 통신문의 일부이다. (가)에 들어갈 활동 내용으로 적절한 것만을 〈보기〉에서 고른 것은?

가정 통신문

〈○○고 소규모 테마형 교육 여행 안내〉

학부모님 안녕하십니까? ○○고에서는 세 모둠으로 나누어 소규모 테마형 교육 여행을 운영하고자 합니다. 각 모둠은 지도에 표시된 지역 중 여행 지역이 겹치지 않게 두 지역씩 방문할 계획입니다. 학부모님께서는 각 모둠의 방문 지역 및 활동 내용을 확인하시길 바랍니다.

모둠	□□	△△	☆☆
방문 지역 및 활동 내용	• 세계 문화유산에 등재된 전통 마을 탐방 • 대규모 제철 공장 방문 및 호미곶 조형물 촬영	• 지리적 표시제 1호로 등록된 녹차 생산지에서 녹차 시음 • 람사르 습지로 등록된 연안 습지 및 국가 정원 방문	(가)

┌ 보기

ㄱ. 동해안에 만들어진 원자력 발전소 견학
ㄴ. 슬로 시티로 지정된 전통 한옥 마을 및 도청 방문
ㄷ. 고팡이 설치된 전통 가옥들이 있는 민속 마을 탐방
ㄹ. 수위 변화에 따라 오르내리는 접안 시설인 뜬다리 부두와 금강 하굿둑 탐방

① ㄱ, ㄴ　② ㄱ, ㄷ　③ ㄴ, ㄷ　④ ㄴ, ㄹ　⑤ ㄷ, ㄹ

고2~N수 수능 집중 로드맵

수능 입문 →	기출 / 연습 →	연계+연계 보완 →	심화 / 발전 →	모의고사

수능 입문
- 윤혜정의 개념/패턴의 나비효과
- 하루 6개 1등급 영어독해
- 수능 감(感)잡기
- 수능특강 Light

강의노트 수능개념

기출 / 연습
- 윤혜정의 기출의 나비효과
- 수능 기출의 미래
- 수능 기출의 미래 미니모의고사
- 수능특강Q 미니모의고사

연계+연계 보완
- 수능연계교재의 VOCA 1800
- 수능연계 기출 Vaccine VOCA 2200
- 연계: 수능특강 (감수), 수능완성 (감수)
- 수능특강 사용설명서
- 수능특강 연계 기출
- 수능 영어 간접연계 서치라이트
- 수능완성 사용설명서

심화 / 발전
- 수능연계완성 3주 특강
- 박봄의 사회·문화 표 분석의 패턴

모의고사
- FINAL 실전모의고사
- 만점마무리 봉투모의고사
- 만점마무리 봉투모의고사 시즌2
- 만점마무리 봉투모의고사 BLACK Edition
- 수능 직전보강 클리어 봉투모의고사

구분	시리즈명	특징	수준	영역
수능 입문	윤혜정의 개념/패턴의 나비효과	윤혜정 선생님과 함께하는 수능 국어 개념/패턴 학습	●	국어
	하루 6개 1등급 영어독해	매일 꾸준한 기출문제 학습으로 완성하는 1등급 영어 독해	●	영어
	수능 감(感) 잡기	동일 소재·유형의 내신과 수능 문항 비교로 수능 입문	●	국/수/영
	수능특강 Light	수능 연계교재 학습 전 연계교재 입문서	●	영어
	수능개념	EBSi 대표 강사들과 함께하는 수능 개념 다지기	●	전 영역
기출/연습	윤혜정의 기출의 나비효과	윤혜정 선생님과 함께하는 까다로운 국어 기출 완전 정복	●	국어
	수능 기출의 미래	올해 수능에 딱 필요한 문제만 선별한 기출문제집	●	전 영역
	수능 기출의 미래 미니모의고사	부담없는 실전 훈련, 고품질 기출 미니모의고사	●	국/수/영
	수능특강Q 미니모의고사	매일 15분으로 연습하는 고품격 미니모의고사	●	전 영역
연계 + 연계 보완	수능특강	최신 수능 경향과 기출 유형을 분석한 종합 개념서	●	전 영역
	수능특강 사용설명서	수능 연계교재 수능특강의 지문·자료·문항 분석	●	국/영
	수능특강 연계 기출	수능특강 수록 작품·지문과 연결된 기출문제 학습	●	국어
	수능완성	유형 분석과 실전모의고사로 단련하는 문항 연습	●	전 영역
	수능완성 사용설명서	수능 연계교재 수능완성의 국어·영어 지문 분석	●	국/영
	수능 영어 간접연계 서치라이트	출제 가능성이 높은 핵심만 모아 구성한 간접연계 대비 교재	●	영어
	수능연계교재의 VOCA 1800	수능특강과 수능완성의 필수 중요 어휘 1800개 수록	●	영어
	수능연계 기출 Vaccine VOCA 2200	수능-EBS 연계 및 평가원 최다 빈출 어휘 선별 수록	●	영어
심화/발전	수능연계완성 3주 특강	단기간에 끝내는 수능 1등급 변별 문항 대비서	●	국/수/영
	박봄의 사회·문화 표 분석의 패턴	박봄 선생님과 사회·문화 표 분석 문항의 패턴 연습	●	사회탐구
모의고사	FINAL 실전모의고사	EBS 모의고사 중 최다 분량, 최다 과목 모의고사	●	전 영역
	만점마무리 봉투모의고사	실제 시험지 형태와 OMR 카드로 실전 훈련 모의고사	●	전 영역
	만점마무리 봉투모의고사 시즌2	수능 직전 실전 훈련 봉투모의고사	●	국/수/영
	만점마무리 봉투모의고사 BLACK Edition	수능 직전 최종 마무리용 실전 훈련 봉투모의고사	●	국·수·영
	수능 직전보강 클리어 봉투모의고사	수능 직전(D-60) 보강 학습용 실전 훈련 봉투모의고사	●	전 영역

교육부

EBS

학생 · 교원 · 학부모 온라인 소통 공간

ㅎㅎ 함께학교

정책 제안

교육정책에 대한 의견을 개진하고 소통하는 공간입니다.

내가 생각한 교육 정책!
여러분의 생각이 정책이 됩니다

정보나눔

함께 고민을 해결하고 지식을 나누는 공간입니다.

실시간으로 학생·교원·학부모 대상
최신 교육자료를 함께 나눠요

고민상담

분야별 전문가에게 1:1 비대면 상담을 받을 수 있는 공간입니다.

학교생활 답답할 때, 고민될 때
동료 선생님, 전문가에게 물어보세요

행복한 함께학교

학교, 선생님, 학부모 그리고 내 친구에 대한 이야기를 들려주세요.

우리 학교, 선생님, 부모님, 친구들과의
소중한 순간을 공유해요

안드로이드   ios

인스타그램 @togetherschool_moe
유튜브 '함께학교_교육부'를 통해서도 함께학교에 방문할 수 있어요!

시대의 빛

세상을 향해 첫 발을 내디딜 당신

그 앞에 많은 길이 놓여 있지만

세상의 리더가 될 당신이라면

배움의 길도 달라야 합니다

당신에겐 가능성이 있고

우리에겐 방법이 있습니다

당신이 품은 큰 뜻

총신 안에서 마음껏 펼쳐보십시오

EBS

한국교육과정평가원
감수
본 교재는 2025학년도 수능
연계교재로서 한국교육과정
평가원이 감수하였습니다.

2025학년도
수능 연계교재
수능완성

한 권에 수능 에너지 가득
YOU MADE IT!

5회분
실전 모의고사
수록

테마편 + 실전편

사회탐구영역

정답과 해설

한국지리

본 교재는 대학수학능력시험을 준비하는 데 도움을 드리고자 사회과 교육과정을 토대로 제작된 교재입니다.
학교에서 선생님과 함께 교과서의 기본 개념을 충분히 익힌 후 활용하시면 더 큰 학습 효과를 얻을 수 있습니다.

문제를 사진 찍고
해설 강의 보기
Google Play | App Store

EBS_i 사이트
무료 강의 제공

한눈에 보는 정답

01 우리나라의 위치 특성과 영토

수능 실전 문제   본문 6~8쪽

01 ⑤	02 ④	03 ②	04 ②
05 ⑤	06 ⑤		

02 국토 인식의 변화와 지리 정보

수능 실전 문제   본문 11~13쪽

01 ③	02 ⑤	03 ③	04 ②
05 ③	06 ③		

03 한반도의 형성과 산지 지형

수능 실전 문제   본문 16~20쪽

01 ②	02 ①	03 ⑤	04 ②
05 ②	06 ②	07 ④	08 ②
09 ⑤	10 ④		

04 하천 지형과 해안 지형

수능 실전 문제   본문 24~28쪽

01 ②	02 ②	03 ④	04 ③
05 ②	06 ②	07 ⑤	08 ①
09 ③	10 ②		

05 화산 지형과 카르스트 지형

수능 실전 문제   본문 31~33쪽

01 ③	02 ②	03 ⑤	04 ⑤
05 ⑤	06 ③		

06 우리나라의 기후 특성과 주민 생활

수능 실전 문제   본문 37~41쪽

01 ④	02 ①	03 ③	04 ③
05 ④	06 ④	07 ②	08 ①
09 ⑤	10 ③		

07 자연재해와 기후 변화

수능 실전 문제   본문 44~47쪽

01 ④	02 ①	03 ③	04 ④
05 ⑤	06 ②	07 ②	08 ③

08 촌락의 변화와 도시 발달

수능 실전 문제   본문 50~52쪽

01 ③	02 ③	03 ②	04 ③
05 ①	06 ⑤		

09 도시 구조와 대도시권

수능 실전 문제   본문 55~59쪽

01 ⑤	02 ③	03 ⑤	04 ②
05 ⑤	06 ④	07 ①	08 ①
09 ③	10 ①		

10 도시 계획과 지역 개발

수능 실전 문제   본문 62~64쪽

01 ⑤	02 ④	03 ⑤	04 ④
05 ②	06 ②		

11 자원의 의미와 자원 문제

수능 실전 문제   본문 67~71쪽

01 ④	02 ⑤	03 ①	04 ③
05 ③	06 ③	07 ⑤	08 ⑤
09 ⑤	10 ①		

12 농업의 변화와 공업 발달

수능 실전 문제   본문 74~78쪽

01 ③	02 ⑤	03 ④	04 ⑤
05 ①	06 ④	07 ①	08 ②
09 ③	10 ④		

13 교통·통신의 발달과 서비스업의 변화

수능 실전 문제 본문 81~84쪽

01 ① 02 ⑤ 03 ① 04 ②
05 ③ 06 ③ 07 ① 08 ①

14 인구 분포와 인구 구조의 변화

수능 실전 문제 본문 87~89쪽

01 ② 02 ② 03 ④ 04 ④
05 ④ 06 ④

15 인구 문제와 다문화 공간의 확대

수능 실전 문제 본문 92~96쪽

01 ④ 02 ① 03 ④ 04 ⑤
05 ① 06 ④ 07 ③ 08 ②
09 ④ 10 ①

16 지역의 의미와 북한 지역

수능 실전 문제 본문 99~103쪽

01 ① 02 ② 03 ② 04 ④
05 ④ 06 ④ 07 ③ 08 ③
09 ③ 10 ③

17 수도권과 강원 지방

수능 실전 문제 본문 106~110쪽

01 ④ 02 ③ 03 ④ 04 ④
05 ③ 06 ③ 07 ① 08 ②
09 ② 10 ③

18 충청·호남·영남 지방과 제주도

수능 실전 문제 본문 114~118쪽

01 ③ 02 ① 03 ④ 04 ②
05 ⑤ 06 ④ 07 ④ 08 ②
09 ⑤ 10 ①

실전 모의고사 1회 본문 119~123쪽

1 ③	2 ④	3 ④	4 ④	5 ⑤
6 ③	7 ④	8 ①	9 ⑤	10 ②
11 ①	12 ③	13 ③	14 ④	15 ④
16 ①	17 ⑤	18 ②	19 ①	20 ③

실전 모의고사 2회 본문 124~128쪽

1 ⑤	2 ④	3 ②	4 ⑤	5 ②
6 ②	7 ④	8 ③	9 ③	10 ③
11 ①	12 ④	13 ②	14 ①	15 ②
16 ③	17 ⑤	18 ④	19 ⑤	20 ②

실전 모의고사 3회 본문 129~133쪽

1 ②	2 ②	3 ①	4 ⑤	5 ⑤
6 ②	7 ④	8 ④	9 ④	10 ③
11 ②	12 ①	13 ④	14 ④	15 ①
16 ④	17 ②	18 ④	19 ④	20 ④

실전 모의고사 4회 본문 134~138쪽

1 ③	2 ②	3 ①	4 ③	5 ④
6 ②	7 ②	8 ⑤	9 ③	10 ②
11 ①	12 ⑤	13 ⑤	14 ①	15 ④
16 ④	17 ①	18 ①	19 ②	20 ⑤

실전 모의고사 5회 본문 139~143쪽

1 ③	2 ①	3 ③	4 ③	5 ④
6 ③	7 ⑤	8 ①	9 ②	10 ④
11 ④	12 ⑤	13 ④	14 ③	15 ③
16 ④	17 ④	18 ④	19 ④	20 ④

THEME 01 우리나라의 위치 특성과 영토

수능 실전 문제

본문 6~8쪽

01 ⑤　　**02** ④　　**03** ②　　**04** ②
05 ⑤　　**06** ⑤

01 우리나라의 위치 특성 파악

문제분석 우리나라의 수리적 위치는 위도상으로 ㉠에 해당하고, 경도상으로 ㉡에 해당한다. 우리나라의 지리적 위치는 태평양과 접하는 유라시아 대륙 동안에 위치하며 삼면이 바다로 둘러싸인 반도 국가로 표현된다. ㉢은 주변 국가와의 정치·경제·문화적 이해관계에 따라 결정되는 관계적 위치이다.

정답찾기 ㄷ. 중위도 지역은 편서풍의 영향을 많이 받는데, 우리나라는 유라시아 대륙 동안에 위치한 지리적 위치 특징으로 인해 계절풍의 영향을 많이 받는 기후 특성이 나타난다.
ㄹ. 수리적 위치와 지리적 위치는 절대적 위치이고, 관계적 위치는 시대와 상황 등에 따라 변하는 상대적 위치이다.

오답피하기 ㄱ. 표준시는 본초 자오선을 기준으로 동경 180° 선 쪽으로 갈수록 빠르고 서경 180° 선 쪽으로 갈수록 늦다. 우리나라는 본초 자오선이 지나는 영국보다 동쪽에 위치하여 영국보다 빠른 시간대를 사용한다. 표준시에 영향을 끼치는 우리나라의 수리적 위치 특징은 경도상의 위치(㉡)이다.
ㄴ. 북반구와 남반구는 계절이 서로 반대로 나타난다. 따라서 북반구에 위치한 우리나라는 남반구에 위치한 뉴질랜드와 계절이 서로 반대이며, 이는 우리나라의 수리적 위치 특징 중 위도상의 위치(㉠)의 영향이다.

02 우리나라 주요 지점의 특징 파악

문제분석 A는 37° 57′ N, 124° 40′ E에 위치한 곳으로 우리나라 중부 서해안에 위치한 인천광역시 옹진군 백령도이고, B는 39° 48′ N, 124° 11′ E에 위치한 곳으로 우리나라 최서단인 평안북도 신도군 비단섬 서단이다. C는 33° 06′ N, 126° 16′ E에 위치한 우리나라 최남단인 제주특별자치도 서귀포시 마라도 남단이고, D는 37° 14′ N, 131° 52′ E에 위치한 우리나라 최동단인 경상북도 울릉군 독도 동단이다.

정답찾기 ㄱ. (가)에는 A에 해당하지 않고 B, C, D에 모두 해당하는 질문이 들어갈 수 있다. '우리나라의 4극 중 하나에 해당합니까?'라는 질문에 대해 백령도(A)는 해당하지 않지만, 최서단인 비단섬(B), 최남단 마라도(C), 최동단 독도(D)는 해당한다.
ㄴ. (나)에는 B에 해당하지 않고 C와 D에 모두 해당하는 질문이 들어갈 수 있다. '신생대 화산 활동으로 형성되었습니까?'라는 질문에 대해 비단섬(B)은 해당하지 않지만, 신생대 화산 활동으로 형성된 마라도(C)와 독도(D)는 해당한다.
ㄹ. 마라도(C)와 독도(D)는 모두 천연 보호 구역으로 지정되어 있다.

오답피하기 ㄷ. 비단섬(B)은 하천을 사이에 두고 중국과 국경선이 맞

닿아 있는 지역이지만, 백령도(A)는 황해상에 위치한 섬이므로 이에 해당하지 않는다.

03 영해, 내수, 배타적 어업 수역의 특징 이해

문제분석 우리나라의 영해와 내수에 대해서는 영해 및 접속 수역법에서 규정하고 있다. 우리나라와 중국, 일본은 거리가 가까워 200해리까지 설정할 수 있는 배타적 경제 수역은 획정하지 못하였으며, 어업 협정을 통해 공동으로 어족 자원을 보존·관리하는 한·중 잠정 조치 수역과 한·일 중간 수역이 설정되었다.

정답찾기 ② B는 해안에서부터 영해선까지의 수역인 영해로, 통상적으로 민간 선박의 무해 통항권이 인정된다.

오답피하기 ① A는 기선으로부터 육지 쪽에 있는 수역인 내수이다.
③ C는 우리나라의 영해 밖에 위치한 지점으로, C의 수직 상공은 영해의 수직 상공인 영공에 해당하지 않는다.
④ 대한 해협의 경우 직선 기선에서 3해리까지만 영해로 설정하였으므로 D의 길이는 3해리이며, B는 통상 기선에서 12해리까지 영해로 설정한 수역이므로 B의 길이는 12해리이다.
⑤ '일정 수역의 경우에는 12해리 이내에서 영해의 범위를 따로 정할 수 있다'(㉠)는 조항을 바탕으로 영해를 확정한 수역은 대한 해협이다. 대한 해협의 경우에는 영해 기점을 이은 직선을 영해의 기선으로 한다. 또한 대한 해협에서는 3해리까지만 영해로 설정하고 있다.

04 우리나라 주변 수역의 특징 파악

문제분석 A는 한·중 잠정 조치 수역에 위치한 지점이고, B는 한·일 중간 수역에 위치한 지점이다. C는 우리나라의 영해와 한·일 중간 수역 사이에 위치한 지점이고, D는 울릉도 주변의 영해선에 위치한 지점이다.

정답찾기 ㄱ. 한·중 잠정 조치 수역에 위치한 A에서는 한국과 중국이 경제적 측면에서 주권적 권리를 갖지만, 외국 또는 외국인이 항행 또는 상공 비행의 자유와 해저 전선 또는 관선 부설 등의 자유를 누릴 수 있다.
ㄹ. D는 울릉도 주변의 영해선에 위치한 지점으로, 울릉도에서는 해안의 저조선에서 12해리에 이르는 수역까지를 영해로 한다.

오답피하기 ㄴ. B는 한·일 중간 수역에 위치한 지점으로, 한·일 중간 수역에서는 우리나라와 일본이 공동으로 어족 자원을 관리한다.
ㄷ. C는 우리나라의 영해와 한·일 중간 수역 사이에 위치한 지점으로, 우리나라가 해저 자원 탐사 등에서 배타적 권리를 갖는 수역에 해당한다.

05 이어도, 가거초의 특징 파악

문제분석 (가)는 가거도 서쪽 47km 지점에 위치한 신안 가거초이고, (나)는 마라도 남쪽 149km 지점에 위치한 이어도이다. 지도의 A는 가거도 서쪽에 위치한 신안 가거초이고, B는 마라도 남서쪽에 위치하므로 이어도이다.

정답찾기 ⑤ 신안 가거초(가)는 전남 신안군 가거도의 서쪽에 위치하므로 지도의 A이고, 이어도(나)는 마라도 남서쪽에 위치하므로 지도의 B이다.

오답피하기 ① 우리나라 최서단은 평안북도 신도군 비단섬 서단이다. 신안 가거초(가)는 수중 암초이므로 우리나라의 영토에 해당하지 않으며, 우리나라 최서단보다 동쪽에 위치한다.

② 이어도(나)는 수중 암초이므로 주변 12해리 해역이 영해로 설정되지 않는다. 또한 우리나라 최남단인 마라도 남단으로부터 12해리 바깥에 위치하여 주변 수역이 우리나라의 영해에 해당하지 않는다.

③ 신안 가거초(가)는 가거도와 47km 떨어져 있으며, 이어도(나)는 마라도와 149km 떨어져 있다. 가거도는 서해안에서 영해 설정의 기선인 직선 기선의 기점에 해당하며, 이곳에서 12해리까지의 수역이 우리나라의 영해에 해당한다. 이어도에서 가장 가까운 영해선은 마라도의 저조선에서부터 12해리 떨어진 곳에 위치한다. 따라서 신안 가거초(가)는 이어도(나)보다 가장 가까운 영해선까지의 거리가 가깝다.

④ 이어도(나)는 신안 가거초(가)보다 저위도에 위치한다. 이어도는 우리나라 최남단인 마라도보다 저위도에 위치하여 우리나라에 상륙하는 태풍의 다수가 통과하는 길목이므로 태풍에 대한 연구가 활발하게 이루어진다.

06 독도와 동해의 특징 파악

문제분석 아국총도(㉠)는 조선일본유구국도와 함께 여지도에 수록된 지도로, 18세기 후반에 제작되어 안용복 사건 이후 명확해진 울릉도와 독도에 대한 인식이 반영되어 울릉도 오른쪽에 우도(지금의 독도)를 상대적으로 크게 표현하였다. 또한 한반도와 일본 열도 사이의 바다에 동해(㉤)라고 명확하게 표기하였다. 삼국접양지도(㉡)는 일본인 하야시 시헤이가 그린 지도로 울릉도와 독도를 조선과 같은 색으로 그려 독도가 조선의 땅임을 나타내었고, 섬 옆에 '조선의 것'이라고 명기하였다. 신증동국여지승람에 수록된 팔도총도에는 독도(㉢)가 우산도로 울릉도(㉣)의 왼쪽에 표시되었다.

정답찾기 ⑤ 세종실록지리지에는 "우산(독도, ㉢)과 무릉(울릉도, ㉣) 두 섬이 울진현 정 동쪽 바다에 있으며, 두 섬은 서로의 거리가 멀지 않아 날씨가 맑으면 바라볼 수 있다."라고 기술되어 있다. 울릉도에서는 날씨가 흐린 날에도 인근의 관음도와 대섬을 바라볼 수 있으며, 독도는 날씨가 맑은 날에만 관측할 수 있다.

오답피하기 ① 동해(㉤)는 수심이 깊어 최종 빙기에 대부분 육지로 드러나지 않았다.

② 지도에 표현된 공간 범위는 삼국접양지도(㉡)가 아국총도(㉠)보다 넓다.

③ 독도(㉢)는 울릉도(㉣)보다 최고 지점의 해발 고도가 낮다.

④ 울릉도(㉣)는 독도(㉢)보다 형성 시기가 늦다.

THEME 02 국토 인식의 변화와 지리 정보

수능 실전 문제
본문 11~13쪽

01 ③	02 ⑤	03 ③	04 ②
05 ③	06 ③		

01 풍수지리 사상의 이해

문제분석 제시된 글은 풍수지리 사상에 대한 것이다. ㉠은 풍수지리 사상의 명당의 입지 조건 중 배산(背山), ㉡은 임수(臨水)와 관련된 것이다.

정답찾기 ③ 지모(地母) 사상은 땅을 어머니에 비유하여 신성하게 여기는 사상을 의미하며, 지모 사상에는 땅을 생명의 근원으로 여기는 우리 조상들의 자연관이 잘 반영되어 있다.

오답피하기 ① 우리나라에서 배산임수의 명당(터)은 겨울철 차가운 북서풍을 막아 주는 지형 조건을 갖춘 곳으로, 산은 대체로 명당(터)의 북쪽에 위치한다.

② 명당(터) 앞을 흐르는 하천은 대체로 규모가 작아 배를 운항하기에 적절하지 않다. 또한 전통적인 명당(터)은 산지로 둘러싸여 외부로부터 격리된 지형 조건을 갖추고 있다.

④ 음택 풍수에 대한 설명이다. ㉣의 양택 풍수는 살아 있는 사람의 삶의 터전을 다루는 풍수이며, 집터와 마을의 입지, 국가의 도읍지 선정 등에 영향을 주었다.

⑤ 양택 풍수에 대한 설명이다. ㉤의 음택 풍수는 사후 세계를 중시하는 사상으로 죽은 사람(조상)의 못자리를 찾는 풍수이다.

02 조선 전기와 후기의 고지도 이해

문제분석 (가)는 1834년에 제작된 세계 지도인 지구전후도, (나)는 조선 중기 이후 민간에서 제작한 천하도, (다)는 조선 전기(1402년)에 제작된 혼일강리역대국도지도이다.

정답찾기 ⑤ 혼일강리역대국도지도(다)는 현존하는 우리나라의 가장 오래된 세계 지도로 조선 전기(1402년)에 제작되었으며, 천하도(나)는 조선 중기 이후에 제작되었다. 따라서 혼일강리역대국도지도(다)는 천하도(나)보다 최초 제작 시기가 이르다.

오답피하기 ① A에는 지구전후도(가)에는 해당하지 않고 천하도(나)와 혼일강리역대국도지도(다)에는 해당하는 질문이 들어가야 한다. 천하도(나)와 혼일강리역대국도지도(다)에는 중국이 지도의 중앙에 위치해 있어 중국 중심의 세계관이 반영되어 있지만, 지구전후도(가)는 중국 중심의 세계관을 극복한 지도로 평가받고 있다.

② B에는 천하도(나)에는 해당하지 않고 혼일강리역대국도지도(다)에는 해당하는 질문이 들어가야 한다. 혼일강리역대국도지도(다)는 국가 주도로 제작되었지만, 천하도(나)는 민간에서 제작한 지도이다. 따라서 B에는 '국가 주도로 제작되었습니까?'가 들어갈 수 있다.

③ 지구전후도(가)에는 경위선망, 남·북회귀선, 황도, 24절기 등이 표현되어 있다.

④ 천하도(나)에는 '하늘은 둥글고 세상은 네모나다'라는 천원지방(天圓地方)의 세계관이 반영되어 있다.

03 대동여지도의 특징 이해

문제분석 지도는 대동여지도의 일부로, 왼쪽은 경남 거창(A), 오른쪽은 경남 진주(B) 주변을 나타내고 있다. 거창과 진주는 낙동강의 지류인 남강을 공유하며, 거창은 진주보다 남강의 상류 쪽에 위치한다. 따라서 ㉠과 ㉡은 모두 남강의 수계에 해당한다.

정답찾기 ③ 대동여지도에는 배가 다닐 수 있는 하천은 쌍선으로, 배가 다닐 수 없는 하천은 단선으로 표현되어 있다. 거창을 지나는 남강(㉠)은 단선, 진주를 지나는 남강(㉡)은 쌍선으로 표현되어 있으므로 거창(A)에서 진주(B)까지 배를 타고 이동할 수 없다.

오답피하기 ① 거창(A)은 주변이 산줄기로 둘러싸여 있어 대체로 분지 지형에 자리 잡고 있다. 실제로 거창은 주변이 변성암 산지로 둘러싸인 침식 분지에 위치해 있다.

② 대동여지도는 직선으로 표현된 도로에 10리마다 방점을 찍어 거리를 대략적으로 파악할 수 있다. 거창(A)에서 도로를 따라 가장 가까운 행정 구역 경계를 벗어나려면 서쪽으로 약 15리를 지나야 한다.

④ 도로를 따라 설치된 교통·통신 시설은 역참이다. 가장 가까운 역참이 거창(A)은 남쪽, 진주(B)는 서쪽에 위치하는데, 진주(B)가 거창(A)보다 가깝다.

⑤ 거창(A)은 무성 읍치, 진주(B)는 유성 읍치에 해당한다. 따라서 두 지역 중 읍치의 성곽을 이용한 외적의 방어에 유리한 지역은 진주(B)이다.

04 조선 전기와 후기의 지리지 이해

문제분석 제시된 두 지리지의 서술 방식으로 보아 (가)는 택리지, (나)는 세종실록지리지임을 알 수 있다. ㉠은 '서울과는 수로와 육로로 모두 2백 리 길', '소양강' 등으로 춘천임을 알 수 있다. ㉡은 '영월의 서쪽', '서쪽으로 서울과는 2백 50리' 등으로 원주임을 알 수 있다. ㉢은 '동쪽으로 바다', '남쪽으로 삼척', '서쪽으로 횡성' 등으로 강릉임을 알 수 있다.

정답찾기 ② 택리지(가)는 실학자인 이중환이 제작한 사찬 지리지, 세종실록지리지(나)는 국가 주도로 제작한 관찬 지리지이다. 따라서 세종실록지리지(나)는 택리지(가)보다 통치를 위한 자료 수집에 유리하다.

오답피하기 ① 택리지(가)는 조선 후기에 제작되었으며, 세종실록지리지(나)는 조선 전기에 제작되었다.

③ 춘천(㉠)에는 혁신 도시가 건설되어 있지 않다. 춘천(㉠)에는 강원특별자치도청이 있으며, 혁신 도시는 원주(㉡)에 건설되어 있다.

④ 영서 지방에 위치한 원주(㉡)는 영동 지방에 위치한 강릉(㉢)보다 서울과의 최단 거리가 가깝다.

⑤ 강원도에서 인구가 가장 많은 도시는 원주(㉡)이다.

05 지리 정보를 활용한 지역 특성 파악

문제분석 (가)는 수도권 2기 신도시가 입지해 있는 화성이다. (나)는 충청도 명칭의 유래가 되는 지역인 청주이다. (다)는 수도권 1기 신도시가 입지해 있는 고양이다.

정답찾기 ③ 서울과 인접한 고양(다)은 화성(가)보다 서울로의 통근·통학 인구가 많다.

오답피하기 ① 석회암으로 이루어진 다양한 카르스트 지형은 단양, 충주 등 충북 북동부, 삼척, 태백 등 강원 남부, 울진 등 경북 북부에서 주로 볼 수 있다.

② 인구 밀도는 인구를 면적으로 나눈 값이다. 청주(나)는 화성(가)보다 면적은 넓지만 인구가 적다. 따라서 인구 밀도는 화성(가)이 청주(나)보다 높다.

④ ㉡의 '산업 구조'를 통계 지도로 제작하려면 유선도보다 도형 표현도가 적합하다.

⑤ ㉠의 '지역 형태 및 면적'은 공간 정보, ㉡의 '산업 구조'는 속성 정보이다.

06 중첩 분석을 통한 시설물의 입지 선정 파악

문제분석 〈조건〉에서 외국인 문화 복합 센터의 입지 기준으로 '지역 내 총생산', '외국인 주민 중 결혼 이민자 비율', '총 외국인 수'를 제시하였다. '지역 내 총생산'은 적을수록, '외국인 주민 중 결혼 이민자 비율'은 높을수록, '총 외국인 수'는 많을수록 입지에 유리하다. 이 중 '외국인 주민 중 결혼 이민자 비율'은 가중치가 2배로 입지 선정에 큰 영향을 미친다. 또한 합산 점수가 가장 높은 지역이 두 곳일 때는 '총 외국인 수'가 많은 지역이 입지에 유리하다. 지도에 표시된 A는 봉화, B는 청송, C는 의성, D는 성주, E는 고령이다.

정답찾기 ③ 제시된 〈조건〉을 토대로 각 지역의 점수를 산출하면 다음과 같다.

점수 / 후보 지역	지역 내 총생산	외국인 주민 중 결혼 이민자 비율	총 외국인 수	합계
A	2	3×2=6	1	9
B	3	3×2=6	1	10
C	2	3×2=6	2	10
D	1	2×2=4	3	8
E	2	1×2=2	3	7

산출된 결과 B와 C가 합산 점수가 10점으로 동일하지만, 총 외국인 수가 C가 B보다 많다. 따라서 외국인 문화 복합 센터의 최적 입지 지역은 의성군(C)이다.

수능 실전 문제
본문 16~20쪽

01 ②	02 ①	03 ⑤	04 ②
05 ②	06 ②	07 ④	08 ②
09 ⑤	10 ④		

01 한반도의 지체 구조와 산지 지형 이해

문제분석 A는 제주도에 많이 분포하는 현무암, B는 해발 고도가 높고 경사가 완만한 고위 평탄면, C는 평안 누층군에 주로 분포하는 무연탄이다. 해당 용어를 〈글자 카드〉에서 지우고 남은 글자로 완성할 수 있는 D는 조선 누층군이다.

정답찾기 ② 고위 평탄면(B)은 여름이 서늘하여 고랭지 채소 재배에 유리하다.

오답피하기 ① 현무암(A)은 용암이 냉각되어 형성된 화성암(화산암)이다. 변성암은 기존 암석이 열과 압력 등에 의해 성질이 변한 암석으로, 대표적인 변성암으로는 편마암이 있다.

③ 무연탄(C)이 매장된 대표적인 지층은 평안 누층군이다. 평안 누층군은 고생대 말기~중생대 초기에 형성되었고, 조선 누층군(D)은 고생대 초기에 형성되었다. 따라서 무연탄(C)이 매장된 지층은 조선 누층군(D)보다 형성 시기가 늦다.

④ 종유석은 석회암 지대에서 지하수에 용해된 탄산 칼슘($CaCO_3$)이 석회 동굴 내부에서 침전되어 형성된 지형이다. 주상 절리는 현무암(A)을 비롯한 화산암 분포 지역에서 주로 볼 수 있다.

⑤ 현무암질 마그마의 열하 분출로 형성된 지형은 용암 대지이다. 조선 누층군(D)은 얕은 바다에서 형성된 해성층이다.

02 한반도의 암석 분포 이해

문제분석 신생대에는 퇴적암과 화성암이 주로 형성되었다. 따라서 신생대 암석 구성에서 거의 나타나지 않는 A는 변성암이다. B는 신생대 암석 구성에서 차지하는 비율이 높으므로 화성암, C는 신생대 암석 구성에서 차지하는 비율이 화성암(B)보다 낮으므로 퇴적암이다. 대부분 변성암(A)으로 구성된 (가)는 시·원생대, 대부분 퇴적암(C)으로 구성된 (나)는 고생대이다. 화성암(B)이 약 70%, 퇴적암(C)이 약 30%로 구성된 (다)는 중생대이다.

정답찾기 ① 한반도 암석 구성에서 가장 높은 비율을 차지하는 것은 변성암(A)이다. 변성암(A)은 한반도 암석 중에서 약 42.6%를 차지한다.

오답피하기 ② 석회암은 얕은 바다에서 탄산 칼슘($CaCO_3$) 등이 쌓여서 형성된 퇴적암(C), 화강암은 마그마가 냉각되어 형성된 화성암(B)이다.

③ 한반도에서 가장 격렬했던 지각 변동인 대보 조산 운동은 중생대(다) 중기에 있었던 습곡 및 단층 작용이다.

④ 흙산의 주된 기반암은 변성암(A)으로 시·원생대(가)에 형성되었다.

⑤ 공룡 발자국 화석은 중생대(다)에 형성된 퇴적암(C)이 있는 경상 누층군에 주로 분포한다.

03 한반도의 지각 변동 이해

문제분석 주로 한반도 중·남부 지방에 영향을 준 (가)는 중생대 중기의 대보 조산 운동, 북부 지방에 영향을 준 (나)는 중생대 초기의 송림 변동, 영남 지방에 영향을 준 (다)는 중생대 말기의 불국사 변동이다. 마그마의 관입으로 형성된 (라)는 화강암, 신생대 제3기에 있었던 (마)는 경동성 요곡 운동이다.

정답찾기 ㄷ. 1차 산맥은 경동성 요곡 운동(마)의 직접적인 영향으로 형성된 해발 고도가 높고 연속성이 뚜렷한 산맥이다.

ㄹ. 송림 변동(나)은 중생대 초기, 불국사 변동(다)은 중생대 말기에 있었던 지각 변동이다.

오답피하기 ㄱ. 제주도, 울릉도 등에 분포하는 화산 지형은 신생대 화산 활동으로 형성되었다.

ㄴ. 돌리네는 석회암 지대에 분포하는 카르스트 지형이다. 화강암(라)은 편마암과의 차별 풍화 및 침식으로 형성된 침식 분지 바닥과 돌산의 주된 기반암이다.

04 암석의 분류 이해

문제분석 물과 반응하여 종유석을 만든 (가)는 조선 누층군에 주로 분포하는 석회암, 제주에 많이 분포하는 검은색 계열의 암석인 (나)는 현무암, 공룡 발자국 화석이 있는 (다)는 경상 누층군에 분포하는 중생대 퇴적암이다.

정답찾기 ② 석회암(가)은 조선 누층군에 주로 분포하는 퇴적암으로 시멘트 공업의 주요 원료로 이용된다. 현무암(나)은 마그마가 지표로 분출한 후 냉각되어 형성된 화산암이다. (다)는 중생대에 형성된 퇴적암이다. 따라서 (가)는 B, (나)는 A, (다)는 D이다.

오답피하기 화성암이 아니면서 신생대에 형성된 C에는 두만 지괴, 길주·명천 지괴에 주로 분포하는 신생대 퇴적암(제3계)이 들어갈 수 있다.

05 한반도의 지체 구조 이해

문제분석 (가)는 신생대 제3기에 형성된 두만 지괴와 길주·명천 지괴, (나)는 시·원생대에 형성된 평북·개마 지괴, 경기 지괴, 영남 지괴, (다)는 고생대에 형성된 평남 분지와 옥천 습곡대, (라)는 중생대에 형성된 경상 분지이다.

정답찾기 ㄱ. (나)는 변성 작용이 있었던 시·원생대에 형성된 지체 구조이다. 따라서 (나)에는 퇴적암보다 변성암이 많이 분포한다.

ㄷ. (가)의 제3계에는 갈탄, (다)의 평안 누층군에는 무연탄이 매장되어 있다. 따라서 (가)와 (다)에는 모두 석탄이 매장된 퇴적층이 분포한다.

오답피하기 ㄴ. 경상 분지(라)의 경상 누층군은 호수에서 퇴적된 육성층이므로 심해 생물 화석을 발견하기가 어렵다. 경상 누층군에서는 공룡 발자국을 발견할 수 있다.

ㄹ. (가)는 신생대, (나)는 시·원생대, (다)는 고생대, (라)는 중생대에 형성된 지체 구조이다. 따라서 형성 시기는 (나) → (다) → (라) → (가) 순으로 이르다.

06 우리나라의 산맥 분포 이해

문제분석 지도의 A는 낭림산맥, B는 태백산맥, C는 차령산맥, D는 소백산맥이다.

정답찾기 ㄱ. 관북 지방은 지금의 함경도, 관서 지방은 지금의 평안도에 해당한다. 따라서 낭림산맥(A)은 관북 지방과 관서 지방의 경계에 대부분 위치한다.

ㄷ. 영남 지방이라는 지명은 조령의 남쪽에 해당하는 지방이라는 데서 유래하였다. 조령은 소백산맥(D)에 위치한다.

오답피하기 ㄴ. 신생대 제3기 경동성 요곡 운동은 동해안을 축으로 한 비대칭적 융기 작용이었다. 그 결과 산지가 동쪽으로 치우친 동고서저의 경동 지형이 형성되었다. 따라서 융기 축에 근접한 태백산맥(B)을 기준으로 동쪽 사면은 대체로 급경사, 서쪽 사면은 대체로 완경사를 이룬다.

ㄹ. 차령산맥(C)은 해발 고도가 낮고 산줄기의 연속성이 약한 2차 산맥이다. 따라서 차령산맥(C)은 소백산맥(D)보다 평균 해발 고도가 낮다.

07 고위 평탄면의 분포 이해

문제분석 강원도 평창군(㉠)은 고위 평탄면이 발달한 지역이다. 고위 평탄면은 경사가 완만하고 여름이 서늘하여 목초 재배에 유리하므로 목장으로 이용하기에 적합하다. 평창군(㉠)은 대관령을 중심으로 많은 목장이 운영되고 있다.

정답찾기 ④ 지리적 표시제에 등록된 쌀을 용암 대지에서 생산하는 지역은 철원이다. 고위 평탄면은 여름이 비교적 서늘하고 산간 지대에 위치하여 충적 평야가 발달해 있지 않으므로 벼농사에는 불리한 편이다.

오답피하기 ① 해발 고도가 높은 고위 평탄면은 잘 가꾸어진 숲이 많고 여름 기온이 낮아 피서지로 활용하기에 유리하다. 평창군(㉠)에는 다수의 삼림욕장이 있다.

② 고위 평탄면은 겨울철 지형성 강수로 눈이 많이 내리고 기온이 낮아 적설 기간이 길기 때문에 스키장으로 이용하기에 좋다. 평창군(㉠)에는 스키를 비롯해 다양한 동계 스포츠를 즐기려는 관광객이 많이 방문한다.

③ 고위 평탄면은 여름철 서늘한 기후를 이용해 무, 배추 등 고랭지 채소를 재배하기에 유리하다. 평창군(㉠)에서는 고랭지 배추를 홍보하기 위해 고랭지 김장 축제를 개최하고 있다.

⑤ 평창군(㉠)은 2018년 동계 올림픽을 개최하였다.

08 고위 평탄면의 토지 이용 이해

문제분석 지도에 제시된 영화 촬영 장소는 고위 평탄면이 발달한 태백시의 매봉산 일대이다. ㉠에는 고위 평탄면과 어울리는 배경이 들어가면 된다.

정답찾기 ② 고위 평탄면은 해발 고도가 높아 풍속이 강해 풍력 발전의 잠재력이 높다. 지도의 매봉산 일대에서는 다수의 풍력 발전기가 전력을 생산하고 있다.

오답피하기 ① 고위 평탄면은 여름 기온이 낮고 충적 평야가 발달하지 않아 벼 재배에 적합한 지형이 아니다. 따라서 촬영지에서 논을 찾아보기는 어렵다.

③ 감귤은 겨울이 온화한 제주도를 비롯해 남해안 일대에서 주로 재배된다. 해발 고도가 높은 고위 평탄면이 발달한 촬영지는 기온이 낮아 감귤나무를 보기가 어렵다.

④ 용암 동굴은 화산 지대에 있다. 지도의 매봉산 일대는 화산 지대가 아니므로 용암 동굴이 분포하지 않는다. 용암 동굴이 분포하는 대표적인 지역은 제주도이다.

⑤ 비닐하우스는 대도시와 인접한 근교 농촌에 많이 설치되어 있다. 고위 평탄면이 발달한 촬영지 일대는 여름철 서늘한 기후를 이용해 주로 노지에서 채소를 재배한다.

09 돌산과 흙산의 기반암 이해

문제분석 경남, 전남, 전북에 걸쳐 있는 (가)는 지리산이다. 인제, 고성, 양양, 속초에 걸쳐 있는 (나)는 설악산이다. 화산 지형이 발달한 (다)는 한라산이다.

정답찾기 ㄷ. 주로 신생대에 형성된 화산암으로 이루어진 한라산(다)은 설악산(나)보다 주된 기반암의 형성 시기가 늦다.

ㄹ. 백두대간은 백두산에서 시작해 금강산, 설악산(나), 태백산, 속리산, 덕유산을 지나 지리산(가)까지 이어지는 산줄기를 말한다.

오답피하기 ㄱ. 한라산(다)은 남한에서 해발 고도가 가장 높은 산이다. 따라서 지리산(가)은 한라산(다)보다 최고 지점의 해발 고도가 낮다.

ㄴ. 설악산(나)은 지리산(가)보다 고위도에 위치한다.

10 기후 변화와 두 시기의 해안선 이해

문제분석 해수면이 현재보다 하강한 (가)는 최종 빙기, 해수면이 상승한 (나)는 후빙기이다. 지도에서 해안선이 현재보다 바다로 확장된 ㉠은 최종 빙기, 현재의 해안선인 ㉡은 후빙기이다.

정답찾기 ④ 후빙기(㉡)는 최종 빙기(㉠)보다 기온이 높으므로 후빙기(㉡)에는 최종 빙기(㉠)보다 난대림 서식지의 위도가 높아진다. 따라서 최종 빙기(㉠)에서 후빙기(㉡)로 진행하면서 동아시아의 난대림 북한계선은 북상한다.

오답피하기 ① 최종 빙기(가)는 후빙기(나)보다 평균 기온이 낮다.

② 후빙기(나)는 최종 빙기(가)보다 기온이 높고 강수량이 많으므로 식생 밀도가 높다.

③ 한랭 건조한 최종 빙기(㉠)는 온난 습윤한 후빙기(㉡)보다 물리적 풍화 작용이 우세하다.

⑤ (가)와 ㉠은 최종 빙기, (나)와 ㉡은 후빙기이다.

THEME 04 하천 지형과 해안 지형

본문 24~28쪽

수능 실전 문제

01 ②	02 ②	03 ④	04 ③
05 ②	06 ②	07 ⑤	08 ①
09 ③	10 ②		

01 우리나라 하천의 특성 이해

문제분석 제시된 글은 우리나라 하천의 특성을 설명한 것이다.

정답찾기 ② 감조 하천의 하구에 하굿둑을 설치하여 바닷물의 유입을 차단할 수 있다. 우리나라 하천 중 하구에 하굿둑이 설치된 하천은 금강, 영산강, 낙동강이다. 한강 하구에는 하굿둑이 없다.

오답피하기 ① 한반도의 지형은 전체적으로 북쪽과 동쪽이 높고 서쪽과 남쪽이 낮아 대부분의 큰 하천은 황해와 남해로 유입하고 동해로 유입하는 하천은 두만강을 제외하고는 대체로 유로가 짧고 경사가 급하다. 이는 신생대 제3기에 있었던 경동성 요곡 운동에 따른 것이다.

③ 바닷물이 유입하는 감조 구간에서는 하천 수위의 주기적인 변동이 일어나는데, 하구에 가까울수록 조류의 영향이 크므로 수위 변동 폭도 커진다.

④ 상류에서 심하게 곡류하는 하천은 감입 곡류 하천이다. 감입 곡류 하천은 신생대 지각 변동의 영향으로 지반 융기량이 많았던 대하천 중·상류의 산지 지역에 발달한다.

⑤ 우리나라는 강수가 주로 여름에 집중하여 하천의 유량 변동이 심하다. 이에 따라 일 년 중 유량이 가장 적을 때와 가장 많을 때의 비율인 하상계수가 크게 나타난다.

02 하천 상류와 하류의 특성 이해

문제분석 (가)는 하루 중 수위 변화가 거의 없으므로 조류의 영향을 전혀 받지 않는 상류에 위치한 지점이다. (나)와 (다)는 수위 변화가 나타나므로 조류의 영향을 받는 지점인데, (나)보다 (다)의 수위 변화가 크므로 (다)가 (나)보다 하류에 위치한 지점이다.

정답찾기 ㄱ. 퇴적물의 평균 입자 크기는 상류 지점(가)이 하류 지점(다)보다 크다.

ㄹ. 조류의 영향은 상류에서 하류로 갈수록 커진다. 따라서 하류 지점(다)이 중류 지점(나)보다 조류의 영향을 크게 받는다.

오답피하기 ㄴ. 하구와의 거리는 중류 지점(나)이 상류 지점(가)보다 가깝다.

ㄷ. 하상의 해발 고도는 하류에서 상류로 갈수록 높아진다. 따라서 하류 지점(다)이 상류 지점(가)보다 하상의 해발 고도가 낮다.

03 황해, 남해, 동해로 유입하는 하천의 특성 이해

문제분석 세 하천 모두 강원도 태백에서 발원한다. 이 중 오십천(㉠)은 삼척을 거쳐 바다로 들어가므로 동해로 유입하는 하천이다. 골지

천은 정선에서 조양강이 되고, 이후 동강이 된다는 표현을 통해 황해로 유입하는 한강의 지류 하천임을 알 수 있다. 따라서 ㉡은 한강이다. 황지천이 남쪽으로 흘러 경상북도 봉화에서 송정리천과 만난다는 표현을 통해 ㉢은 남해로 유입하는 낙동강이라는 것을 알 수 있다.

정답찾기 ④ 수도권이 포함된 한강 유역은 낙동강 유역보다 상주인구가 많다. 따라서 생활용수로 이용되는 양은 한강(㉡)이 낙동강(㉢)보다 많다.

오답피하기 ① 조수 간만의 차는 황해가 동해보다 크다. 따라서 동해로 유입하는 오십천(㉠)은 황해로 유입하는 한강(㉡)보다 하구에서의 조수 간만의 차가 작다.

② 중부 지방은 동고서저의 경동 지형이 나타나므로 동해로 유입하는 하천은 유로가 짧고 경사가 크다. 따라서 동해로 유입하는 오십천(㉠)은 남해로 유입하는 낙동강(㉢)보다 하상의 평균 경사가 크다.

③ 유로가 길고 지류 하천이 많은 한강(㉡)이 유로가 짧은 오십천(㉠)보다 유역 면적이 넓다.

⑤ 남해로 유입하는 낙동강(㉢)은 동해로 유입하는 오십천(㉠)보다 하구 퇴적물의 평균 입자 크기가 작다.

04 자유 곡류 하천과 감입 곡류 하천의 특성 비교

문제분석 (가)는 주변이 저평하며 우각호가 있는 것으로 보아 자유 곡류 하천이다. (나)는 산지 사이를 곡류하는 것으로 보아 감입 곡류 하천이다.

정답찾기 ㄴ. 감입 곡류 하천(나)은 신생대 지각 변동의 영향으로 지반 융기량이 많았던 대하천 중·상류의 산지 지역에 발달하므로 자유 곡류 하천(가)보다 지반 융기의 영향을 많이 받았다.

ㄷ. 감입 곡류 하천(나)은 자유 곡류 하천(가)보다 상류를 흐르는 하천이므로 하방 침식 작용이 활발하다.

오답피하기 ㄱ. 홍수 발생 시 침수 범위는 저평한 지역을 흐르는 자유 곡류 하천(가)이 산지 사이를 흐르는 감입 곡류 하천(나)보다 넓다.

ㄹ. 자유 곡류 하천 주변은 하천의 범람에 따라 충적지가 잘 발달하므로, 주변 농경지가 논으로 이용되는 비율은 자유 곡류 하천(가)이 감입 곡류 하천(나)보다 높다.

05 선상지, 범람원, 삼각주의 특성 이해

문제분석 A는 선상지, B는 삼각주, C는 범람원 중 밭으로 이용되는 부분이므로 자연 제방, D는 논으로 이용되는 부분이므로 배후 습지이다. 선상지는 산지의 골짜기 입구에 형성된 부채 모양의 퇴적 지형으로 선정, 선앙, 선단으로 이루어진다. 범람원은 하천의 범람으로 운반 물질이 장기간에 걸쳐 반복적으로 퇴적되어 형성된 지형으로, 자연 제방과 배후 습지로 이루어진다. 삼각주는 하천이 운반한 물질이 하천 하구에 퇴적되어 형성된 지형으로, 하천이 운반한 물질의 양이 조류에 의해 제거되는 물질의 양보다 많은 지역에서 잘 형성된다.

정답찾기 ㄴ. 선상지(A)는 삼각주(B)보다 상류에 발달한 퇴적 지형이다. 따라서 퇴적물의 평균 입자 크기는 선상지가 삼각주보다 크다.

오답피하기 ㄱ. 삼각주(B)는 하천이 운반한 물질의 양이 조류에 의해 제거되는 물질의 양보다 많은 지역에서 잘 형성되는데, 영산강 하구는 낙동강 하구보다 조수 간만의 차가 커서 조류에 의해 제거되는 물

질의 양이 많다. 따라서 삼각주는 영산강 하구보다 낙동강 하구에서 탁월하게 발달해 있다.

ㄷ. 자연 제방(C)은 배후 습지(D)보다 해발 고도가 높고, 퇴적물의 평균 입자 크기가 커서 배수성이 좋다. 따라서 홍수 시 침수로 인한 피해 규모는 자연 제방이 배후 습지보다 작다.

06 도시화로 인한 하천의 특성 변화 이해

문제분석 (가)는 식생이 밀집한 자연 상태의 지표면, (나)는 도시화가 이루어져 아스팔트, 콘크리트 등으로 포장된 상태의 지표면을 나타낸 것이다. 도시화로 인해 포장된 지표면이 늘어나면 강우 시 빗물의 지표 유출량이 많아지고 빗물이 하천으로 유입하는 속도가 빨라져 하천을 흐르는 물의 최고 수위가 높아지고 최고 수위에 이르는 시간도 빨라진다. 즉, 홍수의 위험성이 커진다. 따라서 도시의 물 순환을 자연 상태로 회복하기 위해 도시의 물 순환 시스템을 개선할 필요가 있다.

정답찾기 ㄱ. 포장면의 비율이 높은 도시에서는 강우 시 지하로 흡수되는 빗물의 양이 적기 때문에 이를 대신할 수 있도록 지하 공간에 빗물을 저장할 수 있는 시설을 확대할 필요가 있다.

ㄷ. 자연 상태의 지표면(가)은 포장 상태의 지표면(나)보다 증발산이 잘 일어나고 빗물의 지하 흡수량이 많다.

오답피하기 ㄴ. 하천의 범람 가능성은 포장 상태의 지표면(나)이 자연 상태의 지표면(가)보다 크다.

ㄹ. 자연 상태의 지표면(가)은 포장 상태의 지표면(나)보다 강우 시 빗물이 인근 하천으로 유입하는 데 걸리는 평균 시간이 길다.

07 황해, 남해, 동해의 특징 이해

문제분석 (가)는 황해, (나)는 동해, (다)는 남해이고, A는 인천, B는 독도, C는 남해안 인근에 위치한 섬들이다.

정답찾기 ⑤ 간척 사업은 조수 간만의 차가 커서 갯벌이 발달한 해안에서 주로 이루어진다. 동해안((나)의 해안)은 조수 간만의 차가 작아 갯벌의 발달이 미약하므로, 상대적으로 조수 간만의 차가 커서 갯벌이 발달한 남해안((다)의 해안)보다 간척지 면적이 좁다.

오답피하기 ① 인천(A)에 있는 인천항에는 조수 간만의 차가 크기 때문에 선박의 입·출항이 가능하도록 갑문이 설치되어 있다.

② 독도(B) 주변 해역은 한류와 난류가 교차하는 조경 수역이 형성되어 있어 어족 자원이 풍부하다.

③ 남해안 인근에 위치한 섬들(C)은 후빙기 이전인 최종 빙기에는 육지의 일부였으나, 후빙기에 해수면이 상승하면서 섬이 되었다.

④ 해안선의 굴곡도는 해안선 길이를 직선 길이로 나눈 뒤 1을 뺀 수치로, 해안의 복잡성을 나타내는 지표이다. 따라서 해안선의 드나듦이 큰 서해안((가)의 해안)은 해안선이 단조로운 동해안((나)의 해안)보다 해안선의 굴곡도가 크다.

08 해안 지형의 특성 이해

문제분석 A는 사빈, B는 사빈 배후에 발달하는 해안 사구, C는 기반암이 노출되어 있는 암석 해안, D는 갯벌이다. 이 중에서 (가)는 침식 지형이므로 암석 해안(C), (나)는 형성 과정에 주된 영향을 끼친

것이 바람이므로 바람의 퇴적 작용으로 형성된 해안 사구(B), (다)는 형성 과정에 주된 영향을 끼친 것이 조류이므로 조류의 퇴적 작용으로 형성된 갯벌(D)이다. 나머지 (라)는 사빈(A)이다.

정답찾기 ① 암석 해안(가)에 있는 절벽(해식애)은 시간이 지날수록 파랑의 침식 작용을 받아 점차 육지 쪽으로 후퇴한다.

오답피하기 ② 만조 시에 바닷물에 잠기는 지형은 갯벌(다)이다.

③ 담수 저장 기능이 있으며, 습지가 형성되기도 하는 지형은 해안 사구(나)이다.

④ 퇴적물의 평균 입자 크기는 사빈(라)이 갯벌(다)보다 크다.

⑤ 암석 해안(가)은 C, 해안 사구(나)는 B, 갯벌(다)은 D, 사빈(라)은 A이다.

09 석호와 해안 단구의 특성 이해

문제분석 (가)의 A는 석호로 후빙기 해수면 상승으로 형성된 만의 입구에 사주가 발달하여 형성된 호수이다. (나)의 B는 해안 단구면으로, 해안 단구는 과거의 파식대나 해안 퇴적 지형이 지반 융기나 해수면 변동에 의해 현재 해수면보다 높은 곳에 위치하게 된 계단 모양의 지형이다.

정답찾기 ③ 석호는 후빙기 이후에 형성되었고, 해안 단구는 신생대에 있었던 지반 융기의 영향을 받아 형성되었다. 따라서 지형의 형성 시기는 해안 단구면(B)이 석호(A)보다 이르다.

오답피하기 ① 석호(A)의 물은 염분이 섞여 있으므로 농업용수로 이용하기가 어렵다.

② 유동성이 큰 용암이 틈새 분출하여 형성된 지형은 용암 대지이다.

④ 석호(A)는 호수로 유입되는 하천의 퇴적 작용으로 규모가 점차 축소되고, 해안 단구면(B) 역시 전면부의 해식애가 파랑의 침식 작용으로 후퇴하면서 점차 축소된다.

⑤ 파랑 에너지가 집중하는 곳(串)에서 침식 지형이 발달한다. 따라서 파랑의 침식 작용으로 형성된 암석 해안이 발달한 (나)의 해안이 퇴적 지형인 사주가 발달한 (가)의 해안보다 파랑 에너지가 크다.

10 해안 침식 현상 이해

문제분석 해안 침식 현상에 대한 원인 파악과 대책이 필요하다는 내용의 글 자료이다.

정답찾기 ㄱ. 해송(㉠)이 심겨진 곳은 해안 사구이다. 일반적으로 해안 사구에는 모래바람으로부터 배후의 농경지나 마을을 보호하기 위해 바닷바람에 강한 해송을 심는다.

ㄷ. ㉢에는 해안 침식의 인위적인 원인이 제시되어야 한다. 따라서 ㉢에는 '연안 지역의 개발 사업'이 들어갈 수 있다.

오답피하기 ㄴ. 기후 변화(㉡)로 인해 해수면이 상승하고 있다.

ㄹ. 방파제와 방조제의 건설은 해안 침식의 대책으로 볼 수 없다. 해안 침식의 대책(㉣)으로는 모래 포집기나 그로인 등의 설치를 들 수 있다.

본문 31~33쪽

01 ③   02 ②   03 ⑤   04 ⑤
05 ⑤   06 ③

01 화산 지형의 분포 이해

문제분석 지도에 표시된 지역은 철원, 울릉도, 제주도이다. 화산 활동으로 형성된 평야에서 쌀을 생산하는 (가)는 용암 대지가 형성된 철원이다. 눈이 많이 내리는 지역으로 겨울이 온화하고 여름 기온이 높지 않아 삼나물 재배에 적합한 (나)는 울릉도이다. 겨울이 따뜻하고 검은색 토양에서 화산 암반수를 이용해 녹차를 재배하는 (다)는 제주도이다.

정답찾기 ③ 현무암질 마그마의 열하 분출로 용암 대지가 형성된 철원과 달리 제주도에는 360여 개의 오름(기생 화산)이 있다.

오답피하기 ① 울릉도(나)의 나리 분지는 화구가 함몰되어 형성된 칼데라 분지이다.
② 제주도(다)의 한라산, 성산 일출봉, 거문 오름 용암 동굴계는 유네스코에 등재된 세계 자연 유산이다.
④ 제주도(다)는 유동성이 큰 현무암질 마그마가 주로 분출하여 비교적 경사가 완만한 편이다. 반면에 울릉도(나)는 점성이 큰 조면암질 마그마가 주로 분출하여 형성된 급경사의 종상 화산이다. 따라서 제주도(다)는 울릉도(나)보다 현무암이 차지하는 비율이 높다.
⑤ 철원(가)의 용암 대지, 울릉도(나), 제주도(다)에는 모두 용암이 냉각되어 형성된 주상 절리가 있다.

02 제주도의 화산 지형 이해

문제분석 제주도는 화산 지형을 비롯한 다양한 자연 경관을 관광 자원으로 이용하고 있다. 이들 관광지에 분포하는 지형의 형성 요인과 특성 등을 묻고 있다.

정답찾기 ② 오름은 한라산 기슭에 분포하는 소형 화산체인 기생 화산의 제주도 방언이다. 기생 화산은 소규모 용암 분출이나 화산 쇄설물에 의해 형성된 작은 화산을 의미한다. 새별오름(ⓒ)도 대표적인 기생 화산이다.

오답피하기 ① 만장굴(㉠)은 용암 동굴로 화산 지형이다. 용암 동굴은 용암의 냉각 속도 차이로 형성된다. 기반암이 지하수의 용식 작용을 받아 형성된 동굴은 석회 동굴로 카르스트 지형에 해당한다.
③ 백록담(ⓒ)은 화구에 물이 고인 화구호이다. 화구가 함몰되어 형성된 칼데라에 해당하는 지형으로는 울릉도의 나리 분지, 백두산의 천지 등이 있다.
④ 제주도는 신생대 화산 활동으로 형성된 섬이다. 따라서 제주도에서 중생대에 서식했던 공룡의 흔적은 찾기가 어렵다. 제주도의 발자국 화석 공원(ⓔ)에는 구석기 시대에 살았던 인류, 포유류, 조류 등의 발자국이 분포한다.
⑤ 지질 구조선을 따라 마그마가 관입하여 형성된 암석은 화강암이

다. 대포 주상 절리(ⓜ)를 비롯해 제주도에 분포하는 주상 절리는 대부분 현무암으로 이루어져 있다.

03 울릉도와 백두산의 화산 지형 비교

문제분석 왼쪽 지도는 울릉도, 오른쪽 지도는 백두산을 나타낸 것이다. C는 화구의 함몰로 형성된 칼데라 분지인 나리 분지이다. 나리 분지(C) 주변을 둘러싼 산봉우리인 미륵산(A)은 나리봉, 성인봉 등과 함께 외륜산이고, 알봉(B)은 나리 분지(C) 형성 이후 화산 분출로 만들어진 중앙 화구구이다. 천지(D)는 화구가 함몰되어 형성된 칼데라에 물이 고인 칼데라호이고, E는 최종 빙기에 빙하의 침식으로 길게 파인 와지이다.

정답찾기 ㄷ. 울릉도 형성 초기에 화구의 함몰로 칼데라 분지(C)와 외륜산(A)이 형성되었고, 이후 화산 분출로 중앙 화구구(B)가 형성되었다. 따라서 미륵산(A)은 알봉(B)보다 산 정상부의 형성 시기가 이르다.
ㄹ. 나리 분지(C)는 칼데라 분지, 천지(D)는 칼데라호이다. 칼데라는 화구의 함몰로 형성된 지형이다.

오답피하기 ㄱ. 화산섬인 울릉도의 나리 분지(C)는 배수가 잘되는 토양으로 덮여 있어 대부분 밭으로 이용된다.
ㄴ. 돌리네와 우발라는 석회암 지대에 분포하는 카르스트 지형이다. 화산 활동으로 형성된 백두산에는 주로 화산암이 분포하므로 돌리네, 우발라 등이 형성되기가 어렵다.

04 한탄강 용암 대지의 형성 및 토지 이용 이해

문제분석 지도는 한탄강 일대의 용암 대지를 나타낸 것이다. A는 용암 대지 형성 이전부터 존재하던 산의 일부, B와 D는 현무암질 용암의 열하 분출로 기존의 골짜기가 메워지면서 형성된 용암 대지, C는 한탄강 양안에 형성된 절벽이다.

정답찾기 ⑤ B는 용암 대지의 일부이므로 주된 기반암은 신생대의 현무암이다. A는 현무암질 용암이 메우지 못한 산 정상부로 용암 대지가 형성되기 이전부터 존재하던 지형이다. 따라서 A는 B보다 주된 기반암의 형성 시기가 이르다.

오답피하기 ① A는 용암 대지 형성 이전부터 존재하던 산 정상부이다. 기생 화산이 발달한 지역은 제주도이다.
② 한탄강 일대의 용암 대지(B)는 수리 시설을 확보한 후 논으로 이용된다. 용암 대지(B)는 협곡을 흐르는 한탄강보다 높은 고도에 위치하므로 홍수 시 한탄강이 용암 대지(B)로 범람할 가능성은 낮다.
③ 유네스코 세계 자연 유산으로 등재된 천연 동굴은 제주도의 만장굴을 비롯한 용암 동굴이다.
④ D는 용암 대지이다. 오랜 침식을 받은 평탄한 지형이 융기한 고위 평탄면은 주로 1차 산맥 주변에 분포한다.

05 카르스트 지형과 화산 지형 비교

문제분석 왼쪽 지도는 카르스트 지형이 발달한 지역을 나타낸 것이다. A는 돌리네, B는 산지 사이를 곡류하는 감입 곡류 하천이다. 오른쪽 지도는 화산 지형이 발달한 제주도를 나타낸 것이다. C는 기생 화산, D는 한라산 산록부의 일부이다.

(정답찾기) ⑤ 제주도 기생 화산(C)의 주된 기반암은 신생대에 형성된 화산암, 돌리네(A)의 주된 기반암은 고생대 초기에 형성된 석회암이다. 따라서 기생 화산(C)은 돌리네(A)보다 주된 기반암의 형성 시기가 늦다.

(오답피하기) ① B 하천 주변은 카르스트 지형이 발달한 석회암 지대이므로 주상 절리를 관찰하기가 어렵다. 주상 절리가 발달한 대표적인 지역은 철원, 제주도 등이다.

② 용식 작용으로 형성된 동굴은 석회암 지대에 분포하는 석회 동굴이다. 기생 화산(C)이 분포하는 제주도는 화산 지대이므로 석회 동굴이 발달하기가 어렵다.

③ D는 현무암으로 이루어진 한라산 산록부이므로 흑갈색의 현무암 풍화토가 분포한다. 회백색의 성대 토양은 냉대림 지대인 개마고원에 주로 분포한다.

④ 돌리네(A)는 B 하천보다 50m 이상 고도가 높은 완경사면에 분포한다. 따라서 호우 시 돌리네(A) 일대가 침수될 가능성은 낮은 편이다.

06 석회암 지대의 자연환경 이해

(문제분석) 석회암 지대에 발달하는 지형과 그 특성을 묻고 있다. 석회암이 빗물에 용식되어 형성된 깔때기 모양의 ㉠은 돌리네, 여러 개의 돌리네가 연결되면서 형성된 ㉎은 우발라이다.

(정답찾기) ③ 석회암 풍화토(㉣)는 석회암의 용식 과정에서 철 성분이 산화되어 붉은색을 띤다. 회백색의 산성 토양은 주로 개마고원 일대에 분포한다.

(오답피하기) ① 충북 단양 일대와 강원 영월, 정선 등(㉡)에는 석회암이 분포한다. 석회암은 고생대 조선 누층군에 주로 분포한다.

② 석회 동굴(㉢) 내부에는 탄산 칼슘($CaCO_3$)이 침전되어 형성된 종유석, 석순, 석주 등이 발달해 있다.

④ 돌리네(㉠)의 물은 싱크홀을 통해 지하로 쉽게 빠진다. 따라서 농경지(㉤)는 대부분 밭으로 이용된다.

⑤ ㉠에는 돌리네, ㉎에는 우발라가 들어간다.

본문 37~41쪽

THEME 06 우리나라의 기후 특성과 주민 생활

수능 실전 문제

01 ④	02 ①	03 ③	04 ③
05 ④	06 ④	07 ②	08 ①
09 ⑤	10 ③		

01 대륙 서안 기후와 동안 기후의 상대적 기후 특성 이해

(문제분석) (가)와 (나) 모두 중위도의 온대 기후 지역에 위치하지만 (가)는 영국 런던으로 유라시아 대륙 서안에 위치하여 해양성 기후가 나타나고, (나)는 우리나라 서울로 유라시아 대륙 동안에 위치하여 대륙성 기후가 나타난다. (나)는 (가)보다 기온의 연교차가 크고, 강수량의 계절 차가 크며, 연 강수량이 많다. 또한 최한월 평균 기온이 낮은 것이 특징이다.

(정답찾기) 갑. 해양의 영향을 크게 받는 런던(가)의 기온의 연교차는 약 13.3℃이고, 대륙의 영향을 받는 서울(나)의 기온의 연교차는 약 28.0℃이다. 따라서 서울(나)은 런던(가)보다 기온의 연교차가 크다.

을. 런던(가)은 연중 편서풍과 바다(대서양)의 영향을 받아 강수가 고르게 나타나며 연 강수 편차는 약 27.6mm에 불과하다. 서울(나)은 대륙에서 불어오는 겨울 계절풍의 영향을 받는 1월 강수량이 가장 적고 바다에서 불어오는 여름 계절풍의 영향을 받는 7월에는 장마 전선과 태풍의 영향을 함께 받아 두 시기의 강수량 차이는 약 398.1mm이다. 따라서 서울(나)은 런던(가)보다 강수량의 계절 차가 크다.

병. 런던(가)의 연 강수량은 약 633.4mm이고, 서울(나)의 연 강수량은 약 1,417.8mm이다. 따라서 서울(나)은 런던(가)보다 연 강수량이 많다.

(오답피하기) 정. 연중 대서양과 편서풍의 영향을 받는 런던(가)은 최한월(1월) 평균 기온이 약 5.7℃이고, 겨울철 유라시아 대륙에서 불어오는 계절풍의 영향을 받는 서울(나)은 최한월(1월) 평균 기온이 약 −1.9℃이다. 따라서 서울(나)은 런던(가)보다 최한월 평균 기온이 낮다.

02 기후 요인에 의한 기후 요소의 지역 차 이해

(문제분석) 기후 요소(기온, 강수, 바람 등)는 기후 요인에 따라 지역별로 차이가 나타난다. 해안은 내륙보다 기온의 연교차가 작고, 저위도에서 고위도로 갈수록 기온은 낮아지며, 비 그늘 사면은 바람받이 사면보다 강수량이 적다. 또한 해발 고도가 높아질수록 기온은 낮아진다.

(정답찾기) ㄱ. 인천은 해안에, 홍천은 내륙에 위치한다. 따라서 인천(27.1℃)은 홍천(29.5℃)보다 기온의 연교차가 작다.

ㄴ. 강릉과 포항은 모두 동해안에 위치하지만, 강릉은 포항보다 위도가 높다. 따라서 강릉(13.5℃)은 포항(14.6℃)보다 연평균 기온이 낮다.

(오답피하기) ㄷ. 겨울철 북동 기류의 영향을 받는 시기에 영동 지방인 강릉은 바람받이 사면에 해당하고 영서 지방인 홍천은 비 그늘 사면에 해당한다. 따라서 강릉은 홍천보다 강설량이 많다.

ㄹ. 홍천은 대관령보다 해발 고도가 낮다. 따라서 홍천(24.7℃)은 대관령(19.7℃)보다 최난월 평균 기온이 높다.

03 각 지역의 기후 특성과 주민 생활 이해

문제분석 기온 분포는 위도, 해발 고도, 수륙 분포 등의 영향을 받는다. 일반적으로 위도가 낮은 곳에서 높은 곳으로 갈수록 기온은 낮아지므로 G는 서귀포이다. 연평균 기온이 서귀포(G) 다음으로 높고 연강수량이 D~F보다 적은 C는 남한의 대표적인 소우지에 해당하는 영남 내륙의 대구이다. 대구(C) 다음으로 연평균 기온이 높고 F보다 강수량이 적은 D는 군산이며, F는 울릉도, E는 원산이다. 지도에서 가장 북쪽에 위치한 비슷한 위도대의 두 곳은 중강진과 청진이다. 중강진은 청진보다 해발 고도가 높고 내륙에 위치하기 때문에 연평균 기온이 낮다. 따라서 A는 청진, B는 중강진이다.

정답찾기 ③ 대구(C)는 울릉도(F)보다 위도는 낮지만 내륙에 위치하고, 울릉도는 섬이라는 특수성 때문에 바다의 영향을 많이 받는다. 이러한 이유로 인해 두 지역의 최한월 평균 기온은 1℃ 미만의 차이로 울릉도(F)가 대구(C)보다 높다. 하지만 최난월 평균 기온은 내륙인 대구(C)가 울릉도(F)보다 약 3℃ 높다. 따라서 대구(C)는 울릉도(F)보다 기온의 연교차가 크다.

오답피하기 ① G는 제주의 서귀포이다. 정주간은 주로 관북 지방과 같이 폐쇄적인 구조의 전통 가옥에서 잘 관찰된다.
② 남부 지방은 북부 지방보다 기후가 온화하기 때문에 김치가 발효되지 않도록 주로 소금이나 젓갈을 많이 넣어 김치를 담가 먹는다. B는 북부 지방의 중강진, D는 남부 지방의 군산이다.
④ A(청진)와 E(원산)는 해안, B(중강진)와 C(대구)는 내륙에 위치한다.
⑤ 해양의 영향을 크게 받는 F(울릉도)는 다른 지역들보다 계절별 강수 분포가 고르게 나타난다.

04 강수 유형의 이해

문제분석 (가)는 따뜻한 공기가 지속적으로 상승하여 발생하는 저기압성 강수이고, (나)는 지면의 국지적 가열로 대류 현상이 발생할 때 강한 상승 기류와 함께 나타나는 대류성 강수이다.

정답찾기 갑. (가)는 저기압성 강수, (나)는 대류성 강수이다.
을. 태풍은 북태평양 서쪽 열대 해상에서 7~10월에 많이 발생하는 열대 저기압이다. 태풍은 고위도로 북상하면서 동남아시아와 동아시아 등에 강한 바람과 비를 내리며 영향을 주는데, 이때 내리는 강수의 유형이 저기압성 강수이다.

오답피하기 병. 장마철에 주로 내리는 비는 전선성 강수에 해당한다.

05 기온의 연교차와 계절별 강수 분포에 의한 지역 구분 이해

문제분석 (가)는 장수, (나)는 의성, (다)는 속초이다. 또한 각 지표에 해당하는 A~C는 각각 기온의 연교차, 겨울 강수량, 여름 강수량 중 하나이다.

정답찾기 ④ A. 내륙인 장수(가), 의성(나)에서 값이 큰 차이가 나지 않고, 의성(나)에서 상댓값이 최대이며 해안 지역인 속초(다)에서 상댓값이 가장 낮은 지표인 A는 기온의 연교차이다.

B. 속초(다)에서 상댓값이 최대이며 장수(가)에서 상댓값이 두 번째로 높은 지표인 B는 겨울 강수량이다. 영동 지방인 속초(다)는 겨울철 북동 기류의 영향으로 폭설이 자주 내리고, 장수(가)는 겨울철 북서 계절풍이 황해를 지나 소백산맥에 부딪히며 눈이 내린다.
C. 장수(가)에서 상댓값이 최대이고 나머지 두 지역에서 값이 상대적으로 낮은 지표인 C는 여름 강수량이다. 장수(가)는 여름철 남서 기류가 유입될 때 바람받이 사면에 해당하여 다른 두 지역에 비해 강수량이 많다.

06 계절별 풍향, 풍속과 기후 특성 파악

문제분석 (가)와 (나)의 풍향을 통해 두 시기(1월, 7월)를 구분할 수 있다. (가)는 (나)와 비교하였을 때 남쪽, 남서쪽, 남동쪽의 풍향별 관측 횟수의 백분율이 높으므로 여름 계절풍의 영향을 받는 7월임을 알 수 있다. 이에 반해 (나)는 서쪽, 북서쪽의 풍향별 관측 횟수의 백분율이 높으므로 겨울 계절풍의 영향을 받는 1월임을 알 수 있다.

정답찾기 ④ 주로 해양의 영향을 받아 강수량도 많고 습한 7월(가)은 주로 대륙의 영향을 많이 받는 건조한 1월(나)보다 상대 습도가 높다.

오답피하기 ① 서고동저형의 기압 배치가 주로 나타나는 시기는 1월(나)이다.
② 1월(나) 보은의 풍향은 남동풍보다 북서풍의 발생 빈도가 높다.
③ 해양성 기단의 영향을 많이 받는 시기는 7월(가)이다.
⑤ 겨울에 해당하는 1월(나)은 여름에 해당하는 7월(가)보다 평균 기온이 낮다.

07 장마철의 특징 이해

문제분석 빅 데이터를 통해 날씨와 편의점 매출의 상관관계를 살펴본 글 자료에서 (가) 시기는 장마철임을 알 수 있다. 장마철(가)에는 사람들이 집에서 미리 우산을 챙겨 나오는 반면, 본격적인 장마철(가)이 시작되기 전에는 우산 없이 집을 나섰다가 갑자기 쏟아지는 비에 우산을 사는 경우가 많았다는 내용이 제시되어 있다.

정답찾기 ② 장마철에는 높은 기온과 습도로 불쾌지수가 높다.
오답피하기 ① 단풍이 절정을 이루는 시기는 가을이다.
③ 일조량이 풍부하여 농작물 수확이 한창인 시기는 가을이다.
④ 오호츠크해 기단의 영향으로 높새바람이 불어 영서 지방에 가뭄이 발생하는 시기는 주로 늦봄~초여름이다.
⑤ 작은 모래나 흙먼지가 편서풍을 타고 날아오는 황사 현상은 건조한 봄철과 겨울철에 주로 나타난다.

08 기후 특성이 반영된 우리나라의 전통 가옥 구조 이해

문제분석 A~C는 각각 대청, 우데기, 정주간 중 하나이다. 가옥의 외벽에 해당하는 (가)의 A가 우데기이고, (가)는 울릉도의 전통 가옥 구조에 해당한다. 개방적인 'ㅡ'자형 홑집 구조인 (나)는 남부 지방의 전통 가옥 구조에 해당하며, 이를 통해 B가 대청임을 알 수 있다. 폐쇄적인 '田'자형 겹집 구조인 (다)는 관북 지방의 전통 가옥 구조에 해당하며, 이를 통해 C가 정주간임을 알 수 있다.

정답찾기 ㄱ. 우데기(A)는 바람, 눈, 비를 막기 위해 지붕의 처마 끝에서부터 땅에 닿는 부분까지 둘러치는 벽으로 울릉도의 전통 가옥 시설이다.

ㄴ. 대청(B)은 고온 다습한 남부 지방의 전통 가옥에서 쉽게 볼 수 있는 마루 형태이다. 나무 널판으로 짜인 바닥은 습기를 피하고 통풍이 쉽도록 지면으로부터 떨어져 있고, 외벽은 일부가 개방되어 있거나 열고 닫기 쉬운 구조로 되어 있는 것이 특징이다.

오답피하기 ㄷ. 정주간(C)은 관북 지방의 겹집 형태에 존재하는 오늘날의 거실(가옥 내부의 활동 공간)과 같은 공간으로 추운 겨울을 지내기에 알맞으며, 방과 통하는 문을 제외하고 벽으로 막혀 있어 채광과 통풍에는 불리하다.

ㄹ. (나)는 홑집, (다)는 겹집 구조이다.

09 기후 값 차이를 활용한 지역 구분 이해

문제분석 세 지역 중 위도가 가장 낮은 제주는 연평균 기온이 가장 높으므로 연평균 기온 차이의 값이 가장 높을 것이다. 따라서 (가)는 제주이다. 이와 반대로 연평균 기온 차이의 값이 가장 낮은 (다)는 위도가 가장 높은 삼지연(다)이고, 나머지 (나)는 홍천이다.

정답찾기 ⑤ (가)~(다) 중 여름 강수 집중률이 가장 높은 곳은 홍천 (나)이다. 홍천은 장마 전선의 정체와 태풍의 영향, 여름 계절풍의 바람받이에 해당하는 지역으로 여름 강수량이 많고 여름 강수 집중률이 높다.

오답피하기 ① 제주(가)는 온대 기후 지역이다.
② 홍천(나)은 제주(가)보다 최난월 평균 기온이 낮다.
③ 홍천(나)은 삼지연(다)보다 해발 고도가 낮다.
④ 삼지연(다)은 제주(가)보다 겨울 강수량이 적다.

10 위도, 수륙 분포, 해발 고도에 따른 지역 간 기온 차이 이해

문제분석 (가)는 북부의 중강진부터 남부의 제주까지 위도 차이가 나는 지역의 최난월과 최한월 평균 기온을 나타낸 것이고, (나)는 인천에서 울릉도까지 위도가 비슷한 지역의 최난월과 최한월 평균 기온을 나타낸 것이다. (가), (나) 지역 간 기온 차이와 관련한 분석 내용을 보면, 1 모둠: (가)는 남북으로 위도 차이가 나는 지역들이, (나)는 동서로 비슷한 위도의 지역들이 제시되어 있으므로 분석 내용이 옳다. 2 모둠: 최한월 평균 기온의 지역 차는 (가)에서 중강진과 제주가 약 22℃로 가장 큰 차이가 나고, 최난월 평균 기온의 지역 차는 (나)에서 인천과 대관령이 약 5.9℃로 가장 큰 차이가 나기 때문에 분석 내용이 옳다. 3 모둠: 중강진은 제주보다 서리가 내리지 않는 기간(무상 기간)이 짧으므로 분석 내용이 옳지 않다. 4 모둠: (나)에서 최한월 평균 기온이 가장 낮은 지역은 대관령이고, 대관령은 다른 네 지역에 비해 해발 고도가 높으므로 분석 내용이 옳다. 5 모둠: 비슷한 위도의 동해안(강릉)은 서해안(인천)보다 최한월 평균 기온이 높으므로 분석 내용이 옳다.

정답찾기 ③ 1~5 모둠 중 분석 내용이 옳지 않은 모둠은 3 모둠이다.

THEME 07 자연재해와 기후 변화

수능 실전 문제

본문 44~47쪽

01 ④	02 ①	03 ③	04 ④
05 ⑤	06 ②	07 ②	08 ③

01 지진과 태풍의 특징 파악

문제분석 ㉠은 '가옥들의 기와가 떨어질 정도였다'를 통해 지진임을 알 수 있다. 제주에서 발생한 ㉡은 '나무들이 모두 뿌리째 뽑히고', '포구의 선박들도 많이 떠내려가고 깨지고' 등의 내용을 통해 태풍임을 알 수 있다.

정답찾기 ㄴ. 우리나라에서 태풍(㉡) 피해가 주로 발생하는 시기는 여름과 초가을이다. 따라서 태풍 피해가 발생하는 횟수는 겨울보다 여름에 많다.

ㄹ. 지진(㉠)은 지형적 요인, 태풍(㉡)은 기후적 요인에 의한 자연재해이다.

오답피하기 ㄱ. 태풍(㉡)으로 발생하는 강수 현상은 저기압성 강수이다.

ㄷ. 농경지 시설 피해액에서 차지하는 비율은 태풍(㉡)이 지진(㉠)보다 높다.

02 한파 발생 시 행동 요령 파악

문제분석 자료에 제시된 내용 중 '사망률의 월별 변화는~겨울철에 높아지는 경향을 보인다', '일 최저 기온이 −11.9℃ 이하가 되면 다음날 질병 사망자 수는 평소보다 7.1% 증가' 등의 내용을 통해 (가)를 한파로 추론할 수 있다.

정답찾기 ① 한파가 발생하면 기온이 영하권으로 떨어져 수도 계량기 동파 사고 등이 발생할 수 있으므로 미리 보온 조치를 해 두어야 한다.

오답피하기 ② 스노 체인, 염화 칼슘, 삽 등의 자동차 월동용품을 준비하는 것은 주로 폭설을 대비한 행동 요령이다.
③ 선박이나 어망·어구 등을 미리 묶어 두어 피해를 최소화하려는 것은 태풍에 대비한 행동 요령이다.
④ 탁자 아래와 같이 집 안에서 안전하게 대피할 수 있는 공간을 미리 파악해 두는 것은 지진에 대비한 행동 요령이다.
⑤ 열사병 증상은 주로 폭염 발생 시 나타나므로 해당 내용은 폭염에 대비한 행동 요령이다.

03 시설별·원인별 자연재해 피해액 파악

문제분석 (가)는 농경지와 건물 피해액이 많은 것으로 보아 호우이다. (나)는 건물과 농경지에서 피해가 많이 발생하였고, 특히 선박에서 (가)~(라) 중 피해액 비율이 가장 높은 것으로 보아 태풍이다. (라)는 건물 피해액이 많고, 선박과 농경지에서 피해 발생이 미약한 것으로 보아 지진이다. (다)는 대설로, 대설은 일부 시설물 붕괴와 같은 재해를 일으킬 수 있고, 발생 시 바람과 함께 선박 피해가 일부 나타날 수 있다.

정답찾기 ③ 2016~2017년 경주, 포항은 유래를 찾아볼 수 없을 정도로 큰 지진 피해가 발생하였다. 따라서 최근 10년간(2012~2021년) 지진(라) 피해액이 가장 많은 지역은 경북이다.

오답피하기 ① 태풍(나)은 북태평양 기단과 적도 기단이 세력을 확장하고 영향을 주는 여름철에 주로 발생한다. 시베리아 기단은 주로 겨울철에 영향을 준다.
② 강한 바람과 많은 비를 동반하여 풍수해를 유발하는 것은 태풍(나)이다.
④ 호우(가)가 대설(다)보다 우리나라의 연 강수량에 미치는 영향이 크다.
⑤ 태풍(나)이 지진(라)보다 최근 10년간(2012~2021년) 연평균 피해액이 많다.

04 호우와 폭염 발생 시 재난 안전 문자 내용 비교

문제분석 ㉠은 많은 비로 인해 하천 주변이 잠기거나 유속이 증가하여 피해가 발생할 수 있음을 안내하고 있지만 강한 바람에 의한 피해 내용은 없으므로 호우이다. ㉡은 한낮 시간 야외 활동 시 수분 섭취와 휴식을 충분히 취할 것과 온열 질환에 대한 안내가 있는 것으로 보아 폭염이다.

정답찾기 ④ ㉠ 호우, ㉡ 폭염이다.

05 기후 변화로 인해 한반도에서 나타날 변화 이해

문제분석 우리나라의 연평균 기온이 21세기 중반기부터 급격하게 상승할 것으로 전망하는 고탄소 시나리오의 상황을 예측해 본다.

정답찾기 ⑤ 급격한 기온 상승으로 주요 지역의 빙하가 녹아 해수면이 상승하면 해안 저지대의 침수 위험 지역이 넓어질 것이다.

오답피하기 ① 서리 일수는 감소한다.
② 단풍이 드는 시기는 늦어진다.
③ 난대림의 북한계선은 북상한다.
④ 한라산 고산 식물의 분포 범위는 좁아진다.

06 지역별 평균 기온의 변화 분석

문제분석 (가)~(라) 중 1월 평균 기온이 가장 낮은 (라)는 서울, 8월 평균 기온이 가장 높은 (나)는 대구, 8월 평균 기온이 가장 낮은 (가)는 울릉도, 나머지 (다)는 강릉이다.

정답찾기 ② 8월 평균 기온의 변화가 가장 큰 곳은 서울(라)로 약 0.7℃ 상승하였으며, 그래프 기울기로 파악할 수 있다.

오답피하기 ① 평균 기온의 변화는 1월이 두드러지고 상대적으로 8월은 작다는 것을 알 수 있다.
③ 그래프의 세로축 변화 폭과 가로축 변화 폭을 통해 강릉(다)은 울릉도(가)보다 1월과 8월 모두 평균 기온의 변화가 크다는 것을 알 수 있다.
④ 대구(나)와 서울(라)은 강릉(다)과 울릉도(가)보다 1월 평균 기온의 상승 폭이 크다.

⑤ 대구(나)와 서울(라)의 위도 차이는 강릉(다)과 서울(라)의 위도 차이보다 크다. 강릉(다)과 서울(라)은 비슷한 위도대에 위치한다.

07 두 시기의 한반도 식생 분포 파악

문제분석 (가) → (나)를 통해 냉대림의 분포 면적이 감소하고 난대림의 분포 면적이 증가하였음을 알 수 있다. 이는 한반도의 기후가 온화해지고 있음을 나타내는 자료로, 이와 같은 현상 발생 시 난대림 분포의 북한계선은 북상하고, 냉대림 분포 면적은 감소하며, 고산 식생 분포 면적 또한 감소할 것으로 예측할 수 있다.

정답찾기 ② 그림에서 난대림 분포의 북한계선은 북상, 냉대림 분포 면적은 감소, 고산 식생 분포 면적이 감소에 해당하는 것은 B이다.

08 강원 남부, 충북 북동부, 경북 북부 지역에 분포하는 토양의 특성 파악

문제분석 A~C 중 분포 범위가 가장 넓은 것은 갈색 삼림토이므로 A는 갈색 삼림토이다. 강원도, 충청북도, 경상북도의 경계 지역에는 석회암 분포지가 나타나므로 B는 석회암 풍화토이다. C는 하천 유로 주변에 분포하는 것으로 보아 충적토이다.

정답찾기 ㄴ. 석회암 풍화토(B)가 분포하는 지역은 석회암이 용식 작용을 받아 생긴 공간 등으로 물이 빠져나가 배수가 잘되며, 주로 밭 농사가 이루어진다.
ㄷ. 충적토(C)는 하천 주변 충적지에 분포하며, 상류부와 주변 지역으로부터 운반된 유기물이 집적되어 비옥한 편이다.

오답피하기 ㄱ. 갈색 삼림토(A)는 기후의 성질이 반영된 성대 토양이다.
ㄹ. 갈색 삼림토(A)와 석회암 풍화토(B)는 성숙토, 충적토(C)는 미성숙토이다. 따라서 충적토(C)는 갈색 삼림토(A)와 석회암 풍화토(B)보다 토양층의 발달이 미약하다.

시가 들어가야 한다. 이 시기에 포항은 제철 공업으로 성장하였고, 울산은 자동차, 석유 화학 공업 등으로 성장하였다. 따라서 (나)는 D이다. (다)에는 1980~1990년대 발달한 대도시 인근의 위성 도시 및 신도시가 들어가야 한다. 서울에 인접한 고양과 성남에는 각각 수도권 1기 신도시인 일산 신도시와 분당 신도시가 건설되었다. 따라서 (다)는 A이다. (라)에는 2000년대 이후 민간 기업이 주도적으로 개발한 기업 도시가 조성된 도시가 들어가야 한다. 원주와 충주에는 기업 도시가 조성되어 있다. 따라서 (라)는 B이다.

THEME 08 촌락의 변화와 도시 발달

수능 실전 문제　　　　본문 50~52쪽

01 ③　　02 ③　　03 ②　　04 ③
05 ①　　06 ⑤

01 도시와 촌락의 특성 비교

문제분석 지도에 표시된 두 지역은 도시인 전주와 촌락의 성격을 지닌 진안이다. 상대적으로 유소년층 인구 비율과 청장년층 인구 비율이 높은 (가)는 도시인 전주이고, 상대적으로 노년층 인구 비율이 높은 (나)는 촌락의 성격을 지닌 진안이다.

정답찾기 ③ 도시인 전주(가)는 촌락의 성격을 지닌 진안(나)보다 중심지 기능이 많고, 토지 이용의 집약도가 높다. 반면에 촌락의 성격을 지닌 진안(나)은 도시인 전주(가)보다 노령화 지수가 높고, 1차 산업 종사자 비율이 높다. 따라서 이를 종합하여 두 지역의 상대적 특성을 옳게 나타낸 것은 ③번이다.

02 대도시와의 접근성이 높은 촌락과 낮은 촌락의 특성 이해

문제분석 A는 대도시인 대구에서 멀리 떨어져 있는 봉화이고, B는 대구와 인접한 칠곡이다. (가)와 (나) 모두 대지와 공장용지의 면적 비율이 높아졌고, 농경지(논, 밭, 과수원)의 면적 비율은 낮아졌다. 하지만 변화의 폭은 (가)보다 (나)가 크므로 (가)는 대구에서 멀리 떨어져 있는 봉화(A)이고, (나)는 대구와 인접한 칠곡(B)이다.

정답찾기 ③ 대도시인 대구와 인접해 있는 칠곡(나)은 대구에서 멀리 떨어져 있는 봉화(가)보다 대도시와의 접근성이 높다.

오답피하기 ① 주택 유형 중 아파트 비율은 대도시에 인접한 칠곡(나)이 대도시에서 멀리 떨어져 있는 봉화(가)보다 높다.
② 경지 중 시설 재배 면적 비율은 대도시에 인접한 칠곡(나)이 대도시에서 멀리 떨어져 있는 봉화(가)보다 높다.
④ 지역 내 전업농가 비율은 대도시에서 멀리 떨어져 있는 봉화(가)가 대도시에 인접한 칠곡(나)보다 높다. 대도시와의 접근성이 높은 촌락은 가족 구성원의 일부가 대도시로 통근하는 경우가 많으므로 겸업농가 비율이 높다.
⑤ (가)는 봉화(A), (나)는 칠곡(B)이다.

03 시대별 도시 발달의 특징 파악

문제분석 지도의 A는 서울에 인접한 고양과 성남, B는 강원도의 원주와 충청북도의 충주, C는 호남권의 해안 도시인 군산과 목포, D는 영남권의 해안 도시인 포항과 울산이다.

정답찾기 ② (가)에는 일제 강점기 초기에 일제의 한반도 식량 기지화 정책에 따라 쌀을 수탈하기 위해 쌀 적출항으로 성장한 도시가 들어가야 한다. 호남 지방은 평야가 발달하여 쌀 생산량이 많았으므로 호남권에 위치한 군산과 목포가 이에 해당한다. 따라서 (가)는 C이다. (나)에는 1970년대 수출 위주의 공업화 정책으로 발달한 공업 도

04 수도권의 도시 체계 이해

문제분석 지도에 표시된 세 지역은 우리나라 최고차 중심지인 서울, 광역시인 인천 그리고 파주이다. 수도권은 서울을 중심으로 한 대도시권이므로 (가)~(다) 중에서 통근·통학 인구 규모가 가장 큰 (나)는 서울이다. (가)와 (다)는 인천 또는 파주이며, 이 중에서 서울과의 통근·통학 인구가 상대적으로 많은 (가)는 인천, 그리고 나머지 (다)는 파주이다.

정답찾기 ㄴ. 서울(나)은 통근·통학 인구가 순 유입을 보이므로 주간 인구 지수가 100 이상이고, 인천(가)은 서울에 대한 의존성이 커서 통근·통학 인구가 순 유출을 보이므로 주간 인구 지수가 100 미만이다. 따라서 주간 인구 지수는 서울이 인천보다 높다.
ㄷ. 세 지역 중 인구는 중심 도시인 서울(나)이 가장 많고, 다음으로 광역시인 인천(가)이 많다. 따라서 세 지역의 인구는 서울(나)>인천(가)>파주(다) 순으로 많다.

오답피하기 ㄱ. 인천(가)은 서울(나)보다 도시 세력권이 작다.
ㄹ. 서울(나), 파주(다) 간의 공간 상호 작용보다 서울(나), 인천(가) 간의 공간 상호 작용이 활발하다.

05 인구 규모에 따른 도시 순위의 이해

문제분석 (가)는 1위 도시인 서울의 인구가 약 1,023만 명이고 10위권 도시에 성남, 부천 등 서울 주변의 주요 위성 도시가 포함되어 있으므로 1995년의 도시 순위이다. (나)는 1위 도시인 서울의 인구가 약 543만 명이고 10위권 도시에 전주, 마산, 목포 등 지방 도시가 포함되어 있으므로 1970년의 도시 순위이다. (다)는 1위 도시인 서울의 인구가 약 947만 명이고 10위권 도시에 용인, 고양 등 수도권의 100만 명 이상 도시가 포함되어 있으므로 2021년의 도시 순위이다. A는 1970년과 1995년에 3위였으나 2021년에 4위로 하락한 대구이고, B는 1970년과 1995년에는 10위였으나 2021년에는 7위로 상승한 수원이다. 수원은 용인, 고양, 창원과 함께 2022년에 특례시가 되었다.

정답찾기 ① 1970년(나) 10대 도시에 포함된 호남권 도시는 광주(5위), 전주(7위), 목포(9위)로 총 3개이고, 영남권 도시는 부산(2위), 대구(A)(3위), 마산(8위)으로 총 3개이므로 10대 도시에 포함된 두 권역의 도시 수는 같다.

오답피하기 ② 1995년(가) 10대 도시 중 수도권에 위치한 도시는 서울(1위), 인천(4위), 성남(8위), 부천(9위), 수원(B)(10위) 총 5개로 절반을 차지한다.
③ 광주의 순위는 1970년(나) 5위였으나 1995년(가) 6위로 하락하였고, 대전의 순위는 1970년 6위였으나 1995년 5위로 상승하였다. 따라서 1970~1995년 인구 증가율은 대전이 광주보다 높다.

④ 2021년(다) 기준 광역시는 부산, 인천, 대구(A), 대전, 광주, 울산으로 6개이다. 수원(B)은 광역시가 아니다.

⑤ 1위 도시인 서울의 인구는 1995년(가)보다 2021년(다)이 적은 반면, 1995년 10위 도시인 수원의 인구보다 2021년 10위 도시인 고양의 인구가 많다. 따라서 2021년은 1995년보다 1위와 10위 도시 간 인구 격차가 작다.

06 권역별 도시 순위의 이해

문제분석 (가)는 1위 도시의 인구가 권역 전체의 29.3%를 차지하고, 2위 도시와의 인구 격차도 2배 이상이며, 군(郡) 지역의 인구 비율이 21.1%로 세 권역 중 가장 높으므로 호남권이다. (나)는 1위와 2위 도시 간 인구 격차가 2배 미만이지만, 2위와 3위 도시 간 인구 격차가 2배 이상이며, 군(郡) 지역의 인구 비율이 7.5%로 세 권역 중 가장 낮으므로 영남권이다. 나머지 (다)는 충청권으로 1위와 2위 도시 간 인구 격차 및 2위와 3위 도시 간 인구 격차 모두 2배 미만이다. 호남권(가)의 1위 도시인 A는 광주, 2위 도시는 전주, 3위 도시는 익산이고, 영남권(나)의 1위 도시는 부산, 2위 도시인 B는 대구, 3위 도시는 울산이며, 충청권(다)의 1위 도시는 대전, 2위 도시는 청주, 3위 도시인 C는 천안이다.

정답찾기 ⑤ 황해에 접하고 있는 충청권(다)이 동해 및 남해에 접하고 있는 영남권(나)보다 지리적으로 중국과의 교역에 유리하다.

오답피하기 ① 대구(B)는 수도권 전철이 연결되어 있지 않다. 수도권 전철이 연결된 도시는 천안(C)이다.

② 천안(C)에는 도청이 없다. 충청권의 도청 소재지는 청주(충청북도청)와 홍성(충청남도청)이다.

③ 호남권(가) 1위 도시인 광주(A)는 영남권(나) 2위 도시인 대구(B)보다 인구 규모가 작다. 2021년 기준 광주는 우리나라 도시 순위 6위이고, 대구는 4위이다.

④ 제조업 출하액은 영남권(나)이 호남권(가)보다 많다.

수능실전문제

본문 55~59쪽

01 ⑤	02 ③	03 ⑤	04 ②
05 ⑤	06 ④	07 ①	08 ①
09 ③	10 ①		

01 도시 내부의 지역 분화 이해

문제분석 제시된 글은 도시 내부가 기능 지역별로 분화되는 과정을 설명한 것이다.

정답찾기 ㄴ. 상업 지역은 대체로 접근성이 높아 유동 인구가 많은 지역에 형성된다. 따라서 상업 지역(ⓓ)은 주거 지역(ⓑ)보다 접근성이 높아 유동 인구가 많다.

ㄷ. 도시 내부의 지역 분화는 도시가 성장하는 과정에서 나타난다. 도시가 성장한다는 것은 인구 증가에 따라 도시의 면적이 평면적으로 확대되는 것을 의미하므로, 도시 내부의 지역 분화(ⓐ)는 중소 도시보다 대도시에서 잘 나타난다.

ㄹ. 도시 내부의 지역 분화는 도시 내 지역에 따라 접근성, 지대 및 지가가 다르기 때문에 발생한다. 따라서 ⓞ에는 접근성, 지대, 지가가 들어갈 수 있다.

오답피하기 ㄱ. 도시가 성장하는 과정에서 주거 기능(ⓐ)과 공업 기능(ⓒ) 모두 이심(ⓔ)의 경향을 보인다.

02 단핵 도시와 다핵 도시의 내부 구조 차이 이해

문제분석 (가)는 도시의 핵심 지역이 도심 하나이므로 단핵 도시, (나)는 도심 외에도 부도심이 형성되어 있으므로 다핵 도시이다. A는 상업 지역에서 지대가 가장 높으므로 상업 기능, B는 공업 지역에서 지대가 가장 높으므로 공업 기능, C는 주거 지역에서 지대가 가장 높으므로 주거 기능이다.

정답찾기 ③ 단핵 도시가 성장하면 다핵 도시가 된다. 따라서 단핵 도시(가)는 다핵 도시(나)보다 인구 규모가 작다.

오답피하기 ① 상업 기능(A)은 공업 기능(B)보다 접근성이 높은 도심에서 지대 지불 능력이 높다. 이에 따라 도심에서는 상업 지역이 형성된다.

② B는 공업 기능, C는 주거 기능이다.

④ 다핵 도시(나)는 도심 중심의 지역 분화 외에도 부도심 중심의 지역 분화도 일어나므로 단핵 도시(가)보다 도시 내부의 공간 구조가 복잡하게 나타난다.

⑤ (가)는 단핵 도시이고, (나)는 다핵 도시이다.

03 서울의 구(區)별 특성 파악

문제분석 A는 주변(외곽) 지역에 위치하여 주거 기능이 발달한 강서구, B는 도심이 위치하여 상업·업무 기능이 발달한 중구, C는 제조업이 발달한 금천구, D는 주거 기능과 업무 기능이 발달한 강남구이다.

정답찾기 ⑤ (가)는 네 지역 중 제조업 종사자 수가 가장 많으므로 제조업이 발달한 금천구(C)이다. (나)는 네 지역 중 초등학교 학생 수가 가장 많고 금융·보험업 사업체 수도 가장 많으므로 주거 기능뿐만 아니라 상업·업무 기능도 발달한 강남구(D)이다. (다)는 네 지역 중 초등학교 학생 수가 가장 적지만 금융·보험업 사업체 수는 강남구(나) 다음으로 많으므로 도심이 입지한 중구(B)이다. (라)는 네 지역 중 제조업 종사자 수가 가장 적고 초등학교 학생 수가 강남구(나) 다음으로 많으므로 강서구(A)이다.

04 부산의 구(區)별 특성 이해

문제분석 지도에 표시된 세 지역은 도심이 입지한 중구, 제조업이 발달한 강서구, 주변(외곽) 지역에 위치한 금정구이다. A는 세 시기 모두 세 지역 중 상주인구가 가장 많으므로 금정구이다. B는 2000~2020년 상주인구가 급격히 증가하였으며 주간 인구 지수가 100 이상이므로 강서구이다. C는 세 지역 중 상주인구가 가장 적으며 주간 인구 지수가 100 이상이므로 중구이다.

정답찾기 ② 강서구(B)는 2010~2020년 상주인구가 약 8만 명 증가하였으나, 금정구(A)는 감소하였다. 따라서 2010~2020년 강서구는 금정구보다 주택 수 증가량이 많다.

오답피하기 ① 제조업 출하액은 제조업이 발달한 강서구(B)가 금정구(A)보다 많다.

③ 상업지의 평균 지가는 상업·업무 기능이 집중한 중구(C)가 주변(외곽) 지역에 해당하는 강서구(B)보다 높다.

④ 도심이 입지한 중구(C)는 주변(외곽) 지역에 해당하는 금정구(A)보다 세 시기 모두 주간 인구 지수가 높다.

⑤ 최근에 상주인구가 많이 증가한 강서구(B)가 상주인구가 감소한 중구(C)보다 2020년 주택 유형 중 아파트 비율이 높다.

05 교외 지역의 이해

문제분석 지도에 표시된 지역은 1985년만 해도 촌락이었으나, 2022년에는 대규모 아파트 단지가 조성된 도시로 바뀌었다. 실제 이 지역은 군포의 산본 신도시이다.

정답찾기 ⑤ 신도시 건설로 외부로부터 인구 유입이 이루어져 주민 구성이 다양해졌으며, 이로 인해 주민의 직업이 다양해지고 전통적 생활 공동체 의식이 약화되었다.

오답피하기 ①, ② 신도시 건설로 서울로부터 많은 인구가 유입되어 서울로의 통근자 비율이 높아졌으며, 서울로 연결되는 교통망이 확충되었다.

③ 신도시 건설로 대규모 아파트 단지가 조성되면서 주택 유형 중 아파트의 비율이 높아졌다.

④ 기존의 농경지가 개발되면서 2차와 3차 산업에 이용되는 토지 면적의 비율이 높아졌다.

06 대도시권의 확대 이해

문제분석 지도의 (가)는 김해이고, (나)는 부산이다. A 시기의 기종점은 3곳으로 공간적 거리가 가까운 반면, B 시기의 기종점은 모두 6곳으로 공간적 거리가 멀어졌다. 따라서 A 시기는 2000년, B 시기는 2022년이다.

정답찾기 ④ 2000~2022년에 대도시인 부산(나)은 교외화로 인구가 줄었지만, 김해(가)는 부산 등으로부터 인구가 유입되어 인구가 늘었다. 따라서 이 기간에 인구 증가율은 김해(가)가 부산(나)보다 높다.

오답피하기 ① 김해(가)에 있는 기종점은 출근 시간대에 승차 인원이 하차 인원보다 많다.

② 도시 세력권은 대도시인 부산(나)이 부산의 위성 도시인 김해(가)보다 넓다.

③ 2000년은 2022년보다 김해(가)와 부산(나) 간 교통량이 적다.

⑤ 2022년에 김해(가)는 부산(나)보다 유소년 부양비가 높다.

07 수도권 주요 도시의 특성 이해

문제분석 지도에 표시된 세 지역은 고양, 수원, 용인으로 모두 인구 100만 명 이상의 특례시이다. 세 지역 중 2021년 기준 인구가 가장 많은 A는 수원, 1990년대에 인구가 급증한 B는 수도권 1기 신도시가 조성된 고양, 2000년대에 인구가 급증한 C는 1990년대 중반 이후 대규모 택지 개발이 이루어진 용인이다.

정답찾기 ① 수원(A)은 경기도청 소재지이다.

오답피하기 ② 수원(A)은 용인(C)보다 인구가 많지만 면적은 좁다. 따라서 인구 밀도는 수원이 용인보다 높으며, 이를 통해 1인당 녹지 면적은 용인(C)이 수원(A)보다 넓다는 것을 알 수 있다.

③ 수원(A)은 경기도의 중심 도시로 도청 소재지이다. 반면에 고양(B)은 촌락이었으나 1980년대 말부터 이루어진 신도시 조성 사업 이후 도시화가 빠르게 진전되었다. 따라서 시(市)로 승격된 시기는 수원(A)이 고양(B)보다 이르다.

④ 전자 부품·컴퓨터·영상·음향 및 통신 장비 제조업 출하액은 용인(C)이 고양(B)보다 많다. 용인에는 대규모 반도체 생산 공장이 입지해 있다.

⑤ 고양(B)은 한강 이북, 용인(C)은 한강 이남에 위치한다.

08 부산권 세 지역의 특성 비교

문제분석 지도에 표시된 세 지역은 양산, 밀양, 창녕이다. 세 지역 중 대도시인 부산에 가장 가까운 지역은 부산의 주거 기능을 분담하는 양산이고, 가장 멀리 떨어진 지역은 촌락의 성격이 강한 창녕이다. 따라서 부산 통근·통학률이 가장 높은 A는 양산, 가장 낮은 C는 창녕이고, 나머지 B는 밀양이다.

정답찾기 ㄱ. 인구 밀도는 교외화가 진행되는 부산으로부터 유입 인구가 많은 양산(A)이 가장 높고, 촌락의 성격이 강한 창녕(C)이 가장 낮다.

ㄴ. 지역 내 경지 면적 비율은 촌락의 성격이 강한 창녕(C)이 가장 높고, 부산의 위성 도시인 양산(A)이 가장 낮다.

오답피하기 ㄷ. 부산과의 최단 거리는 양산(A)이 가장 가깝고, 창녕(C)이 가장 멀다.

ㄹ. 주택 유형 중 아파트 비율은 부산으로부터 인구 유입이 많은 양산(A)이 가장 높고, 촌락의 성격이 강한 창녕(C)이 가장 낮다.

09 서울과 부산의 구(區)별 특성 이해

문제분석 (가)는 구(區)의 수가 적으므로 부산, (나)는 구(區)의 수가 많으므로 서울이다. A는 통근·통학 순 이동이 많고 유소년층 인구

정답과 해설 **17**

비율이 높으므로 제조업과 주거 기능이 발달한 부산의 강서구, B는 통근·통학 순 이동이 양(+)의 값을 보이지만 유소년층 인구 비율이 낮으므로 부산의 중구이다. C는 통근·통학 순 이동이 많으면서 유소년층 인구 비율이 높은 서울의 강남구, D는 통근·통학 순 이동이 강남구보다 적고 유소년층 인구 비율 역시 강남구보다 낮으므로 서울의 종로구이다.

(정답찾기) ③ 서울(나)에서 시가지 형성 시기는 도심이 위치한 종로구(D)가 강남구(C)보다 이르다.

(오답피하기) ① 부산에서 주민들의 평균 거주 기간은 새롭게 조성된 주거 단지가 많은 강서구(A)가 시가지 형성 시기가 오래된 중구(B)보다 짧다.

② 제조업 출하액은 제조업이 발달한 부산 강서구(A)가 서울 강남구(C)보다 많다.

④ 통근·통학자 수는 인구 규모가 큰 서울(나)이 부산(가)보다 많다.

⑤ (가)는 부산, (나)는 서울이다.

10 도시 내부 지역의 개념 이해

(문제분석) 중심 도시의 인구와 기능이 인근 지역으로 확산하는 현상은 교외화이다. 대도시를 중심으로 대도시와 인근 지역이 기능적으로 상호 밀접한 관계를 갖는 범위는 대도시권이다. 도시가 성장하고 기능이 다양해지면서 도시 내부가 기능에 따라 여러 지역으로 나뉘는 현상은 지역 분화이다. 따라서 교외화, 대도시권, 지역 분화를 모두 지우고 남는 글자를 조합하면 도심이다.

(정답찾기) ① 도시 중심부로 높은 지대를 지불할 수 있는 고차 중심 기능이 주로 입지하는 곳은 도심이다.

(오답피하기) ② 도심이 팽창함에 따라 이동해 온 상업·공업·주거 기능 등이 섞인 점이 지대는 중간 지역이다.

③ 녹지를 보존하고 도시의 무질서한 평면적 팽창을 억제하기 위해 설정한 구역은 개발 제한 구역이다.

④ 지대가 낮아 주택·학교·공장 등이 입지하며, 신흥 주택 지역이 형성되기도 하는 곳은 주변(외곽) 지역이다.

⑤ 도심의 기능 일부를 분담하는 지역으로 도심과 주변 지역을 연결하는 교통의 결절에 주로 형성되는 곳은 부도심이다.

THEME 10 도시 계획과 지역 개발

수능 실전 문제

본문 62~64쪽

| 01 ⑤ | 02 ④ | 03 ⑤ | 04 ④ |
| 05 ② | 06 ② | | |

01 도시 재개발 방법 비교

(문제분석) 도시 재개발은 낙후된 정주 여건 개선, 토지 이용의 효율성 증대, 도시 미관 개선, 생활 기반 시설 확충 등을 위해 이루어진다. (가)는 기존 건물을 최대한 유지하는 수준에서 필요한 부분만 수리·개조하여 부족한 점을 보완하는 수복 재개발, (나)는 기존의 시설을 완전히 철거하고 새로운 시설물로 대체하는 철거 재개발이다.

(정답찾기) ⑤ 수복 재개발(가)은 기존 건물을 최대한 유지한 채 필요한 부분만 수리·개조하는 방식이므로 기존 시설물을 완전히 철거하고 새로운 시설물로 대체하는 철거 재개발(나)보다 투입 자본 규모가 작다. 또한 수복 재개발은 기존 생활 공간을 유지하고 부분적으로 수리하고 보완하는 방식이므로 원거주민 이주율이 낮다. 수복 재개발은 개발 후 건물의 평균 층수도 낮으며, 기존 건물 활용도는 높다.

02 제1차 국토 종합 개발 계획과 제3차 국토 종합 개발 계획의 특성 파악

(문제분석) A는 대규모 공업 단지를 조성하는 등 공업 벨트를 중심으로 경제 성장을 이끄는 데 초점을 맞춘 제1차 국토 종합 개발 계획이고, B는 지역 균형 개발에 초점을 맞추고 신산업 지대를 육성하는 제3차 국토 종합 개발 계획이다. (가)는 제1차 국토 종합 개발 계획과 제3차 국토 종합 개발 계획에 모두 해당하는 질문이고, (나)는 제1차 국토 종합 개발 계획에만 해당하는 질문이다. (다)는 제3차 국토 종합 개발 계획에만 해당하는 질문이고, (라)는 제1차 국토 종합 개발 계획과 제3차 국토 종합 개발 계획에 모두 해당하지 않는 질문이다.

(정답찾기) ㄱ. 성장 거점 개발 방식으로 추진된 것은 제1차 국토 종합 개발 계획(A)이다. 제3차 국토 종합 개발 계획(B)은 균형 개발 방식으로 추진되었다. 따라서 (나)에 해당한다.

ㄴ. 도농 통합시는 중심이 되는 도시와 그 주변의 농촌을 상호 유기적으로 통합해 하나의 생활권을 이루도록 하기 위한 것으로 1990년대 이후 출범하였다. 도농 통합시가 출범한 것은 제3차 국토 종합 개발 계획(B) 시행 시기이므로 (다)에 해당한다.

ㄷ. 국토 종합 개발 계획은 국토 및 지역 개발과 관련된 국가의 최상위 계획이다. 따라서 제1차 국토 종합 개발 계획(A)과 제3차 국토 종합 개발 계획(B)에 모두 관련되어 있으므로 (가)에 해당한다.

ㄹ. 제1차 국토 종합 개발 계획(A)은 성장 거점 개발 방식으로 추진되어 경부축 중심으로 국토 개발이 이루어졌으며, 이에 따라 수도권의 성장이 두드러져 수도권과 비수도권의 인구 격차가 심화되었다. 제3차 국토 종합 개발 계획(B)이 추진되면서 수도권과 비수도권의 지역 격차를 완화하기 위해 노력하였으나, 오히려 수도권과 비수도

권의 인구 격차가 심화되었다. 따라서 제1차 국토 종합 개발 계획과 제3차 국토 종합 개발 계획 모두 '아니요'에 연결된 (라)에 해당한다.

03 제2차 국토 종합 개발 계획과 제5차 국토 종합 계획의 비교

문제분석 (가)는 인구 감소와 저성장 시대로의 전환에 대비하여 추진되는 제5차 국토 종합 계획(2020~2040년)이고, (나)는 사회 간접 자본을 확충하며 개발 가능성의 전국 확대를 꾀한 제2차 국토 종합 개발 계획(1982~1991년)이다.

정답찾기 ㄷ. 제5차 국토 종합 계획(가)은 주로 상향식 지역 개발이 추진되고 있으므로 제2차 국토 종합 개발 계획(나)보다 의사 결정 과정에서 지역 주민의 참여도가 높다.

ㄹ. 1982~1991년에 시행된 제2차 국토 종합 개발 계획(나)은 2020년 이후 시행된 제5차 국토 종합 계획(가)보다 시행 시기가 이르다.

오답피하기 ㄱ. 투자 효과가 큰 지역에 집중 투자하는 지역 개발 방식은 성장 거점 개발 방식이며, 제1차 국토 종합 개발 계획에서 추진된 방식이다.

ㄴ. 개발 제한 구역은 1971년에 처음 지정되었다.

04 제4차 국토 종합 계획과 혁신 도시 조성으로 인한 변화 파악

문제분석 지도에 표시된 네 지역은 진천, 단양, 나주, 고흥이다. (가)와 (나)는 충청권 두 지역이므로 각각 진천, 단양 중 하나이고, (다)와 (라)는 호남권 두 지역이므로 각각 나주, 고흥 중 하나이다. (가)와 (다)는 2010년 이후 인구가 급격하게 증가하였으므로 혁신 도시 조성에 따라 인구가 유입된 진천(가), 나주(다)이다. 나머지 (나)는 단양, (라)는 고흥이다.

정답찾기 ㄴ. 혁신 도시가 조성되어 에너지 관련 분야 산업이 발달한 나주(다)는 인구 감소가 두드러진 고흥(라)보다 2022년 1인당 지역 내 총생산이 많다.

ㄹ. 진천(가)과 나주(다)에는 모두 공공 기관의 이전을 통해 조성된 혁신 도시가 있다.

오답피하기 ㄱ. 충청권에서 수도권과 전철로 연결되는 지역은 충남의 천안과 아산이다.

ㄷ. 고흥(라)은 고생대 조선 누층군을 중심으로 석회암이 넓게 분포하는 단양(나)보다 비금속 광물 제품 제조업 종사자 수가 적다.

05 공간 불평등의 양상 파악

문제분석 지역 내 총생산에서 가장 높은 비율을 차지하는 A는 수도권이고, 두 번째로 높은 B는 영남권이다. 충청권과 호남권 중 지역 내 총생산이 더 많은 C는 충청권, 나머지 D는 호남권이다. 수도권과 영남권 중 인구는 수도권이 더 많으므로 (가)는 수도권(A)이고, 충청권과 호남권 중 광역시 및 특별자치시 수는 충청권(대전광역시, 세종특별자치시)이 호남권(광주광역시)보다 많으므로 (나)는 충청권(C)이다. 수도권과 충청권 중 면적은 충청권이 더 넓으므로 (다)는 충청권(C)이다.

정답찾기 ② 충청권(나)에는 국토 균형 발전을 위해 건설된 행정 중심 복합 도시가 있다.

오답피하기 ① 수도권(가)에는 원자력 발전소가 건설되어 있지 않다.

원자력 발전소는 영남권, 호남권에 건설되어 있다.

③ 수도권(가)은 충청권(나)보다 지역 내 1차 산업 종사자 비율이 낮다.

④ 충청권(나)은 수도권(가)보다 인구가 적고 면적이 넓으므로 인구밀도가 낮다.

⑤ 충청권(다)은 네 권역 중 지역 내 총생산이 세 번째로 많다.

06 환경 불평등의 이해

문제분석 지도에 표시된 지역은 서울, 경기, 충남, 울산, 제주이다. 다섯 지역 중 발전량이 가장 많은 (나)는 충남이다. 총 판매 전력량에 비해 발전량이 매우 적으며 제조업 판매 전력량 비율이 낮은 (다)는 서울이고, 제조업 판매 전력량 비율이 낮고 농림어업 판매 전력량 비율이 높은 (마)는 제주이다. 총 판매 전력량이 가장 많은 (가)는 경기이고, 나머지 (라)는 울산이다.

정답찾기 ② 충남(나)과 서울(다)의 총 판매 전력량은 비슷하지만, 인구는 서울이 충남보다 많다. 따라서 1인당 판매 전력량은 충남이 서울보다 많다.

오답피하기 ① 경기(가)는 충남(나)보다 인구가 많은데 발전량은 적다. 따라서 1인당 발전량은 경기가 충남보다 적다.

③ 서울(다)은 울산(라)보다 1인당 지역 내 총생산이 적다. 울산은 우리나라 시·도 중 1인당 지역 내 총생산이 가장 많다.

④ 울산(라)은 제주(마)보다 지역 내 발전량 중 원자력 발전이 차지하는 비율이 높다. 울산에는 원자력 발전소가 있지만, 제주에는 원자력 발전소가 없다.

⑤ 농림어업과 서비스업이 발달한 제주(마)는 제조업과 서비스업이 발달한 경기(가)보다 지역 내 총생산 중 제조업이 차지하는 비율이 낮다.

THEME 11 자원의 의미와 자원 문제

본문 67~71쪽

01 ④	02 ⑤	03 ①	04 ③
05 ③	06 ③	07 ⑤	08 ⑤
09 ⑤	10 ①		

01 자원의 특성 파악

문제분석 ㉠은 경제성이 낮아지면서 탄광이 문을 닫게 되는 내용이다.

정답찾기 ④ 자원은 이용하는 기술의 수준이나 경제적 조건, 문화적 배경에 따라 가치가 달라지는 가변성을 가지고 있다. 화순 탄광은 매장량이 많이 남아 있지만 수요가 줄어 운영을 멈추게 되었다. 따라서 채굴 기술은 있지만 경제적 의미의 자원이 아니므로 D에 해당한다.

02 광물 자원의 특성 파악

문제분석 (가)는 총생산량이 가장 많고 강원과 충북에서 생산량 비율이 높으므로 석회석, (나)는 강원, 경북, 경남에서 생산량 비율이 높으므로 고령토, (다)는 강원에서만 생산되는 철광석이다.

정답찾기 ⑤ 석회석(가)은 세 자원 중에서 연간 국내 생산량이 가장 많다.

오답피하기 ① 석회석(가)은 주로 시멘트 공업의 원료로 이용된다. 도자기, 화장품 등의 원료로 이용되는 자원은 고령토이다.

② 고령토(나)는 주로 강원과 영남 지방에 많이 분포한다. 고생대 조선 누층군에 주로 분포하는 자원은 석회석이다.

③ 철광석(다)은 금속 광물 자원이다.

④ 제철 공업이 발달한 우리나라는 철광석의 수요는 많지만 국내 생산량이 적어 철광석(다)이 석회석(가)보다 수입 의존도가 높다.

03 화석 에너지의 이해

문제분석 화석 에너지에는 석탄, 석유, 천연가스 등이 있다. 석탄은 탄화 정도에 따라 갈탄, 역청탄, 무연탄 등으로 구분할 수 있다. 강원 남부에서 주로 생산하는 에너지 자원은 무연탄이므로 (가)에 들어갈 화석 에너지는 무연탄이다. 국내에서 생산되지 않아 전량 수입에 의존하며 오스트레일리아, 인도네시아가 주요 수입 상대국이므로 (나)는 역청탄이다. 사우디아라비아 등에서 수입하고 화학 공업의 원료가 되는 (다)는 석유이다.

정답찾기 ㄱ. 무연탄(가)은 주로 고생대 평안 누층군에 분포한다.

ㄴ. 주로 산업용으로 이용되는 역청탄(나)은 제철 공업이나 화력 발전소에서 연료로 많이 이용한다.

오답피하기 ㄷ. 우리나라 1차 에너지 소비 구조에서 차지하는 비율은 석유(다)가 역청탄(나)보다 높다.

ㄹ. (가)는 무연탄, (나)는 역청탄, (다)는 석유이다.

04 1차 에너지의 특징 파악

문제분석 우리나라에서 생산되는 1차 에너지원은 원자력, 신·재생 에너지, 석탄 등이다. A는 강원에서 생산량이 많고 전남에서 일부 생산되므로 석탄이다. B는 강원과 경남에서는 생산량이 많지만 전남에서는 생산량이 적으므로 수력이다. 수력은 한강과 낙동강 등 대하천 유역에서 생산량이 많다. C는 세 지역 중 전남에서만 생산되고 생산량이 다른 자원보다 월등하게 많으므로 원자력이다.

정답찾기 ③ 원자력(C)은 광복 이후 기술이 도입되었으며, 원자력 발전소가 처음 지어진 것은 1978년이다. 수력(B)은 20세기 초부터 전력 생산에 활용되었다. 따라서 수력은 원자력보다 우리나라에서 전력 생산에 이용된 시기가 이르다.

오답피하기 ① 원자력(C)은 우라늄이 연료로 사용되며, 사용량에 따라 고갈 시기가 달라진다.

② 전남은 경남보다 수력(B) 생산량이 적다.

④ 원자력(C)은 석탄(A)보다 전력 생산 시 대기 오염 물질의 배출량이 적다.

⑤ A는 석탄, B는 수력, C는 원자력이다.

05 자원의 특성과 자원 문제 파악

문제분석 〈설명 1〉에 해당하는 자원의 특성은 '가변성'이다. 〈설명 2〉에 해당하는 용어는 '자원 민족주의'이다. 〈설명 3〉에 해당하는 자원은 '텅스텐'이다. 글자판에서 해당하는 글자를 지우면 남는 글자는 '풍', '력'이다.

정답찾기 ③ 풍력은 바람이 가진 에너지를 의미하며, 바람개비 형태의 발전기를 통해 전력을 생산한다. 바람이 세고 일정한 해안과 산지 지역이 입지에 유리하다.

오답피하기 ① 댐을 건설하고 물의 낙차를 이용하여 전력을 생산하는 방식은 수력에 대한 설명이다.

② 우라늄의 핵분열 반응을 이용하여 전력을 생산하는 방식은 원자력에 대한 설명이다.

④ 해양 에너지 중 조차를 이용하여 전력을 생산하는 방식은 조력에 대한 설명이다.

⑤ 광전 효과를 이용하여 태양 전지로 전력을 생산하는 방식은 태양광에 대한 설명이다.

06 1차 에너지의 공급 구조 이해

문제분석 우리나라의 1차 에너지 공급 구조 변화에서 가장 높은 비율을 차지하는 C는 석유이다. 석유 다음으로 공급량이 많은 A는 석탄이다. 1990년대 이후 공급량이 급증한 B는 천연가스이다.

정답찾기 ③ 석탄(A)은 연소되는 과정에서 황산화물을 비롯한 대기 오염 물질이 많이 배출된다.

오답피하기 ① 냉동 액화 기술의 발달로 소비량이 급격히 증가한 것은 천연가스(B)이다.

② 제철 공업 및 화력 발전의 연료로 주로 이용되는 것은 석탄(A)이다.

④ 천연가스(B)는 석유(C)보다 수송용으로 이용되는 비율이 낮다.

⑤ 석유(C)는 국내에서 소량 생산되었으나 2021년 생산이 종료되면

서 전량 수입에 의존하고 있다. 석탄(A)은 무연탄 중 일부가 국내에서 아직 생산되고 있다.

07 권역별 1차 에너지 공급 구조 분석

문제분석 (가)는 원자력이 공급되므로 호남권이다. 원자력 발전소는 전남 영광, 부산, 경북 울진과 경주, 울산에 있다. 다섯 권역 중 석탄 비율이 가장 높은 (나)는 충청권이다. 충청권은 석탄 화력 발전소와 제철소가 입지하여 석탄의 공급 비율이 높다. 천연가스 비율이 높은 (다)는 수도권이다. 수도권은 우리나라 최대의 인구 밀집 지역이며, 산업용 및 가정용 천연가스의 수요가 많다.

정답찾기 ⑤ (가)는 호남권, (나)는 충청권, (다)는 수도권이다.

08 1차 에너지원별 발전량 분석

문제분석 D는 화력 다음으로 발전량이 많으므로 원자력이다. 화력 발전에서 발전량 비율이 가장 높은 A는 석탄, 발전량 비율이 가장 낮은 B는 석유, 나머지 C는 천연가스이다.

정답찾기 ⑤ 총발전량에서 차지하는 비율은 신·재생 에너지가 약 6.8%, 석유(B)가 약 0.4%이므로 신·재생 에너지가 석유보다 높다.

오답피하기 ① 석유(B)는 주로 산업용 및 수송용으로 이용된다.
② 원자력(D)이 석탄(A)보다 적은 양의 연료로 대량의 전력을 생산할 수 있다.
③ 천연가스(C)는 석탄(A)보다 연소 시 대기 오염 물질의 배출량이 적다.
④ 2021년에 원자력(D) 발전량은 석탄(A) 화력 발전량보다 적다.

09 신·재생 에너지별 특징 분석

문제분석 (가)는 전남과 전북에 집중되어 있고 상대적으로 생산량이 많으므로 태양광이다. (나)는 주로 산지와 해안 지역에 입지하므로 풍력이다. (다)는 안산에만 있으므로 조력이다.

정답찾기 ⑤ 풍력(나)은 바람을 이용하기 때문에 조력(다)보다 날씨의 영향을 많이 받는다. 일반적으로 겨울이 여름보다 평균 풍속이 강하기 때문에 겨울의 전력 생산량이 많다.

오답피하기 ① 태양광(가)은 패널이 25℃ 내외에서 효율이 가장 높으며 일조 시간의 영향을 크게 받으므로 봄과 여름에 발전량이 많다. 겨울은 일조 시간이 짧고 눈이 덮일 수 있어 사계절 중 발전량이 가장 적다.
② 풍력(나)은 바람에 의해 회전하는 힘을 이용한다.
③ 조력(다)은 조차가 큰 지역이 발전 시설의 입지에 유리하다. 일사량이 풍부한 지역이 발전 시설의 입지에 유리한 것은 태양광(가)이다.
④ 태양광(가)은 풍력(나)보다 발전 과정에서 발생하는 소음이 적다.

10 수력, 원자력, 태양광의 발전량 특성 이해

문제분석 발전량이 가장 많은 A는 원자력이다. 원자력은 대량의 전력을 안정적으로 생산한다. 발전량이 꾸준하게 증가한 B는 태양광이다. 태양광은 재생 에너지로 높은 관심을 받고 있다. 발전량에서 과거와 큰 변화가 없는 C는 수력이다. 대규모 댐 건설이 지역의 환경에 미치는 영향을 고려하여 새롭게 건설되는 수력 발전소는 적은 편이다.

정답찾기 ① 원자력(A)은 우라늄의 핵분열을 이용하여 전력을 생산한다. 그 과정에서 방사능이 누출될 수 있기 때문에 안전하게 관리하는 것이 매우 중요하다. 따라서 원자력 발전소는 단층이나 지진으로 인한 피해를 줄이기 위해 지반이 안정되어 있으며 원자로를 관리하기 위한 다량의 냉각수를 구할 수 있는 곳에 입지하는 경향이 있다.

오답피하기 ② 태양광(B)은 발전소가 주로 일사량이 풍부한 곳에 입지한다.
③ 수력(C)은 발전소가 주로 낙차가 크고 유량이 많은 하천의 중·상류에 위치한다.
④ 원자력(A) 발전량은 영남권이 호남권보다 많다. 원자력 발전소는 전남 영광, 부산, 경북 울진과 경주, 울산에 있다.
⑤ 2021년 전국 총발전량은 태양광(B)이 수력(C)보다 많다.

수능 실전 문제   본문 74~78쪽

01 ③	02 ⑤	03 ④	04 ⑤
05 ①	06 ④	07 ①	08 ②
09 ③	10 ④		

01 농촌의 변화 파악

문제분석 1990년과 2020년을 비교하여 농가 인구의 감소 및 고령화, 농가 수 감소, 경지 면적 감소가 나타났음을 알 수 있다.

정답찾기 ㄴ. 〈농가의 연령별 인구〉를 보면 1990년에는 유소년층 인구와 청장년층 인구가 많았지만, 2020년에는 노년층 인구가 많아졌다. 따라서 농가 인구의 노령화 지수가 높아졌다.

ㄷ. 〈농가의 연령별 인구〉에서 1990년에 비해 2020년에 총 농가 인구가 감소하였음을 알 수 있다. 또한 〈농가 수〉에서 1990년에 비해 2020년에 총 농가 수가 감소하였음을 알 수 있다.

오답피하기 ㄱ. 〈농가 수〉를 보면 1990년에 비해 2020년에 전업농가와 겸업농가가 모두 감소하였다.

ㄹ. 〈경지 면적〉을 보면 1990년에 비해 2020년에 논과 밭 면적이 모두 줄어들었지만 논 면적이 더 크게 줄어들어 경지 면적에서 논이 차지하는 비율은 감소하였다.

02 농업의 변화 분석

문제분석 A는 두 시기 모두 재배 면적이 가장 넓으므로 벼이다. B는 1980년에 비해 2022년에 재배 면적이 급격하게 줄었으므로 맥류이다. C는 1980년에 비해 2022년에 재배 면적이 늘었으므로 과수이다.

정답찾기 ⑤ A는 벼, B는 맥류, C는 과수이다.

오답피하기 ① 1980년에는 맥류(B)가 과수(C)보다 재배 면적이 넓다.

② 2022년에는 채소가 맥류(B)보다 재배 면적이 넓다.

③ 과수(C) 재배 면적은 2022년이 1980년보다 넓다.

④ 벼(A) 재배 면적은 1980년이 2022년보다 넓다.

03 지역별 농업 특성 이해

문제분석 〈경지 규모별 농가 수 비율〉에서 5.0ha 이상의 대규모 영농을 하는 농가 수 비율은 (가)가 가장 높다. 또한 (가)는 〈논·밭 면적 비율〉에서 논이 더 높으므로 평야가 넓게 발달한 전남이다. (나)는 논 면적 비율이 극단적으로 낮으므로 지형의 영향을 받아 밭농사가 발달한 제주이다. (다)는 대도시권의 영향으로 시설 재배가 활발하며 경지 규모 0.2ha 미만의 농가 수 비율이 상대적으로 높으므로 집약적 농업이 이루어지는 경기이다. 경기는 한강 유역과 해안을 따라 평야가 발달하여 논 면적 비율이 더 높다.

정답찾기 ④ (가)는 전남, (나)는 제주, (다)는 경기이다.

04 주요 작물의 시·도별 생산량 분석

문제분석 시·도별 생산량 비율이 왜상 지도로 표현되어 있으므로, 생산량이 많은 지역이 넓게 표현되어 있음을 확인할 수 있다. (가)는 경북과 제주가 넓게 표현되어 있다. 과실은 일조 시간이 풍부한 경북과 감귤류의 생산이 활발한 제주에서 생산량이 많으므로 (가)는 과실이다. (나)는 전북과 전남이 매우 넓게 표현되어 있다. 맥류(보리)는 주로 벼의 그루갈이 작물로 재배되고 따뜻한 기후가 나타나 충분한 생육 기간이 확보되어야 하기 때문에 벼농사가 활발한 남부 지방에서 주로 생산된다. 전남과 전북을 포함하는 호남 지방의 생산량이 매우 많으므로 (나)는 맥류(보리)이다. 강원은 산지가 발달하여 농업 생산량이 적은데, (다)는 다른 작물에 비해 강원의 생산량 비율이 높은 편이며, 전남이 가장 넓게 표현되어 있다. 채소는 주로 밭에서 재배되기 때문에 강원 등 산간 지역에서도 생산량이 많고, 전남과 제주 등 기후가 따뜻한 지역에서도 재배가 활발하므로 (다)는 채소이다. (라)는 전남, 충남, 전북, 경북 등이 넓게 표현되어 있으므로, 이들 지역에서 생산량 비율이 높은 작물이다. 쌀은 해안과 하천의 평야가 발달한 지역의 논에서 주로 재배되므로 (라)는 쌀이다. 따라서 (가)는 과실, (나)는 맥류(보리), (다)는 채소, (라)는 쌀이다.

정답찾기 ⑤ 과실(가) 왜상 지도에서 제주와 전남을 비교하였을 때 제주의 면적이 훨씬 넓게 표현되어 있으므로 제주의 생산량이 더 많다.

오답피하기 ① 과실(가)은 주로 밭에서 재배된다. 논에서 주로 재배되는 작물은 쌀(라)이다.

② 맥류(보리)(나)는 주로 쌀(라)의 그루갈이 작물로 재배된다.

③ 맥류(보리)(나)는 쌀(라)보다 국내 자급률이 낮다. 쌀보다 자급률이 높은 작물은 서류(감자, 고구마 등)이다.

④ 쌀(라)은 주로 논에서 노지 재배되며, 채소(다)보다 시설 재배가 활발하지 않다. 채소(다)는 노지 재배도 많지만, 다른 작물과 비교하여 시설 재배가 활발한 편이다.

05 농업 문제의 이해

문제분석 산업화와 도시화 과정에서 농촌과 도시의 소득 격차가 점차 커졌으며, 농산물 시장 개방으로 농산물 수입이 늘어났다. 농촌 인구의 도시 유출로 고령화가 나타나면서 노동력이 부족해지고, 휴경과 공장·도로 등의 개발로 인해 경지 면적도 줄어들고 있다. 이러한 농업 문제의 해결을 위해 다양한 방안이 시도되고 있다.

정답찾기 ① 농가 수와 경지 면적은 모두 감소하고 있다. 하지만 농가 수가 경지 면적보다 훨씬 빠르게 감소하였기 때문에 농가당 경지 면적은 소폭 증가하였다.

오답피하기 ② 경관 농업을 통해 관광객을 유치하는 경우 농업 이외의 소득을 올릴 수 있어 농촌 소득의 다각화에 해당한다.

③ 농산물을 브랜드화하는 방법으로 지리적 표시제가 있으며, 보성 녹차와 의성 마늘 등은 이러한 지리적 표시제가 적용되는 대표적인 사례이다.

④ 로컬 푸드 운동은 지역에서 생산하고 지역에서 소비하는 운동을 말한다. 생산지에서 소비지까지 멀리 떨어져 있지 않기 때문에 상대적으로 신선할 뿐만 아니라 유통 구조가 단순화될 수 있다.

⑤ 스마트 팜은 정보 통신 기술의 발달로 농업 분야의 혁신이 이루어지고 있는 분야이다.

06 제조업의 지역별 출하액 분석

문제분석 (가)는 울산, 전남, 충남에서 출하액이 많다. 석유 화학 공업은 원유를 수입하여 정제하고 화학 제품으로 생산하는 계열화된 제조업으로 대규모 산업 단지에 관련 업체가 집적하여 입지하는 경향이 있다. 울산, 전남 여수, 충남 서산 등은 우리나라의 대표적인 석유 화학 산업 단지가 위치한 곳이므로, (가)는 화학 물질 및 화학 제품(의약품 제외) 제조업이다. (나)는 경기의 출하액 비율이 압도적으로 높으며, 충남, 경북도 높은 비율을 차지한다. 전자 제품은 제품의 무게에 비해 부가 가치가 크기 때문에 입지에서 운송비가 차지하는 비율은 상대적으로 낮지만, 첨단 기술에 기반한 신제품 개발이 중요하므로 연구 인력이 풍부한 수도권에 주로 입지한다. 경기 수원·화성·이천·평택, 충남 아산, 경북 구미, 충북 청주 등은 대규모 반도체 제조 공장이 입지한 대표적인 도시이므로, (나)는 전자 부품·컴퓨터·영상·음향 및 통신 장비 제조업이다. (다)는 서울의 출하액 비율이 압도적으로 높고, 경기, 부산 등의 비율이 높다. 의류는 제품 생산 과정에서 노동비가 차지하는 비율이 높은 편이며, 소비자의 기호 등 시장의 변화를 민감하게 파악하고 이에 신속하게 대응해야 하는 특성이 있다. 의류 제조업은 주로 대도시에 입지하므로, 서울의 출하액 비율이 높은 (다)는 의복·의복 액세서리 및 모피 제품 제조업이다.

정답찾기 ④ 전자 부품·컴퓨터·영상·음향 및 통신 장비 제조업(나)은 의복·의복 액세서리 및 모피 제품 제조업(다)보다 생산비에서 연구 개발비가 차지하는 비율이 높다.

오답피하기 ① 화학 물질 및 화학 제품(의약품 제외) 제조업(가)은 자본·기술 집약적 중화학 공업이다.
② 전자 부품·컴퓨터·영상·음향 및 통신 장비 제조업(나)은 상대적으로 입지가 자유로운 편이므로 적환지 지향형 공업으로 볼 수 없다.
③ 의복·의복 액세서리 및 모피 제품 제조업(다)이 화학 물질 및 화학 제품(의약품 제외) 제조업(가)보다 2000년대 이후 수출액이 적다.
⑤ 화학 물질 및 화학 제품(의약품 제외) 제조업(가)이 의복·의복 액세서리 및 모피 제품 제조업(다)보다 자본 집약적 성격이 강해 초기 설비 투자 비용이 많이 든다.

07 제조업 업종별 특성 비교 분석

문제분석 (가)는 (나)보다 사업체 수와 종사자 수가 모두 많으며, 경기, 울산, 충남의 출하액이 많다. 자동차 공업은 다양한 부품을 조립하기 때문에 수많은 협력 업체가 집적하여 입지하는 경향이 나타나며, 울산, 화성, 광주, 아산, 창원, 광명, 인천, 경주, 서산, 평택 등에서 출하액이 많다. 따라서 (가)는 자동차 및 트레일러 제조업이다. (나)는 경북, 전남, 충남의 출하액이 많다. 제철 공업은 철광석을 원료로 철강 제품을 생산하며, 대규모 제철소는 포항, 광양, 당진에 입지한다. 따라서 (나)는 1차 금속 제조업이다.

정답찾기 ㄱ. 1차 금속 제조업(나)은 주요 원료인 철광석과 역청탄을 대량으로 수입해야 하기 때문에 항만 시설을 갖춘 해안에 입지하는 경우가 많다.
ㄴ. 1차 금속 제조업(나)에서 생산되는 다양한 금속은 가공을 통해 자동차의 부품이 되어 자동차 및 트레일러 제조업(가)에 이용된다.

오답피하기 ㄷ. 자동차 및 트레일러 제조업(가)은 1차 금속 제조업(나)보다 전국 종사자 수와 출하액이 많다.
ㄹ. 충남의 자동차 및 트레일러 제조업(가) 사업체 수는 약 600개, 1차 금속 제조업(나) 사업체 수는 약 200개이다. 따라서 충남은 1차 금속 제조업(나)보다 자동차 및 트레일러 제조업(가)의 사업체 수가 많다.

08 지역별 제조업의 입지 분석

문제분석 (가)는 공장이 남동 임해 공업 지역에 집중해 있고, (나)는 수도권 남부와 충청 지역에 집중해 있으며, (다)는 경기와 대구 및 경북 지역에 많이 분포한다. 남동 임해 공업 지역은 우리나라 최대의 중화학 공업 지역으로 조선 공업이 발달한 거제, 울산 등과 가까운 지역에 공장이 밀집한 (가) 지도는 선박을 생산하는 공장의 분포를 나타낸 것이다. 경기는 지식 기반 제조업이 발달한 지역으로 수원, 화성, 평택 등과 충청권의 아산, 청주 등에 공장이 밀집한 (나) 지도는 반도체를 생산하는 공장의 분포를 나타낸 것이다. 대구, 경기 포천 등에 공장이 밀집한 (다) 지도는 섬유를 생산하는 공장의 분포를 나타낸 것이다.

정답찾기 ② (가)는 선박, (나)는 반도체, (다)는 섬유이다.

09 우리나라의 공업 구조 분석

문제분석 (가)는 생산 품목별 종사자 수 비율이 시기에 따라 달라지는 모습을 나타낸 것이다. 섬유나 목재, 종이의 비율이 감소하고 화학이나 기계, 조립 금속의 비율이 증가하는 경향에서 공업 구조가 고도화되고 있음을 알 수 있다. (나)는 사업체 수, 종사자 수, 출하액 비율을 기업 규모별로 나타낸 것이다. 사업체 수와 종사자 수는 중소기업의 비율이 높지만 출하액은 대기업의 비율이 높다는 점에서 공업의 이중 구조를 파악할 수 있다. (다)는 사업체 수, 종사자 수, 출하액 비율을 권역별로 나타낸 것이다. 수도권과 영남권이 차지하는 비율이 높기 때문에 제조업의 지역별 불균형이 심하다는 것을 파악할 수 있다.

정답찾기 ③ (가)에는 공업 구조의 고도화, (나)에는 공업의 이중 구조, (다)에는 공업의 지역적 편재가 들어가는 것이 적절하다.

10 지역별 제조업 비율 파악

문제분석 (가)는 1차 금속 제조업의 종사자 수 비율이 높다. (나)는 식료품 제조업의 종사자 수 비율이 높다. (다)는 자동차 및 트레일러 제조업과 화학 물질 및 화학 제품(의약품 제외) 제조업의 종사자 수 비율이 높으며, 세 지역 중 제조업 종사자 수가 가장 많다. 지도의 A는 서산, B는 익산, C는 광양이다. 서산은 자동차 공장과 석유 화학 산업 단지가 입지하였으므로 (다)는 A이다. 익산은 식품 산업 클러스터가 조성되어 있고 인근 완주에 자동차 공장이 있어 협력 업체가 많으므로 (나)는 B이다. 광양은 대규모 제철소가 입지하였으므로 (가)는 C이다.

정답찾기 ④ 서산(A)의 자동차 및 트레일러 제조업 종사자 수는 약 9천 명, 익산(B)의 자동차 및 트레일러 제조업 종사자 수는 약 2천

명이다. 따라서 자동차 및 트레일러 제조업 종사자 수는 서산이 익산보다 많다.

(오답피하기) ① 호남 공업 지역에 위치한 지역은 익산(B)으로 (나)이다.
② 광양(가)은 익산(나)보다 수도권과의 최단 거리가 멀다.
③ 광양(C)에서 종사자 수가 가장 많은 제조업 업종은 1차 금속 제조업으로 자본·기술 집약적 특성이 있으며, 철광석이나 역청탄 등의 원료를 대량으로 수입한다. 제품 생산에 많은 부품이 필요한 조립 공업은 자동차 및 트레일러 제조업이다.
⑤ 광양(가)은 C, 익산(나)은 B, 서산(다)은 A이다.

수능 실전 문제
본문 81~84쪽

01 ①	02 ⑤	03 ①	04 ②
05 ③	06 ③	07 ①	08 ①

01 소매 업태의 변화 파악

(문제분석) (가)를 다룬 기사는 지역의 전통 시장을 살리기 위해 기반 시설을 재정비하고 특화 거리를 조성하는 내용이다. (나)를 다룬 기사는 자체 배송 체계를 갖추고 차별화된 서비스를 제공한 무점포 소매업이 성장하였다는 내용이다. (다)를 다룬 기사는 쇼핑과 여가가 결합된 대형 복합 쇼핑몰의 유치 여부가 도시 주민들에게 큰 관심사가 되었다는 내용이다.

(정답찾기) ① (가)는 일자리 등 지역 경제에 미치는 영향이 크고 점포가 자리 잡은지 오래되었다는 내용을 통해 전통 시장임을 파악할 수 있다. (나)는 오프라인 매장 없이도 고객에게 서비스를 제공한다는 내용을 통해 무점포 소매업의 하나인 전자 상거래임을 파악할 수 있다. (다)는 한 장소에서 쇼핑과 여가를 즐길 수 있다는 내용을 통해 대형 복합 쇼핑몰임을 파악할 수 있다.

02 소매 업체(중심지)의 분포와 특성 이해

(문제분석) (가)는 (나)보다 사업체 수가 훨씬 많고 사업체 간의 평균 거리가 가깝다. 따라서 (가)는 편의점, (나)는 백화점이다.

(정답찾기) ⑤ 백화점은 매출에서 고가품이 차지하는 비율이 높고, 편의점은 일상용품을 24시간 판매하는 경우가 많다. 따라서 소비자의 평균 구매 빈도는 편의점(가)이 백화점(나)보다 높다.

(오답피하기) ① 편의점(가)은 백화점(나)보다 최소 요구치가 작다.
② 편의점(가)은 백화점(나)보다 사업체당 매출액이 적다.
③ 편의점(가)은 백화점(나)보다 재화의 도달 범위가 좁다.
④ 편의점(가)은 백화점(나)보다 사업체당 매장 면적이 좁다.

03 소매 업태별 비교 분석

(문제분석) 세 소매 업태 중 사업체 수, 종사자 수, 매출액 모두 가장 적은 (가)는 백화점이다. 백화점은 최소 요구치가 크기 때문에 상대적으로 사업체 수가 적다. 세 소매 업태 중 사업체 수, 종사자 수, 매출액 모두 가장 많은 (다)는 슈퍼마켓이다. 슈퍼마켓은 상대적으로 최소 요구치가 작기 때문에 사업체 수가 많은 편이다. 대형 마트는 최소 요구치가 백화점보다는 작고 슈퍼마켓보다는 크다. 따라서 (나)는 대형 마트이다.

(정답찾기) ㄱ. 백화점(가)은 대형 마트(나)보다 대도시의 도심에 입지하는 경향이 크다.
ㄴ. 대형 마트(나)는 슈퍼마켓(다)보다 소비자의 평균 구매 이동 거리가 멀다. 대형 마트는 일반적으로 주차 시설을 갖추고 있으며, 소비자들은 자동차를 이용하여 대량으로 구매하는 경우가 많다.

오답피하기 ㄷ. 백화점(가)이 슈퍼마켓(다)보다 고가 상품의 판매 비율이 높다. 슈퍼마켓(다)은 백화점(가)보다 일상 생활용품의 매출 비율이 높은 편이다.

ㄹ. (가)는 백화점, (나)는 대형 마트, (다)는 슈퍼마켓이다.

04 생산자 서비스업과 소비자 서비스업의 입지 특성 분석

문제분석 (가)는 영등포의 여의도에 가장 많으며, 서울 도심과 강남 일대에 집중하는 경향이 강하다. 또한 사업체 수도 (나)보다 많지 않다. (나)는 도심에 집중하는 경향이 상대적으로 약하며, 서울의 주변(외곽) 지역에도 널리 분포한다. 또한 사업체 수도 (가)보다 훨씬 많다. 따라서 (가)는 금융 기관, (나)는 음식점에 해당한다.

정답찾기 ② 금융 기관(가)은 음식점(나)보다 기업과의 거래액 비율이 높다.

오답피하기 ① 음식점(나)이 금융 기관(가)보다 총사업체 수가 많다.

③ 금융 기관(가)이 음식점(나)보다 종사자당 매출액이 많다.

④ 금융 기관(가)이 음식점(나)보다 대도시의 도심에 집중하는 경향이 강하다.

⑤ 금융 기관(가)은 기업의 생산 활동을 돕는 생산자 서비스업, 음식점(나)은 개인 소비자에게 음식물을 제공하므로 소비자 서비스업에 속한다.

05 생산자 서비스업과 소비자 서비스업의 지역별 비교 분석

문제분석 사업체 수, 종사자 수, 매출액 모두 (가)가 (나)보다 많다. 하지만 사업체당 매출액과 종사자당 매출액은 (나)가 (가)보다 많다. 따라서 (가)는 숙박 및 음식점업, (나)는 전문·과학 및 기술 서비스업에 해당한다. 숙박 및 음식점업(가)은 사업체 수, 종사자 수, 매출액 모두 B가 A보다 많다. 전문·과학 및 기술 서비스업(나)의 매출액은 B가 A보다 많지만, 사업체 수와 종사자 수는 A가 B보다 많다. 상대적으로 전문·과학 및 기술 서비스업의 사업체 수와 종사자 수가 많은 A는 대도시인 광주이다. B는 전남으로, 면적과 인구 규모가 광주보다 크므로 숙박 및 음식점업(가)의 사업체 수, 종사자 수, 매출액이 더 많다.

정답찾기 ㄴ. 광주와 전남의 전문·과학 및 기술 서비스업(나)은 종사자 수가 약 4만 명, 매출액이 약 5조 원으로 종사자당 매출액은 약 1억 원이고, 광주와 전남의 숙박 및 음식점업(가)은 종사자 수가 약 13만 명, 매출액이 약 9조 원으로 종사자당 매출액은 약 7천만 원이다. 따라서 전문·과학 및 기술 서비스업(나)은 숙박 및 음식점업(가)보다 종사자당 매출액이 많다.

ㄷ. 숙박 및 음식점업(가)은 소비자 서비스업, 전문·과학 및 기술 서비스업(나)은 생산자 서비스업에 해당한다.

오답피하기 ㄱ. 광주와 전남의 숙박 및 음식점업(가)은 사업체 수가 약 6만 개, 종사자 수가 약 13만 명으로 사업체당 종사자 수는 약 2명이며, 광주와 전남의 전문·과학 및 기술 서비스업(나)은 사업체 수가 약 1만 개, 종사자 수가 약 4만 명으로 사업체당 종사자 수는 약 4명이다. 따라서 사업체당 종사자 수는 전문·과학 및 기술 서비스업(나)이 숙박 및 음식점업(가)보다 많다.

ㄹ. A는 광주, B는 전남이다.

06 지역별 산업 구조 비교 분석

문제분석 지도에 표시된 세 지역은 강원, 전남, 부산이다. 농업, 임업 및 어업은 자연에서 얻은 생산물에 대한 산업이므로 1차 산업에 해당하며, (가)~(다) 중 (나)에서 생산액이 가장 많다. 따라서 (나)는 농림어업이 발달한 전남이다. (가)~(다) 중 농업, 임업 및 어업 생산액이 가장 적은 (가)는 면적이 좁고 대도시인 부산이다. 광업은 자원을 채굴하여 가공하는 산업이며, (가)~(다) 중 (다)에서 생산액이 가장 많다. 광업의 발달은 지하자원의 매장량과 직접적인 관련이 있으므로, (다)는 강원이다. 전남(나)은 시멘트 공업이 발달한 장성, 석탄 채굴이 이루어지는 화순 등이 있어 강원 다음으로 광업 생산량이 많았으나 2023년 시멘트 공장과 탄광이 문을 닫게 되었다. (가)~(다) 중 제조업 생산액이 가장 많은 (나)는 석유 화학 산업 단지가 입지한 여수, 제철 공업이 발달한 광양, 조선 공업이 발달한 영암 등이 있는 전남이다. 자동차, 선박, 신발 등의 제조업이 발달한 부산(가)도 생산액이 많은 편이다.

정답찾기 ③ 전남(나)은 세 지역 중 농림어업 생산액이 가장 많다.

오답피하기 ① 강원(다)의 광업 생산액은 약 7천억 원이고, 제조업 생산액은 약 5조 원이다. 따라서 강원은 제조업 생산액이 광업 생산액보다 많다.

② 부산(가)의 제조업 생산액은 약 15조 원이고, 전남(나)의 제조업 생산액은 약 28조 원이다. 따라서 전남이 부산보다 제조업 생산액이 많다.

④ 2023년 기준 부산(가)은 남한에서 두 번째로 인구가 많은 도시로 약 330만 명이 살고 있으며, 전남(나)은 약 180만 명, 강원(다)은 약 150만 명으로 인구가 200만 명이 되지 않는다. 따라서 세 지역 중 부산의 총인구가 가장 많다.

⑤ 전남(나)은 호남권에 속한다.

07 교통수단별 수송 실적 파악

문제분석 국내 여객과 국내 화물의 수송 실적이 모두 압도적 1위인 (가)는 도로이다. 국내 여객의 분담률은 두 번째로 높지만, 국제 여객과 국내 및 국제 화물에서 수송 실적이 없는 (나)는 지하철이다. 국내 여객과 국내 화물에서 수송 실적이 있는 (다)는 철도이다. (가)~(다)는 육상 교통수단이기 때문에 분단의 특수한 상황으로 인해 국제 여객과 국제 화물에서 수송 실적이 없다. 국제 여객에서 분담률이 매우 높은 (마)는 항공이다. 국내 화물의 수송 실적이 두 번째이고, 국제 화물 수송 실적의 대부분을 차지하는 (라)는 해운이다.

정답찾기 ① 지하철(나)이 도로(가)보다 정시성이 우수하다.

오답피하기 ② 지하철(나)은 철도(다)보다 대도시의 여객 수송 비율이 월등히 높은 대중교통이므로 대도시권의 교통 혼잡 문제를 해결하는 데 도움을 준다.

③ 철도(다)는 해운(라)보다 단위 거리당 주행 비용의 증가율이 높다.

④ 해운(라)은 항공(마)보다 상업적으로 이용한 시기가 이르다.

⑤ 항공(마)은 운행 특성상 바람, 안개, 눈, 비, 결빙, 낙뢰 등 다양한 기상 현상에 민감하다. 따라서 항공(마)은 도로(가)보다 기상 조건에 따른 제약이 크다.

08 교통수단별 비교 분석

문제분석 학습 활동 노트는 교통수단별로 주요 노선을 지도에 그린 것이며, 노선의 형태를 통해 교통수단을 유추할 수 있다. (가)는 육상 교통수단이며 교통망이 전역에 걸쳐 거미줄처럼 촘촘한 네트워크를 형성하고 있으므로 도로이다. (나)는 주요 항구와 항구를 잇는 경로가 바다에 표시되어 있는 해상 교통수단이므로 해운이다. (다)는 지형의 제약과 무관하게 국제기구가 인정하는 직선상의 경로가 표현되어 있으므로 항공이다.

정답찾기 ① 해운(나)은 기종점 비용이 상대적으로 비싸지만 주행 비용의 증가율이 낮으며, 기술의 발달로 대규모 선박을 건조하게 되어 대량 화물의 장거리 수송에 유리하다.

오답피하기 ② 도로(가)는 해운(나)보다 기종점 비용이 작다.
③ 해운(나)은 항공(다)보다 평균 운행 속도가 느리다.
④ 항공(다)은 도로(가)보다 문전 연결성이 낮다.
⑤ (가)는 도로, (나)는 해운, (다)는 항공에 해당한다.

THEME 14 인구 분포와 인구 구조의 변화

수능 실전 문제
본문 87~89쪽

| 01 ② | 02 ② | 03 ④ | 04 ④ |
| 05 ④ | 06 ④ | | |

01 우리나라의 인구 변화 특성 이해

문제분석 제시된 글은 우리나라의 연령층별 인구 변화 및 분포 특성을 나타내고 있다.

정답찾기 ② 노령화 지수는 (노년층 인구÷유소년층 인구)×100으로 산출할 수 있다. ㉠을 통해 2020년에 유소년층 인구는 약 631만 명, 노년층 인구는 약 815만 명으로 노령화 지수는 100 이상임을 알 수 있다.

오답피하기 ① 인구 부양비는 {(유소년층 인구+노년층 인구)÷청장년층 인구}×100으로 산출할 수 있는데, ㉠에서는 총인구 또는 청장년층 인구 규모를 알 수 없기 때문에 정확한 인구 부양비는 산출할 수 없다. 하지만 인구 부양비가 100 이상이라는 것은 15~64세의 청장년층 인구가 총인구의 절반 이하임을 의미하지만, 우리나라의 인구 성장 과정에서 청장년층 인구가 전체 인구의 절반 이하였던 경우가 한 번도 없었기 때문에 1970년에 인구 부양비가 100 이상이라는 진술은 옳지 않다.
③ 15~64세의 청장년층에 해당하는 경제 활동 인구는 대부분 도시에 집중되어 있다. 읍·면·동 중 도시의 하위 체계는 대부분 동(洞)이다. 따라서 우리나라 청장년층 인구의 80% 이상은 동(洞) 지역에 거주하고 있다.
④ 서울, 인천, 경기 중 2022년에 청장년층 인구는 경기가 가장 많다. 경기는 수도권 세 지역 중 인구가 가장 많다.
⑤ 신도시 개발은 서울에 집중된 인구를 분산하기 위한 정책 과정으로 서울의 인구 밀집을 완화하는 효과는 있지만 수도권 전체의 인구 집중은 여전히 지속되고 있다. 왜냐하면 경기에 건설된 신도시에는 서울의 인구도 이동하지만 수도권 외에서도 인구가 이동하기 때문이다.

02 우리나라 주요 지역의 시기별 인구 순 이동 이해

문제분석 지도에 표시된 네 지역은 부산, 전북, 제주, 충남이다. 인구 순 이동은 유입 인구에서 유출 인구를 뺀 값이다. 따라서 인구 순 이동이 양(+)의 값이면 유입 초과, 음(-)의 값이면 유출 초과를 의미한다. 그래프에서 (가)는 1980년대까지 인구 순 이동이 양(+)의 값으로 유입 초과 현상이 나타났음을 알 수 있다. 1980년대까지 인구의 대도시 집중 현상이 나타났기 때문에 (가)는 부산이다. (나)는 2000년대 초반까지 유출 초과 현상이 나타나다가 이후 유입 초과가 발생한 지역으로, 수도권과 인접해 수도권 기능 분산의 영향으로 제조업이 빠르게 성장하고 있는 충남이다. (다)는 지속적으로 유출 초과가 나타나는 전북이다. (라)는 네 지역 중 인구 이동의 규모가 가장 작은 제주이다.

정답찾기 ② 수도권에 인접한 충남(나)은 북부 지역인 천안, 아산, 서산, 당진 등에 수도권으로부터 공업 기능이 분산되어 첨단 산업, 자동차 공업이 빠르게 성장하고 있을 뿐만 아니라 석유 화학, 제철 등 중화학 공업도 발달하여 촌락의 성격이 강한 전북(다)보다 수도권으로부터 인구 유입이 활발하다.

오답피하기 ① 부산(가)은 충남(나)보다 인구는 많고 면적은 좁기 때문에 인구 밀도가 높다.
③ 그래프에서 전북(다)은 인구 순 이동이 모두 음(−)의 값이며, 제주(라)는 2010년 이후부터는 인구 순 이동이 모두 양(+)의 값이다. 따라서 인구의 사회적 증가율은 제주(라)가 전북(다)보다 높다.
④ 통근·통학 인구는 대도시인 부산(가)이 제주(라)보다 많다.
⑤ 부산(가)과 충남(나)은 행정 구역 경계가 맞닿아 있지 않다.

03 태백, 포항, 하남의 인구 변화 이해

문제분석 지도에 표시된 세 지역은 경기의 하남, 강원의 태백, 경북의 포항이다. (가)는 인구가 지속적으로 증가하다가 2015년 이후 급격하게 증가한 하남이다. 서울과 인접한 하남은 수도권 2기 신도시가 건설된 후 인구가 빠르게 증가하였다. (나)는 1970년대에 인구가 상대적으로 많이 증가한 포항이다. (다)는 1980년대 후반 이후 인구가 빠르게 감소한 태백이다. 우리나라 최대의 광업 도시인 태백은 1989년에 시행된 석탄 산업 합리화 정책과 석유 중심의 에너지 소비 구조 변화로 인해 1980년대 후반부터 경제가 쇠퇴하고 인구가 빠르게 감소하였다.

정답찾기 ④ 백두대간이 지나가는 태백(다)은 하남(가)보다 평균 해발 고도가 높다.

오답피하기 ① (가)는 하남이며, 대규모 제철소는 포항(나)에 입지해 있다.
② 총인구는 포항(나) > 하남(가) > 태백(다) 순으로 많다.
③ 지역 내 65세 이상의 노년층 인구 비율은 인구가 지속적으로 감소한 태백(다)이 제조업이 발달한 포항(나)보다 높다.
⑤ 서울과의 최단 거리는 수도권에 위치한 하남(가)이 가장 가깝다.

04 강원, 경북, 충북으로의 인구 이동 특성 이해

문제분석 지도에 표시된 세 지역은 강원, 경북, 충북이다. (가)는 대구로부터 인구 이동이 가장 많은 경북이다. (나)와 (다)는 모두 경기, 서울로부터 인구 이동이 많지만, (나)는 상대적으로 대전, 충남, 경북(가)으로부터 인구 이동이 많기 때문에 세 지역과 지리적으로 인접해 있는 충북이고, (다)는 상대적으로 충북(나), 경북(가)으로부터 인구 이동이 많기 때문에 두 지역과 지리적으로 인접해 있는 강원이다.

정답찾기 ④ 충북(나)은 강원, 경북, 경기, 충남, 전북 5개 도와 행정 구역 경계가 맞닿아 있다. 이에 비해 강원(다)은 경기, 충북, 경북 3개 도, 경북(가)은 경남, 강원, 충북, 전북 4개 도와 행정 구역 경계가 맞닿아 있다.

오답피하기 ① 경북(가)은 소백산맥의 동쪽에 위치한다.
② 충북(나)은 내륙에 위치한 지역으로 해수욕장이 없다. 반면에 강원(다)에는 동해안을 따라 크고 작은 해수욕장들이 있어 여름철 피서를 위해 찾는 관광객이 많다.

③ 영남 지방 명칭에서 '영남'은 조령(문경 새재)의 남쪽이라는 의미이다. 조령은 경북(가)의 문경과 충북(나)의 괴산 사이의 고개로, 과거 영남 지방과 충청 및 경기 지방을 잇는 길목이었다.
⑤ 세 지역 중 농가 인구는 경북(가)이 가장 많다. 경북(가)은 우리나라 시·도 중 농가 인구가 가장 많다.

05 충청권의 주요 인구 지표 이해

문제분석 (가)~(다)는 노령화 지수, 성비, 총부양비 중 하나이다. 노령화 지수는 (노년층 인구÷유소년층 인구)×100, 성비는 여성 인구 100명에 대한 남성의 수, 총부양비는 {(유소년층 인구+노년층 인구)÷청장년층 인구}×100이다.

정답찾기 ④ (가)는 단양, 괴산, 보은, 영동 등 소백산맥에 인접한 지역과 서천, 부여, 청양, 예산 등 대체로 촌락의 특성이 강한 지역의 값이 높고, 세종, 천안, 아산, 계룡 등 제조업이 발달하거나 행정 기능이 강한 도시의 값은 낮다. (가)는 노년층 인구 비율이 상대적으로 높은 지역의 값이 높기 때문에 노령화 지수이다. (나)는 수도권과 인접한 당진, 아산, 진천, 음성 등의 값이 높고, 공주, 부여, 서천, 논산, 금산 등 대체로 평야가 발달하여 농촌의 성격이 강한 지역의 값은 낮다. 당진은 1차 금속 제조업이 발달하고 아산은 자동차 공업이 발달하여, 이들 지역은 청장년층의 남성 노동자 비율이 높게 나타난다. 또한 진천과 음성에는 혁신 도시가 건설되어 수도권으로부터 청장년층 인구의 유입이 활발하다. 이에 비해 농촌의 성격이 강한 지역들은 고령 인구가 많아 여성의 비율이 높다. 따라서 (나)는 성비이다. (다)는 아산, 천안, 청주, 대전 등 비교적 인구 규모가 큰 시 지역의 값이 낮고, 청양, 부여, 서천, 보은 등 촌락의 특성이 강한 지역의 값은 높다. 인구 규모가 큰 시 지역은 청장년층 인구 비율이 상대적으로 높다. 청장년층 인구 비율은 총부양비와 반비례 관계이기 때문에 (다)는 총부양비이다. 특히 세종은 노령화 지수를 나타내는 (가)와 비교할 때 상대적으로 (다)의 값이 높은데, 이는 세종의 유소년층 인구 비율이 높기 때문이다. 유소년층 인구 비율이 높으면 상대적으로 노령화 지수는 낮고 총부양비는 높다.

06 부산, 울산, 경남의 인구 특성 이해

문제분석 지도에 표시된 세 지역은 부산, 울산, 경남이다. 〈지역 간 전출·전입자 수〉에서 규모가 큰 (가), (다)는 인구 규모가 큰 부산과 경남 중 하나이고, (나)는 울산이다. (가)와 (다) 간에는 (다)가 전입 초과, (가)가 전출 초과가 나타난다. 따라서 (가)는 대도시의 인구 교외화가 발생하고 있는 부산, (다)는 경남이다. 〈지역별 인구 특성〉에서 A는 인구 규모가 가장 작은 울산이다. B, C는 부산과 경남 중 하나인데, 대도시인 부산은 서비스업에 종사하는 여성 인구가 상대적으로 많고, 해안을 중심으로 제조업이 발달한 경남은 남성 인구가 상대적으로 많다. 따라서 성비는 경남이 부산보다 높기 때문에 B는 경남, C는 부산이다.

정답찾기 ④ 〈지역 간 전출·전입자 수〉를 통해 경남((다), B)은 전입 초과, 부산((가), C)과 울산((나), A)은 전출 초과가 나타난다는 것을 알 수 있다. 따라서 세 지역 간 인구 순 이동은 경남((다), B)이 가장 많다.

① 지역 내 노년층 인구 비율은 부산((가), C)이 경남((다), B)보다 높다.

② 1인당 지역 내 총생산은 울산((나), A)이 경남((다), B)보다 많다.

③ 부산(가)과 울산(나)은 광역시, 경남(다)은 도(道)이다.

⑤ 지역 내 2차 산업 종사자 비율은 울산((나), A)이 부산((가), C)보다 높다. 울산은 우리나라 시·도 중 지역 내 2차 산업 종사자 비율이 가장 높다.

THEME 15 인구 문제와 다문화 공간의 확대

수능 실전 문제 본문 92~96쪽

01 ④	02 ①	03 ④	04 ⑤
05 ①	06 ④	07 ③	08 ②
09 ④	10 ①		

01 저출산·고령화의 특성 이해

문제분석 자료에서 (가)는 노인 서비스에 대한 수요를 증대시키는 고령화이고, (나)는 어린이집과 젊은 노동자 수의 감소를 초래하는 저출산이다.

정답찾기 갑. 고령화(가)가 지속되면 고령층을 대상으로 하는 실버산업의 시장 규모가 확대될 것으로 예상된다.

병. 저출산(나)의 주요 원인으로는 초혼 연령 상승 및 자녀에 대한 가치관 변화 등이 있다.

정. 저출산(나)이 지속되면 장기적으로 청장년층 인구가 감소하며, 이에 따라 고령화(가)가 심화될 우려가 있다.

오답피하기 을. 정년 단축은 노년층의 경제적 기반을 축소할 우려가 있으므로 고령화(가)의 대책이 되기는 어렵다.

02 저출산·고령화로 인한 공간 변화 파악

문제분석 지도에 표시된 세 지역은 하남, 단양, 안동이다. (가)는 세 지역 중 산부인과와 소아 청소년과 의원 수가 가장 많으며, 이는 수도권에 위치하여 유소년층 인구 비율이 높은 하남이다. (다)는 산부인과와 소아 청소년과 의원 수가 감소 추세이며, 이는 안동에 해당한다. (나)는 세 지역 중 인구 규모가 가장 작고 유소년층 인구가 가장 적어 산부인과와 소아 청소년과 의원이 없는 단양이다.

정답찾기 ① 수도권에 위치한 하남(가)은 수도권 2기 신도시가 조성되었으며, 이에 따라 인구가 유입하며 2009년 대비 2022년 유소년층 인구가 증가하였다.

오답피하기 ② 안동(다)은 2009~2022년 인구가 감소하였으나 의원 수는 증가하였으므로 인구 1인당 의원 수가 증가하였다.

③ 수도권에 위치한 도시인 하남(가)은 촌락인 단양(나)보다 중위 연령이 낮다.

④ 단양(나)은 안동(다)보다 2022년 총인구가 적다. 이는 총의원 수를 토대로 추론할 수 있다.

⑤ 안동(다)은 하남(가)보다 면적이 넓지만 2022년 산부인과 의원 수가 적으므로 단위 면적당 산부인과 의원 수가 적다.

03 우리나라의 연령층별 인구 구조 변화 이해

문제분석 (가)는 가파른 증가 추세를 보이므로 노년층이고, (다)는 1970년대 이후 감소 추세를 보이므로 유소년층이다. 나머지 (나)는 청장년층이다.

정답찾기 ㄱ. 노년층(가)은 1960~2021년에 가파른 증가 추세를 보이며, 유소년층(다)은 1970년대 이후 감소 추세를 보인다. 따라서 1960~2021년 인구 증가율은 노년층이 유소년층보다 높다.

ㄴ. 남녀 평균 수명 차이 등으로 인해 연령층별 성비는 노년층(가)이 청장년층(나)보다 대체로 낮다.

ㄹ. 노령화 지수는 유소년층 인구에 대한 노년층 인구의 비율이다. 1960년 노년층(가) 인구는 1990년의 절반 이하이며, 2021년 노년층 인구는 1990년의 4배 이상이다. 따라서 1960~2021년 노년층 인구는 8배 이상 증가하였다. 반면에 1960년 유소년층(다) 인구는 1990년과 비슷하지만(91.2), 2021년 유소년층 인구는 1990년의 절반가량(54.7)이다. 1960년 대비 2021년에 유소년층 인구는 감소하였으나 노년층 인구는 8배 이상 증가하였으므로 2021년 노령화 지수는 1960년의 4배 이상이다.

(오답피하기) ㄷ. 우리나라는 모든 시기에 청장년층 인구 비율이 세 연령층 중 가장 높게 나타난다. 따라서 1990년 인구는 유소년층(다)이 청장년층(나)보다 적다.

04 우리나라의 시기별 인구 정책 이해

(문제분석) (가)는 출생률을 낮추기 위해 자녀 수를 제한하자는 정책 홍보 표어를 사용한 시기이므로 1960년대이고, (나)는 저출산 및 고령화 현상을 극복하기 위한 정책 홍보 표어를 사용한 시기이므로 2000년대이다.

(정답찾기) ⑤ 1960년대와 비교할 때 2000년대는 합계 출산율이 낮고 중위 연령이 높으며 총인구가 많다.

05 우리나라의 시기별 인구 부양비 및 인구 변화 특성 파악

(문제분석) (가)는 2020년까지 증가하다가 이후 감소하는 지표이고, (나)는 1970~2010년에 감소하다가 이후 가파르게 증가하는 지표이다. (다)는 1970~2030년에 감소하다가 이후 낮은 수준을 유지하는 지표이다.

(정답찾기) ① 우리나라의 총인구는 2020년까지 증가하다가 이후 감소할 것으로 예상된다. 따라서 (가)는 총인구이다. 우리나라는 1960~2010년에 청장년층 인구 비율이 대체로 증가하였으며, 이에 따라 총부양비가 감소하였다. 그러나 2010년 이후 청장년층 인구 비율이 낮아질 것으로 예상되어 총부양비는 크게 증가할 것으로 예측된다. 따라서 (나)는 총부양비이다. 또한 우리나라는 합계 출산율이 낮아지면서 유소년층 인구 비율이 감소하고 있으며, 이에 따라 청장년층 인구 대비 유소년층 인구의 비율인 유소년 부양비는 1970년 이후 대체로 감소하였다. 향후 저출산 현상이 지속되면서 유소년 부양비는 낮은 수준을 유지할 것으로 예상되므로 (다)는 유소년 부양비이다.

06 지역별 인구 부양비 및 노령화 지수 특성 파악

(문제분석) 지도에 표시된 네 지역은 서울, 경기, 전남, 부산이다. (라)는 두 시기 모두 네 지역 중 노년 부양비와 노령화 지수가 가장 높은 전남이다. (다)는 2021년 노년 부양비와 노령화 지수가 가장 낮으므로 경기이다. 경기는 서울의 교외화에 따른 신도시 건설, 제조업 발달 등으로 인해 인구 유입이 많으며, 이에 따라 청장년층과 유소년층

인구 비율이 상대적으로 높아 노년 부양비와 노령화 지수가 상대적으로 낮게 나타난다. (가)와 (나)는 서울, 부산 중 하나인데, 두 지역 중 1970년에 비해 2021년에 노년 부양비와 노령화 지수가 더 많이 증가한 (나)는 부산이고, 나머지 (가)는 서울이다.

(정답찾기) ㄴ. 노년 부양비는 청장년층 인구에 대한 노년층 인구의 비율이며, 노령화 지수는 유소년층 인구에 대한 노년층 인구의 비율이다. 전남(라)의 2021년 노년 부양비는 약 37이고, 노령화 지수는 약 210이다. 노령화 지수가 약 210이므로 유소년층 인구는 노년층 인구의 절반 이하이며, 따라서 유소년 부양비도 노년 부양비의 절반 이하이므로 총부양비는 55.5 미만이다. 청장년층 인구 비율이 50% 미만일 경우 총부양비는 100 이상이 되므로 전남(라)의 2021년 청장년층 인구 비율은 50%보다 높다.

ㄹ. 경기(다)는 전남(라)보다 2021년 인구가 6배 이상 많으므로 유소년층 인구가 많다.

(오답피하기) ㄱ. 유소년 부양비는 노년 부양비와 노령화 지수를 토대로 대략적으로 파악할 수 있다. 노년 부양비는 청장년층 인구에 대한 노년층 인구의 비율이고, 노령화 지수는 유소년층 인구에 대한 노년층 인구의 비율이다. 따라서 노년 부양비를 노령화 지수로 나누면 청장년층 인구에 대한 유소년층 인구의 대략적인 비율을 가늠할 수 있다. 1970년 서울(가)의 노년 부양비는 약 2.9이고, 노령화 지수는 약 5이므로 유소년 부양비는 약 57.8이다. 2021년 서울의 노년 부양비는 약 22.4이고, 노령화 지수는 약 167.7이므로 유소년 부양비는 약 13.4이다. 서울은 1970년에 유소년 부양비가 노년 부양비보다 높지만, 2021년에는 노년 부양비가 유소년 부양비보다 높다.

ㄷ. 서울(가)과 부산(나)은 1970년에 노년 부양비와 노령화 지수가 비슷하지만, 2021년에는 부산이 서울보다 높다. 따라서 서울은 부산보다 1970~2021년 노년층 인구 비율이 적게 증가하였다.

07 내국인과 외국인의 성별 · 연령층별 인구 구조 특징 파악

(문제분석) 지도에 표시된 두 지역은 화순, 김해이다. (가)는 외국인 여성이 남성보다 많고, 내국인도 여성이 남성보다 많다. 또한 내국인 인구 중 65세 이상 인구 비율이 높으므로 촌락의 성격이 강한 전남 화순이다. (나)는 외국인 남성이 여성보다 많고, 내국인도 남성이 여성보다 소폭 많다. 또한 내국인 인구 중 0~14세 인구와 15~64세 인구의 비율이 (가)보다 높으므로 도시인 경남 김해이다.

(정답찾기) ③ 제조업이 발달한 도시인 김해(나)는 촌락의 성격이 강한 화순(가)보다 지역 내 총생산이 많다.

(오답피하기) ① 촌락의 성격이 강한 화순(가)은 제조업이 발달하여 외국인 근로자 등이 많은 김해(나)보다 외국인 수가 적다.

② 화순(가)은 김해(나)보다 외국인 성비가 낮다.

④ 화순(가)과 김해(나)는 모두 외국인보다 내국인의 중위 연령이 높다.

⑤ 화순(가)은 호남권, 김해(나)는 영남권에 위치한다.

08 외국인 취업자의 권역별 · 산업별 특징 파악

(문제분석) (가)는 (나)보다 건설업 취업자 비율이 높으며, (나)는 (가)보다 사업 · 개인 · 공공 서비스업 취업자 비율이 높다. 따라서 (가)는 남성, (나)는 여성이다. A는 남성 취업자 비율이 높으므로 광업 · 제

조업이고, B는 여성 취업자 비율이 높으므로 도소매·음식·숙박업이다.

정답찾기 ② 외국인 여성(나)은 외국인 남성(가)보다 광업·제조업 취업자 수가 적다.

오답피하기 ① 〈권역별 분포〉에서 외국인 여성 중 수도권 취업자 비율이 외국인 남성 중 수도권 취업자 비율보다 높지만, 우리나라의 외국인 취업자는 남성이 여성의 2배에 달하므로 수도권 외국인 취업자 성비는 100 이상이다.

③ 외국인 남성(가)은 외국인 여성(나) 인구 규모의 2배 정도인데, 〈권역별 분포〉에서 여성이 남성의 2배 이상의 비율을 차지하는 권역이 없으므로 모든 권역에서 외국인 남성이 외국인 여성보다 취업자 수가 많다.

④ 도소매·음식·숙박업(B)은 광업·제조업(A)보다 외국인 취업자 성비가 낮다.

⑤ 광업·제조업(A)은 2차 산업, 도소매·음식·숙박업(B)은 3차 산업에 해당한다.

09 시·도별 외국인 주민 분포 특징 파악

문제분석 지도에 표시된 다섯 지역은 서울, 경기, 강원, 대전, 전남이다. (가)는 (나)보다 외국인 주민의 성비가 대체로 높으므로 외국인 근로자이고, (나)는 결혼 이민자이다. (가)와 (나) 모두 여성 외국인 주민 수에 성비를 곱하면 남성 외국인 주민 수를 파악할 수 있다. (가)와 (나) 유형에서 모두 외국인 주민 수가 가장 많은 E는 경기이고, 두 번째로 많은 D는 서울이다. 강원, 대전, 전남 중 외국인 근로자(가) 성비가 가장 높고 결혼 이민자(나) 성비가 가장 낮은 A는 촌락의 성격이 강한 전남이다. B와 C 중 외국인 근로자 수가 적은 C는 대전이고, 나머지 B는 강원이다.

정답찾기 ④ 외국인 근로자(가)는 결혼 이민자(나)보다 성비가 높다.

오답피하기 ① 서울(D)은 외국인 근로자(가)와 결혼 이민자(나)의 여성 인구가 약 2만 명으로 비슷하지만, 성비는 외국인 근로자가 결혼 이민자보다 두 배 이상 높다. 따라서 서울은 외국인 근로자 남성이 결혼 이민자 남성보다 많다.

② 전남(A)은 경기(E)보다 지역 내 2차 산업 종사자 수가 적다. 경기는 인구가 많고 제조업이 발달하여 2차 산업 종사자 수가 많다.

③ 대전(C)은 강원(B)보다 여성 외국인 근로자 수가 적고 성비도 낮다. 따라서 대전은 강원보다 남성 외국인 근로자 수가 적으며, 총 외국인 근로자 수도 적다.

⑤ 결혼 이민자(나)는 외국인 근로자(가)보다 전체 외국인 주민에서 차지하는 비율이 낮다.

10 다문화 공간의 특성 이해

문제분석 우리나라는 교통·통신의 발달과 세계화에 따라 외국인 이주자들이 늘어나면서 다문화 사회로 변화하고 있다. 우리나라에 거주하는 외국인이 늘어나면서 언어·종교 등 문화적 배경이 유사하거나 국적이 같은 이주자들이 일정한 지역에서 정보 교환과 자국 문화 공유를 위한 공동체를 형성하기도 한다. 이와 같은 지역에서 이주자의 문화와 우리나라의 문화가 융합되어 독특한 문화 경관을 형성하는데, 이를 다문화 공간(가)이라고 한다. 우리나라가 다문화 사회로

변화하면서 다양하고 특색 있는 다문화 공간들이 점차 늘어나고 있다. 글 자료는 이와 같은 다문화 공간의 사례에 해당한다.

정답찾기 ① 다문화 공간은 교통·통신의 발달과 세계화로 인해 외국과의 교류가 늘고 외국인 이주자들이 증가하면서 분포 범위가 확대되고 있다.

THEME 16 지역의 의미와 북한 지역

수능 실전 문제

본문 99~103쪽

01 ①	02 ②	03 ②	04 ④
05 ④	06 ④	07 ③	08 ③
09 ③	10 ③		

01 지역의 특성 이해

문제분석 다양한 순대 양념장을 소개하는 글 자료를 바탕으로 지역의 특성을 묻고 있다.

정답찾기 ① 동질 지역은 유사한 지리적 현상이 나타나는 공간 범위를 지표로 설정한 것이다. 순대 양념장(㉠)을 바탕으로 구분한 지역은 같은 음식 문화가 나타나는 공간 범위이므로 동질 지역의 사례에 해당한다.

오답피하기 ② 충남(㉡)은 태안, 보령 등 서부 지역이 황해에 접해 있다. 해안에 접하지 않은 도(道)는 충청북도이다.

③ 호남 지방(㉢)의 명칭은 금강의 옛 명칭인 호강(湖江)의 남쪽에서 유래하였다는 설과 김제 벽골제의 호수 남쪽에서 유래하였다는 설 등이 있다. 1차 산맥에 있는 고개에서 유래한 대표적인 지명으로는 대관령의 동쪽과 서쪽이라는 의미를 지닌 영동 지방과 영서 지방, 조령의 남쪽이라는 의미인 영남 지방 등이 있다.

④ 영남 지방(㉣)의 광역시에는 부산, 대구, 울산이 있고, 특례시에는 창원이 있다.

⑤ 강원도(㉤)라는 지명은 강릉과 원주의 앞 글자에서 유래하였다. 강릉과 원주에는 도청이 없다. 강원특별자치도청은 춘천에 있다.

02 북한의 계절별 기온 분포 이해

문제분석 같은 위도에서 1월은 동해안이 서해안보다 평균 기온이 높고, 8월은 서해안이 동해안보다 평균 기온이 높다. (가)에서 서

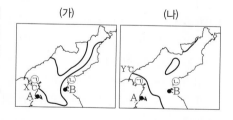

해안의 ㉠은 X℃ 등온선보다 고위도에 있으므로 X℃보다 기온이 낮다. 반면에 같은 위도에 있는 동해안의 ㉡은 X℃ 등온선보다 저위도에 있으므로 X℃보다 기온이 높다. 따라서 (가)는 1월이다. (나)에서 서해안의 ㉠은 Y℃ 등온선보다 저위도에 있으므로 Y℃보다 기온이 높다. 반면에 같은 위도에 있는 동해안의 ㉡은 Y℃ 등온선보다 고위도에 있으므로 Y℃보다 기온이 낮다. 따라서 (나)는 8월이다. 지도의 A는 남포, B는 원산이다.

정답찾기 ② 기후적 요인에 의한 대표적인 자연재해에는 태풍, 폭염, 한파, 대설, 호우 등이 있고, 이 중 태풍, 호우 등이 피해 규모가 큰 자연재해이다. 태풍, 호우 등은 1월(가)보다 8월(나)에 발생 빈도가 높다.

오답피하기 ① 1월(가)에는 대륙성 기단인 시베리아 기단, 8월(나)에

는 해양성 기단인 북태평양 기단의 영향을 많이 받는다.

③ 북동 기류의 바람받이 사면에 해당하는 원산(B)은 서해안의 남포(A)보다 겨울 강수 집중률이 높다. 따라서 연 강수량에서 1월(가) 강수량이 차지하는 비율은 원산(B)이 남포(A)보다 높다.

④ 상대적으로 대륙의 영향을 많이 받는 서해안은 동해안보다 같은 위도에서 여름 평균 기온은 높고 겨울 평균 기온은 낮다. 따라서 8월(나) 평균 기온은 남포(A)가 원산(B)보다 높고, 1월(가) 평균 기온은 원산(B)이 남포(A)보다 높다.

⑤ 기온의 지역 차이는 여름보다 겨울에 크다. 따라서 서울과 평양의 기온 차이는 여름에 해당하는 8월(나)보다 겨울에 해당하는 1월(가)에 크다.

03 북한의 지형 이해

문제분석 백두산 정상에 형성된 호수인 ㉠은 천지이다. 한반도의 지붕이라고 불리는 ㉡은 개마고원으로 함경산맥(㉢)의 북쪽에 위치하고 산림 자원(㉣)이 풍부하여 임업이 발달해 있다. 백두산에서 발원하여 동해로 유입하는 하천인 ㉤은 두만강이다.

정답찾기 ② 개마고원(㉡)에는 우리나라 최대 규모의 용암 대지가 형성되어 있다.

오답피하기 ① 백두산 정상에 있는 호수(㉠)인 천지는 화구가 함몰된 칼데라에 물이 고인 칼데라호이다.

③ 철령관 북쪽의 관북 지방은 함경도, 철령관 서쪽의 관서 지방은 평안도에 해당한다. 함경도와 평안도의 경계에 있는 산맥은 낭림산맥이다.

④ 북부 지방의 내륙에 있는 개마고원은 냉대림인 침엽수림이 주로 분포한다. 따라서 개마고원의 산림 자원(㉣)은 주로 침엽수림이다. 상록 활엽수림은 제주도를 비롯한 남해안 일대에 주로 분포한다.

⑤ 동해로 유입하는 두만강(㉤)은 하구에서의 조차가 작아 갑문을 건설할 필요성이 낮다. 대규모 항만 시설인 서해 갑문은 조차가 큰 황해로 유입하는 대동강 하구의 남포에 건설되어 있다.

04 북한의 인문 환경 이해

문제분석 일제 강점기 때 부설된 철도 중 서울에서 출발해 북부 지방으로 향하는 대표적인 철도는 경의선과 경원선이다. 경의선의 종착역은 신의주, 경원선의 종착역은 원산이다. ㉠은 북부 지방의 대표적인 다우지이므로 경원선의 종착역이 있는 원산, ㉡은 원산(㉠)보다 연 강수량이 적으므로 경의선의 종착역이 있는 신의주이다. ㉢은 북한 최초의 경제특구로 지정된 곳이므로 나선이다.

정답찾기 ㄴ. 신의주(㉡)는 홍콩을 거울삼아 외자 유치 및 교역 확대를 위해 특별 행정구로 지정되었다.

ㄹ. 동해안에 있는 나선(㉢)은 신의주(㉡)보다 기온의 연교차가 작다.

오답피하기 ㄱ. 원산(㉠)은 동해안에 있다. 대동강 유역에 있는 대표적인 도시로는 평양, 남포 등이 있다.

ㄷ. 나선(㉢)은 원산(㉠)보다 고위도에 위치한다.

05 남한과 북한의 식량 작물별 생산량 비교

문제분석 C는 남·북한 간 생산량이 10배 이상으로 가장 큰 차이가 나므로 옥수수이다. 옥수수(C) 생산량이 많은 (가)는 북한, (나)는 남

한이다. A는 북한(가)보다 남한(나)의 생산량이 많으므로 쌀, 나머지 B는 맥류이다.

(정답찾기) ④ 쌀(A)은 주로 평야 지역에서 재배되고, 옥수수(C)는 상대적으로 산지에서 재배되는 비율이 높다. 따라서 쌀(A)은 옥수수(C)보다 재배 지역의 평균 해발 고도가 낮다.

(오답피하기) ① 쌀(A)은 대부분 논에서 재배된다.
② 맥류(B)의 수입량은 남한이 북한보다 많다.
③ 남한에서 옥수수(C)는 대부분 사료용으로 소비된다.
⑤ 북한(가)과 남한(나) 모두 식량 작물 중 생산량이 가장 많은 것은 쌀(A)이다.

06 남한과 북한의 1차 에너지 공급 구조 비교

(문제분석) 석유, 석탄, 수력은 남한과 북한에서 모두 공급되고, 원자력과 천연가스는 남한에서만 공급된다. 따라서 (가)는 북한, (나)는 남한이다. 1차 에너지 공급량은 2020년 기준 북한은 석탄>수력>석유 순으로 많고, 남한은 석유>석탄>천연가스>원자력>수력 순으로 많다. 따라서 A는 석탄, B는 수력, C는 석유, D는 원자력, E는 천연가스이다.

(정답찾기) ④ 남한(나)은 2000년에 원자력(D)이 천연가스(E)보다 공급량이 많다. 원자력(D)은 거의 전량 전력 생산에 사용되고, 천연가스(E)는 가정·상업용, 산업용 등 다양한 용도로 사용된다. 따라서 원자력(D)은 천연가스(E)보다 남한(나)에서 2000년에 전력 생산으로 공급된 양이 많다.

(오답피하기) ① 석탄(A)은 수력(B)보다 재생 가능성이 낮은 에너지이다.
② 수력(B)은 석유(C)보다 수송용으로 이용되는 비율이 낮다.
③ 석유(C)는 원자력(D)보다 남한(나)에서 상용화된 시기가 이르다. 원자력(D)은 고리 원자력 발전소에서 1978년부터 전력을 생산하기 시작하였다.
⑤ 북한(가)과 남한(나)의 1차 에너지 총공급량 차이는 2020년이 2000년보다 크다.

07 남한과 북한의 교통로 비교

(문제분석) 북한은 남한보다 교통로 신설 및 확장이 현저하게 적어 교통 환경이 아주 열악하다. 따라서 1990년 이후 A~C 교통로 길이 증가율이 모두 높은 (가)는 남한, (나)는 북한이다. 남한(가)에서 1990년 이후 증가율이 가장 높은 A는 대도시의 교통난 해결을 위해 지속적인 노선 신설 및 교외 지역으로의 연장 등이 이루어진 지하철이다. 반면에 북한(나)은 1970년대 건설된 평양 지하철이 유일하고, 1990년 이후 노선 연장이 없어 지하철(A) 길이의 변화가 없다. 1990년 이후 남한(가)에서 두 번째로 증가율이 높은 B는 도로이다. 남한(가)은 1990년 이후 교외화 현상이 활발해지면서 대도시와 근교 지역을 연결하는 도로의 건설이 많았고, 서해안 일대 및 지방 도시 간을 연결하는 고속 국도의 건설 등으로 1990년 대비 2020년 도로 길이는 약 2배 증가하였다. 북한(나)은 다른 교통로에 비해 도로(B)의 증가율이 높으나 1990~2020년 증가율은 15% 미만에 불과하다. 남한(가)에서 1990년 이후 증가율이 가장 낮은 C는 철도이다. 남한(가)은 2000년 이후 고속 철도 개통으로 인한 철도 길이의 연장이 있었으나 증가율

은 높지 않다. 북한(나)의 경우 여객 및 화물 수송에서 철도(C)가 차지하는 분담률이 가장 높지만, 경제난으로 인해 철로의 유지·관리가 제대로 되지 않아 철도 환경도 열악한 편이다.

(정답찾기) ③ 지하철(A)을 이용하는 교통수단은 대부분 전력을 운송 에너지원으로 활용한다. 철도(C)를 이용하는 교통수단은 전력을 운송 에너지원으로 활용하기도 하지만 석유를 연료로 활용하기도 한다. 따라서 지하철(A)을 이용하는 교통수단이 철도(C)를 이용하는 교통수단보다 전력을 운송 에너지원으로 활용하는 비율이 높다.

(오답피하기) ① 지하철(A)은 도로(B)보다 단위 거리당 평균 건설비가 비싸다.
② 도로(B)를 이용하는 교통수단은 지하철(A)을 이용하는 교통수단보다 문전 연결성이 우수하다.
④ 남한(가)은 도로(B)를 이용하는 교통수단의 여객 수송 분담률이 가장 높다. 북한(나)은 여객과 화물 수송 모두 철도(C)를 이용하는 교통수단에 대한 의존도가 높고, 도로(B)를 이용하는 교통수단은 철도(C) 교통수단의 보조적인 역할을 담당한다. 따라서 남한(가)은 북한(나)보다 여객 수송 분담률에서 도로(B)를 이용하는 교통수단이 차지하는 비율이 높다.
⑤ 지하철(A), 도로(B)는 남한(가)이 북한(나)보다 길이가 길지만, 철도(C)는 북한(나)이 남한(가)보다 길이가 길다. 따라서 북한(나)은 남한(가)보다 지하철(A), 도로(B), 철도(C)의 총길이에서 철도(C)의 길이가 차지하는 비율이 높다.

08 남한과 북한의 발전 양식 비교

(문제분석) 남한은 수력, 화력, 원자력 등으로 전력을 생산하고, 북한은 수력, 화력으로 전력을 생산한다. 따라서 (가)는 남한, (나)는 북한이다. 남한의 발전 양식별 발전량은 화력>원자력>수력 순으로 많다. 따라서 A는 화력, B는 원자력, C는 수력이다.

(정답찾기) ③ 남한(가)에서 화력(A)은 원자력(B)보다 상용화된 시기가 이르다. 원자력(B)은 1978년 고리 원자력 발전소에서 처음 전력을 생산하기 시작하였다.

(오답피하기) ① 화석 연료를 연소시켜 전력을 생산하는 화력(A)은 주로 물의 낙차 에너지를 활용해 전력을 생산하는 수력(C)보다 발전량 대비 온실가스 배출량이 많다.
② 남한(가)은 북한(나)보다 총 전력 생산량이 많고, 전력 생산량에서 화력(A)이 차지하는 비율도 높다. 따라서 남한(가)은 북한(나)보다 화력(A) 발전량이 많다.
④ 원자력(B)은 전력 생산 과정에서 많은 냉각수가 필요하므로 해안에 주로 입지한다. 주로 물의 낙차 에너지를 이용하는 수력(C)은 하천 중·상류의 산간 지역에 주로 입지한다. 따라서 남한(가)에서 원자력(B)은 수력(C)보다 발전소와 해안과의 평균 거리가 가깝다.
⑤ 남한(가)과 북한(나)은 모두 수력(C)의 발전용 에너지원을 수입하지 않는다.

09 지구 온난화 현상으로 인한 북한의 변화 이해

(문제분석) 글 자료에서 제시한 환경 문제는 해수면 상승, 잦아지는 태풍 등을 통해 지구 온난화 현상임을 알 수 있다. 따라서 (가)에는 지구 온난화 현상이 들어간다.

정답찾기 ③ 지구 온난화 현상으로 백두산 고지대의 기온이 상승하면 현재보다 높은 해발 고도에서도 수목의 생육이 가능해진다. 따라서 지구 온난화 현상이 진행되면 백두산의 수목 한계선 해발 고도는 높아질 것이다.

오답피하기 ① 단풍은 주로 가을로 접어든 후 기온이 낮아지면서 식물의 잎이 변색하는 현상이다. 지구 온난화 현상으로 기온이 높아지면 단풍이 드는 시기가 늦어지므로 금강산의 단풍 절정 시기도 현재보다 늦어질 것이다.

② 그루갈이는 한 해에 동일한 경지에서 두 가지의 작물을 번갈아 심는 농업 방식이다. 주로 가을에 벼를 수확한 논에 보리를 심어 이듬해 봄까지 재배한다. 가을에 심은 보리는 추운 겨울을 지내야 하므로 겨울이 온화한 지역을 중심으로 그루갈이가 행해진다. 북한은 황해도 남쪽 일부만 그루갈이 북한계선 이남에 포함되어 있다. 그러나 지구 온난화 현상으로 겨울 기온이 높아지면 황해도에서 그루갈이가 가능한 경지는 현재보다 확대될 것이다.

④ 지구 온난화 현상으로 겨울 평균 기온이 상승하면 마식령 스키장의 겨울철 적설 기간은 현재보다 단축될 것이다.

⑤ 기온이 높아지면 바닷물의 수온도 높아진다. 따라서 지구 온난화 현상이 진행되면 원산 명사십리 해수욕장의 바닷물 평균 수온은 상승할 것이다.

10 북한의 지하자원 분포 이해

문제분석 평안 누층군이 분포하는 평안도를 중심으로 매장된 (가)는 무연탄이다. 제3계가 분포하는 함경북도에서 생산하는 (나)는 남한에서는 거의 생산하지 않는 갈탄이다. 남한의 강원도에서 소량 생산하고, 금속 광물 중 소비량이 가장 많은 (다)는 철광석이다. (라)는 시멘트 공업의 원료인 석회석이다.

정답찾기 ㄴ. 철광석(다)을 제련하는 공업은 제철 공업이다. 남한은 철광석(다)의 수입 의존도가 매우 높다. 따라서 제철 공업은 수입한 철광석을 하역하는 항만 지역에 주로 입지하는 적환지 지향형 공업이다.

ㄷ. 남한에서 소비되는 석탄 중 소비량이 가장 많은 것은 역청탄이고, 그다음은 무연탄(가)이다. 그러나 갈탄(나)의 소비량은 매우 적다. 북한은 갈탄(나)보다 무연탄(가)의 생산량이 많으므로 소비량도 무연탄(가)이 갈탄(나)보다 많다. 따라서 남한과 북한은 모두 갈탄(나)보다 무연탄(가)의 소비량이 많다.

오답피하기 ㄱ. 무연탄(가)은 주로 평안 누층군에 분포한다. 조선 누층군에는 석회석(라)이 주로 매장되어 있다.

ㄹ. 석회석(라)은 고생대 초기에 형성된 조선 누층군, 갈탄(나)은 신생대 제3기에 형성된 제3계에 주로 매장되어 있다. 따라서 석회석(라)이 매장된 지층은 갈탄(나)이 매장된 지층보다 형성 시기가 이르다.

THEME 17 수도권과 강원 지방

수능실전문제 본문 106~110쪽

01 ④	02 ③	03 ④	04 ④
05 ③	06 ③	07 ①	08 ②
09 ②	10 ③		

01 양평, 포천, 화성의 특성 비교

문제분석 지도에 표시된 세 지역은 양평, 포천, 화성이다. 표에서 제조업 출하액이 가장 많은 (나)는 화성이다. ㉡은 촌락의 특성이 강한 가평, 연천, 여주 등이 상위 5개 지역에 포함되고 화성(나)이 포함되어 있지 않기 때문에 노령화 지수이다. ㉠은 성비이다. (가)와 (다)는 양평, 포천 중 하나인데, 성비가 높은 (가)는 포천, 나머지 (다)는 양평이다.

정답찾기 ④ 외국인 근로자 수는 제조업이 발달해 있고 인구 규모가 상대적으로 큰 화성(나)이 포천(가)보다 많다.

오답피하기 ① ㉠은 성비, ㉡은 노령화 지수이다.

② 성비(㉠)는 포천(가)이 화성(나)보다 높다.

③ 지역 내 총생산은 제조업 출하액이 많은 화성(나)이 포천(가)보다 많다.

⑤ 화성(나)은 양평(다)보다 지역 내 청장년층 인구 비율이 높고 노년층 인구 비율이 상대적으로 낮기 때문에 노년 부양비가 낮다.

02 서울, 인천, 경기의 특성 비교

문제분석 수도권 세 시·도는 서울, 인천, 경기이다. 〈시·도별 인구 변화〉에서 (가)는 인구 비율이 지속적으로 증가한 경기, (나)는 인구 비율이 지속적으로 감소한 서울이다. (다)는 인구 규모가 세 지역 중 가장 작은 인천이다. 〈시·도별 지역 내 총생산 및 산업 구조〉에서 C는 세 지역 중 지역 내 총생산이 가장 적은 인천, A는 세 지역 중 3차 산업 취업자 수 비율이 가장 높은 서울, B는 A보다 2차 산업 취업자 수 비율이 높은 경기이다.

정답찾기 ③ 서울((나), A)은 경기((가), B)보다 인구 규모와 지역 내 총생산 규모 모두 작지만 인구 규모에 비해 상대적으로 지역 내 총생산 규모의 차이가 작다. 따라서 1인당 지역 내 총생산은 서울((나), A)이 경기((가), B)보다 많다.

오답피하기 ① 서울((나), A)은 1980년대까지 인구가 증가하다가 1990년대부터 수도권 신도시 개발 등으로 인구가 감소하기 시작하였다.

② 수도권 정비 계획은 서울((나), A)의 과밀 문제를 해결하기 위해 추진되었다.

④ 생산자 서비스업 사업체 수는 각종 기능이 집중되어 있는 서울((나), A)이 경기((가), B)보다 많다.

⑤ 지역 내 3차 산업 취업자 수 비율은 서울((나), A)이 인천((다), C)보다 높다.

03 고양, 양평, 화성의 인구 특성 이해

문제분석 지도에 표시된 세 지역은 고양, 양평, 화성이다. 세 지역 중 외국인 성비가 가장 높은 (다)는 제조업이 발달하여 외국인 근로자가 많은 화성이다. 세 지역 중 총부양비가 가장 높은 (나)는 촌락의 특성이 강한 양평이다. (가)는 고양이다.

정답찾기 ④ 제조업 출하액은 화성(다)이 양평(나)보다 많다. 화성(다)은 수도권 지역 중 제조업 출하액이 가장 많다.

오답피하기 ① 고양(가)에는 수도권 1기 신도시인 일산 신도시가 건설되어 있다. 세 지역 중 수도권 2기 신도시가 건설되어 있는 지역은 화성(다)이다.
② 지역 내 주택 유형 중 아파트 비율은 화성(다)이 양평(나)보다 높다.
③ 서울로의 통근·통학 인구는 서울과 접해 있는 고양(가)이 화성(다)보다 많다.
⑤ 세 지역 중 노령화 지수는 양평(나)이 가장 높다.

04 서울, 인천, 경기의 용도별 토지 이용 현황 파악

문제분석 (가)는 대지의 비율이 세 지역 중 가장 높은 서울이다. (나)는 임야의 비율이 가장 높은 경기이다. (다)는 (나)보다 대지의 비율이 높고 임야의 비율이 낮은 인천이다.

정답찾기 ④ 상업지의 평균 지가는 서울(가)이 경기(나)보다 비싸다.

오답피하기 ① 남한강과 북한강이 합류하는 지점은 양평으로 경기(나)에 있다. 남한강과 북한강은 양평의 양수리에서 합류하여 서울을 지나 황해로 흘러간다.
② 우리나라 최대 규모의 국제공항은 인천 국제공항으로 인천(다)에 있다.
③ 세 지역 중 지역 내 총생산은 경기(나)가 가장 많다.
⑤ 전문·과학 및 기술 서비스업 종사자 수는 생산자 서비스업이 집중된 서울(가)이 인천(다)보다 많다.

05 서울과 경기 주요 지역의 인구 특성 파악

문제분석 지도에 표시된 네 지역은 서울의 노원과 종로, 경기의 하남과 여주이다. 그래프에서 네 지역 중 주간 인구 지수가 가장 높은 B는 도심이 위치한 종로구이다. 네 지역 중 상주인구와 주간 인구가 가장 많고 주간 인구 지수가 가장 낮은 A는 대도시의 외곽(주변) 지역인 노원구이다. C와 D는 여주와 하남 중 하나인데, C는 D보다 상주인구가 많고 주간 인구 지수가 낮은 하남, 나머지 D는 여주이다.

정답찾기 ㄴ. 종로구(B)는 여주(D)보다 상주인구는 많고 면적은 좁으므로 인구 밀도가 높다.
ㄷ. 서울에 인접한 하남(C)은 여주(D)보다 출근 시간대 통근·통학 순 유출 인구가 많다.

오답피하기 ㄱ. 상업 및 업무 기능은 대도시의 도심이 위치한 종로구(B)가 주변(외곽) 지역에 위치한 노원구(A)보다 강하다.
ㄹ. 초등학교당 학생 수는 상주인구가 많은 노원구(A)가 여주(D)보다 많다.

06 강원도 주요 지역의 특성 비교

문제분석 지도에 표시된 네 지역은 강릉, 양구, 원주, 춘천이다. ㉠은 영동 지방에 위치하며, 강원도 도명(道名)의 유래가 된 지역인 강릉이다. ㉡는 영서 지방에 위치하며, 강원도 도명(道名)의 유래가 된 지역인 원주이다. ㉢은 강원특별자치도청이 위치한 춘천이다. ㉣은 우리나라 영토의 4극을 기준으로 중앙 경선과 중앙 위선이 교차하는 지점이 있어 국토 정중앙이라는 지역 브랜드를 활용하여 배꼽 축제가 개최되는 양구이다.

정답찾기 ③ 네 지역 중 제조업 출하액은 원주(㉡)가 가장 많다. 원주에는 혁신 도시와 기업 도시가 조성되어 있으며, 의료 산업 클러스터가 형성되어 있다.

오답피하기 ① 강릉(㉠)에는 기업 도시가 조성되어 있지 않다.
② 춘천(㉢)에는 고속 철도 정차 역이 없다. 네 지역 중 고속 철도 정차 역은 원주(㉡)와 강릉(㉠)에 있다.
④ 청장년층 인구의 성비는 접경 지역에 위치한 양구(㉣)가 강릉(㉠)보다 높다.
⑤ 네 지역 중 총인구는 원주(㉡)가 가장 많다.

07 수도권과 강원 지방의 화산 지형 이해

문제분석 제시된 글의 ○○강은 한탄강이다. 한탄강은 북부 지방에서 발원하여 철원을 지나 연천을 거쳐 임진강에 합류한다. 한탄강의 주변에는 화산 지형이 발달해 있다. 한편, 한탄강의 지류 중 하나는 포천을 지나 연천에서 한탄강에 합류한다. (가)는 철원, (나)는 포천, (다)는 연천이다.

정답찾기 ① A 지역군은 강원도의 철원, 경기도의 포천과 연천이다. B 지역군은 강원도의 고성, 인제, 속초이다. C 지역군은 강원도의 강릉, 평창, 정선이다. D 지역군은 강원도의 원주, 경기도의 여주와 양평이다. E 지역군은 경기도의 용인, 안성, 평택이다.

08 강원 지방 주요 지역의 기후 특성 이해

문제분석 지도에 표시된 세 지역은 홍천, 대관령, 동해이다. (가)는 전체적으로 강수량이 많은 대관령이다. (나)는 세 지역 중 여름철 강수 비율이 가장 높은 홍천이다. (다)는 상대적으로 겨울철 강수 비율이 높은 동해이다.

정답찾기 ② 기온의 연교차는 내륙에 위치한 홍천(나)이 해안에 위치한 동해(다)보다 크다.

오답피하기 ① 해발 고도는 대관령(가)이 홍천(나)보다 높다.
③ 세 지역 중 연 강수량은 대관령(가)이 가장 많다.
④ 해안에 위치한 동해(다)는 내륙에 위치한 홍천(나)보다 바다와의 최단 거리가 가깝다.
⑤ 높새바람은 늦봄~초여름에 북동 기류가 발생할 때 영동 지방에서 영서 지방으로 부는 바람이다.

09 강원도의 지역별 주요 지표 비교

문제분석 (가)~(다)는 각각 논 면적, 제조업 출하액, 총인구 중 하나이다. 강원도는 산지가 차지하는 비율이 높아 전체적으로 논 면적이 차지하는 비율이 낮은 편이며, 제조업 발달이 미약하여 제조업 출하액이 적은 편이다.

정답찾기 ② (가)는 비율이 가장 높은 지역이 원주이며, 그다음으로

11 시·도별 인구 특성 이해

문제분석 지도에 표시된 네 지역은 서울, 세종, 울산, 전남이다. 네 지역 중 유소년층 인구 비율이 가장 높은 (다)는 세종이다. 세종은 행정 중심 복합 도시가 건설되면서 유입 인구가 많아 전국 시·도 중에서 유소년층 인구 비율이 가장 높다. 네 지역 중 노년층 인구 비율이 가장 높은 (라)는 촌락의 비율이 높은 전남이다. 전남은 전국 시·도 중에서 노년층 인구 비율이 가장 높다. (가)와 (나)는 각각 서울, 울산 중 하나이다. 이 중 유소년층 인구 비율이 높고 노년층 인구 비율이 낮은 (나)는 울산이다. 울산은 제조업이 발달하여 상대적으로 청장년층 및 유소년층 인구 비율이 높다. 따라서 나머지 (가)는 서울이다.

정답찾기 ㄱ. 서울(가)은 울산(나)보다 인구 밀도가 높다. 서울은 전국 시·도 중에서 인구 밀도가 가장 높다.

ㄴ. 세종(다)은 특별자치시이므로 시(市) 지역, 전남(라)은 도(道) 지역이다.

오답피하기 ㄷ. 총부양비는 청장년층 인구 비율에 반비례한다. 울산(나)은 전남(라)보다 청장년층 인구 비율이 높으므로 총부양비가 낮다.

ㄹ. 노령화 지수는 유소년층 인구에 대한 노년층 인구의 비율을 의미한다. 세종(다)은 서울(가)보다 유소년층 인구 비율이 높지만 노년층 인구 비율은 낮으므로 노령화 지수가 낮다.

12 호남 지방의 지역 축제 파악

문제분석 성춘향과 이몽룡이 처음 만난 날에 맞추어 열리는 축제는 '춘향제'이다. 지도의 A는 김제, B는 무주, C는 남원, D는 함평, E는 보성이다.

정답찾기 ③ 매년 춘향제가 열리는 지역은 남원(C)이다. 남원은 판소리 소설인 춘향전의 공간적 배경이며, 이 지역에서 열리는 춘향제는 1931년에 시작되어 우리나라 지역 축제의 효시로 불린다.

오답피하기 ① 김제(A)에서 열리는 대표적인 지역 축제로는 지평선 축제가 있다.

② 무주(B)에서 열리는 대표적인 지역 축제로는 반딧불 축제가 있다.

④ 함평(D)에서 열리는 대표적인 지역 축제로는 나비 축제가 있다.

⑤ 보성(E)에서 열리는 대표적인 지역 축제로는 다향 대축제가 있다.

13 농업 지표의 공간적 분포 특성 파악

문제분석 경지율과 경지 중 논 면적 비율은 대체로 평야가 넓게 발달한 지역에서 높고 산지가 많은 지역에서 낮다. 다만 경지율은 저평한 지역이라고 해도 시가지가 발달한 도시에서는 낮게 나타난다. 농가 중 겸업농가 비율은 대체로 도시와 대도시에 인접한 지역에서 높게 나타난다.

정답찾기 ③ (가)는 강원권에서 용암 대지가 발달한 철원, 해안 평야가 발달한 동해안의 고성뿐만 아니라 도시인 원주와 속초에서도 비율이 높게 나타난다. 이는 경지 중 논 면적 비율이다. (나)는 호남권에서 평야가 넓은 서해안 일대에서 높게 나타나고 산지가 많은 동부 지역에서는 낮게 나타난다. 이는 경지율이다. (다)는 영남권에서 도시인 부산, 대구, 울산, 창원, 포항 등에서 높게 나타난다. 이는 농가 중 겸업농가 비율이다.

14 제조업 업종별 특징 이해

문제분석 종사자 특화 계수가 1.5 이상이라는 것은 해당 산업의 전국 종사자 비율보다 지역 종사자 비율이 1.5배가 넘는다는 것으로, 다른 지역보다 해당 산업의 일자리 비율이 높다는 것을 뜻한다. (가)는 경북, 대구, 부산의 특화 계수가 높게 나타나므로 섬유 제품(의복 제외) 제조업이다. (나)는 경북, 부산, 전남의 특화 계수가 높게 나타나므로 1차 금속 제조업이다. (다)는 경기의 특화 계수가 높게 나타나므로 전자 부품·컴퓨터·영상·음향 및 통신 장비 제조업이다. (라)는 전북, 광주, 울산의 특화 계수가 높게 나타나므로 자동차 및 트레일러 제조업이다.

정답찾기 ④ 전자 부품·컴퓨터·영상·음향 및 통신 장비 제조업(다)에서 생산된 각종 첨단 제품은 자동차 및 트레일러 제조업(라)의 주요 원재료로 이용된다.

오답피하기 ① 섬유 제품(의복 제외) 제조업(가)은 자동차 및 트레일러 제조업(라)보다 제품의 평균 중량이 가볍다.

② 1차 금속 제조업(나)은 섬유 제품(의복 제외) 제조업(가)보다 총생산비 중 노동비가 차지하는 비율이 낮다.

③ 전자 부품·컴퓨터·영상·음향 및 통신 장비 제조업(다)은 1차 금속 제조업(나)보다 적환지에 입지하려는 경향이 작다.

⑤ 경북은 섬유 제품(의복 제외) 제조업(가) 출하액이 1차 금속 제조업(나) 출하액보다 적다.

15 신·재생 에너지의 특징 이해

문제분석 A는 한강 유역에 속하는 경기, 강원, 충북에서 생산량이 많으므로 수력이다. B는 모든 지역에서 생산량이 가장 많으므로 태양광이다. C는 강원, 경북, 제주에서 생산량이 많으므로 풍력이다.

정답찾기 ④ 태양광(B)은 해가 떠 있는 주간에만 발전이 가능하므로, 하루 중 발전 가능 시간은 수력(A)이 태양광(B)보다 길다.

오답피하기 ① 수력(A)은 여름에 발전량이 많고, 풍력(C)은 겨울에 발전량이 많다. 따라서 (가)에는 '겨울철 발전량 비율'이 들어갈 수 없다.

② 수력(A)이 태양광(B)보다 상업적 발전이 이루어진 시기가 이르다. 따라서 (나)에는 '상업적 발전 시기'가 들어갈 수 없다.

③ 태양광(B)이 풍력(C)보다 발전 설비 용량이 많다. 따라서 (다)에는 '발전 설비 용량'이 들어갈 수 없다.

⑤ 태양광(B)은 일사량, 풍력(C)은 풍속이 발전량에 큰 영향을 미친다.

16 체류 자격별 등록 외국인의 분포 특성 파악

문제분석 지도에 표시된 세 지역은 해안에 위치한 보령, 대도시인 대전, 촌락의 성격을 지닌 단양이다. (가)는 세 지역 중 유학 자격 등록 외국인 비율이 가장 높으므로 대학교가 많이 있는 대전이며, 대전에만 체류자가 있는 A는 연구 자격 등록 외국인이다. 대전에는 대덕 연구 단지가 있다. 그리고 대전에는 체류자가 없는 B는 선원 취업 자격 등록 외국인이다. 선원 취업 자격 등록 외국인이 있는 (나)는 해안에 위치한 보령이다. 나머지 C는 결혼 이민 자격 등록 외국인이고, 결혼 이민 자격 등록 외국인 비율이 높은 (다)는 촌락의 성격을 지닌 단양이다.

정답찾기 ① 연구 자격 등록 외국인(A)은 선원 취업 자격 등록 외국인(B)보다 평균 학력 수준이 높다.

오답피하기 ② 연구 자격 등록 외국인(A)은 결혼 이민 자격 등록 외국인(C)보다 도시에 거주하는 비율이 높다.
③ 선원 취업 자격 등록 외국인(B)은 결혼 이민 자격 등록 외국인(C)보다 성비가 높다.
④ 대전(가)은 보령(나)보다 대학교 수가 많다.
⑤ 보령(나)은 충남, 단양(다)은 충북에 위치한다.

17 수도권의 지역별 주간 인구 지수 변화 파악

문제분석 수도권의 지역별 특징을 고려하여 제시된 변화율의 지표를 파악할 수 있다.

정답찾기 ⑤ 자료에 제시된 지표는 2000~2020년 서울 종로·마포·금천·서초·강남구, 인천 연수구, 경기 성남에서 10% 이상의 증가율을 보이는 반면, 서울 동대문구와 경기 김포, 광주, 용인, 오산은 10% 이상의 감소율을 보인다. 이는 주간 인구 지수이다.

오답피하기 ① 농가 수는 연천, 가평, 양평 등 군(郡) 지역에서도 감소하고 있다.
② 김포, 용인 등 수도권 2기 신도시가 건설된 지역에서 감소율을 보인다. 따라서 상주인구로 볼 수 없다.
③ 최근 제조업이 크게 발달한 화성에서 감소율을 보인다. 따라서 제조업체 수로 볼 수 없다.
④ 수도권 시·군 중 유소년 부양비가 증가한 지역은 없다.

18 강원 지방의 지역별 특징 이해

문제분석 지도에 표시된 세 지역은 철원, 원주, 평창이다. A는 강원 지방에서 논 면적이 가장 넓으므로 철원이다. 철원은 용암 대지가 넓게 발달하였고, 용암 대지 위에서 벼농사가 활발하다. B는 강원 지방에서 밭 면적이 가장 넓으므로 평창이다. 평창은 고위 평탄면이 넓게 발달하였고, 고위 평탄면에서는 고랭지 채소 재배가 활발하다. 나머지 C는 원주이다. 원주는 강원 지방에서 과실 생산량이 가장 많다.

정답찾기 ② 원주(C)는 수도권과 고속 철도로 연결되어 있다. 2018년 평창 동계 올림픽을 앞두고 2017년에 원주를 거쳐 강릉까지 고속철도가 연결되었다.

오답피하기 ① 강원 지방에서 인구가 가장 많은 지역은 원주(C)이다.
③ 접경 지역으로 군사 시설이 많은 철원(A)이 평창(B)보다 청장년층 인구의 성비가 높다.
④ 시(市) 지역인 원주(C)는 군(郡) 지역인 철원(A)보다 노령화 지수가 낮다.
⑤ 원주(C)는 평창(B)보다 평균 해발 고도가 낮다.

19 도(道)별 도시 순위 파악

문제분석 인구 규모에 따른 강원의 도시 순위는 원주, 춘천, 강릉 순이고, 경기의 도시 순위는 수원, 용인, 고양 순이며, 경남의 도시 순위는 창원, 김해, 진주 순이다. (다)는 1위부터 5위 도시 간 인구 차이가 크지 않으며, 6위 이하 도시 인구 비율이 60%를 넘으므로 도시화 수준이 높고 도시 수가 많은 경기이다. (가)와 (나)는 각각 강원 또는 경남인데 1위와 2위 도시 간 인구 차이가 큰 (가)가 경남이고,

1위와 2위 도시 간 인구 차이가 작은 (나)가 강원이다. 따라서 A는 경남의 1위 도시인 창원, B는 강원의 1위 도시인 원주, C는 경기의 1위 도시인 수원이다.

정답찾기 ① 창원(A)과 수원(C)은 각각 경남(가)과 경기(다)의 도청 소재지이다.

오답피하기 ② 원주(B)는 창원(A)보다 인구가 적다.
③ 혁신 도시는 지역 균형을 위해 수도권에 있던 공공 기관을 지방으로 이전하여 조성한 신도시이다. 원주(B)에는 혁신 도시가 조성되어 있지만, 수도권에 해당하는 수원(C)은 혁신 도시의 대상이 안 된다.
④ 도시 수는 경기(다)가 경남(가)보다 많다.
⑤ 도시 인구는 경기(다)가 강원(나)보다 많다.

20 강원, 충청, 호남 지방의 지역별 특성 파악

문제분석 지도의 A는 춘천, B는 강릉, C는 태백, D는 원주, E는 청주, F는 공주, G는 보령, H는 군산, I는 전주, J는 고창이다.

정답찾기 ③ 태백(C)과 보령(G)은 과거 석탄 산업이 발달하였던 지역의 특성을 반영하여 석탄 박물관을 건립하여 운영하고 있다.

오답피하기 ① 청주(E)는 충청이라는 지명에 활용되었으나, 춘천(A)은 이에 해당하지 않는다. 충청이라는 지명은 충주와 청주(E)에서 따왔으며, 강원이라는 지명은 강릉(B)과 원주(D)에서 따왔다.
② 고창(J)에 발달한 갯벌과 운곡 습지는 람사르 등록 습지이나, 강릉(B) 연안에는 람사르 등록 습지가 없다.
④ 수도권에서 이전해 온 공공 기관을 중심으로 형성된 신도시는 혁신 도시이다. 원주(D)에는 혁신 도시가 있으나, 군산(H)에는 혁신 도시가 없다. 전북의 혁신 도시는 전주·완주에 있다.
⑤ 공주(F)에는 세계 문화유산으로 등재된 백제 역사 유적이 있으나, 전주(I)에는 세계 문화유산으로 등재된 백제 역사 유적이 없다. 세계 문화유산으로 등재된 백제 역사 유적은 공주, 부여, 익산에 있다.

실전 모의고사	**2회**			본문 124~128쪽
1 ⑤	2 ④	3 ②	4 ⑤	5 ②
6 ②	7 ④	8 ③	9 ③	10 ③
11 ①	12 ④	13 ②	14 ①	15 ②
16 ③	17 ⑤	18 ④	19 ⑤	20 ②

1 고지도의 특성 파악

문제분석 (가)는 조선 전기에 제작된 혼일강리역대국도지도, (나)는 조선 후기에 제작된 지구전후도이다.

정답찾기 ⑤ 지도의 중앙에 중국이 크게 표현된 혼일강리역대국도지도(가)에는 중국 중심의 세계관이 드러나 있다. 그러나 지구전후도(나)는 중국 중심의 세계관을 극복한 지도로 평가받고 있다.

오답피하기 ① 혼일강리역대국도지도(가)는 국가 주도로 정부 관리들이 제작하였다.
② 지구전후도(나)에는 경선과 위선이 표현되어 있다.

③ 조선 전기에 제작된 혼일강리역대국도지도(가)는 조선 후기에 제작된 지구전후도(나)보다 제작 시기가 이르다.
④ 혼일강리역대국도지도(가)에는 중국을 중심으로 아시아, 아프리카, 유럽 등이 표현되어 있다. 지구전후도(나)에는 아시아, 아프리카, 유럽 외에도 오세아니아, 아메리카가 표현되어 있다. 따라서 지구전후도(나)는 혼일강리역대국도지도(가)보다 표현된 지역의 범위가 넓다.

2 지리 정보 체계(GIS)를 활용한 입지 선정 이해

문제분석 충북에서 시(市)에 해당하는 지역은 제천, 충주, 청주이다. 제시된 조건에 따라 이 세 지역에 점수를 부여하여 합계 점수를 구하면 다음과 같다.

지역	다문화 혼인 비율	인구 천 명당 외국인 수	합계
제천	2	2	4
충주	2	3	5
청주	2	2	4

합계 점수는 충주가 5점으로 가장 높다. 따라서 외국인 문화 센터가 설립될 후보지로 가장 적합한 지역은 충주이다.

정답찾기 ④ 기업 도시는 영암·해남, 태안, 충주, 원주에 조성되어 있다. 충주에는 지식 기반형 기업 도시가 조성되어 있다.

오답피하기 ① 충청북도청 소재지는 청주이다.
② 충북에서 혁신 도시는 진천·음성에 있다.
③ 충주는 경기, 강원, 경북과 행정 구역 경계가 맞닿아 있다.
⑤ 경부 고속 철도와 호남 고속 철도의 분기점이 있는 곳은 청주의 오송이다.

3 우리나라의 영해 범위 이해

문제분석 (가)는 포항(호미곶), (나)는 부산(생도), (다)는 전남 남해안(거문도), (라)는 전북 서해안(어청도)이다.

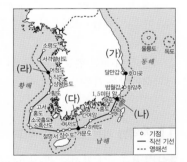

정답찾기 ② (나)의 서쪽 10해리 지점은 우리나라 내수이므로 (나)의 상공은 우리나라의 영공이다.

오답피하기 ① (가)는 조차가 작은 동해안에 위치하므로 대규모 염전이 운영되지 않는다.
③ (다)의 동쪽 10해리 해역은 우리나라의 영해이다.
④ (나)는 (다)보다 동쪽에 있으므로 태양의 남중 시각이 이르다.
⑤ (가)와 (라)의 위도는 비슷하다. 그러나 (가)는 동해안, (라)는 서해안에 위치하므로 (라)는 (가)보다 최한월 평균 기온이 낮다.

4 제주도와 울릉도의 가옥 구조 이해

문제분석 곡식 저장 공간을 구들방 옆에 둔 (가)는 제주도이고, 곡식 저장 공간인 ㉠은 고팡이다. 방설벽 역할을 하는 외벽을 갖춘 (나)는 울릉도이고, 방설벽인 ㉡은 우데기이다.

정답찾기 ⑤ 제주도(가)와 울릉도(나)는 겨울이 온화하여 저지대에는 난대림이 서식한다. 난대림은 주로 상록 활엽수로 구성되어 있다.

오답피하기 ① 제주도는 지표수가 부족하여 농경지의 대부분은 밭이나 과수원으로 이용된다. 따라서 논에서 수확한 농작물은 확보하기가 어렵다.
② 전통 가옥은 주변에서 쉽게 구할 수 있는 재료로 지어진다. 울릉도의 농경지는 대부분 밭으로 이용된다. 따라서 볏짚은 울릉도에서 쉽게 구할 수 없으므로 우데기(㉡)의 재료로 활용하기가 어렵다.
③ 제주도(가)는 울릉도(나)보다 저위도에 위치한다.
④ 연중 강수가 고른 편인 울릉도(나)는 우리나라에서 여름 강수 집중률이 가장 낮고 겨울 강수 집중률이 가장 높다. 따라서 울릉도(나)는 제주도(가)보다 여름 강수 집중률이 낮다.

5 해안 지형의 형성과 분포 이해

문제분석 지도의 A는 충적지, B는 석호, C는 충적지를 개간한 농경지, D는 사주에 형성된 해안 사구, E는 동해의 일부이다.

정답찾기 ② 석호(B)는 후빙기에 해수면 상승으로 만들어진 만 입구에 사주가 발달하면서 형성된 호수이다.

오답피하기 ① A는 과거 석호의 일부였으나 하천 운반 물질이 퇴적된 충적지이다.
③ 해안 사구(D)는 사빈(사주)의 모래가 바람에 날려 와 퇴적된 모래 언덕이다. 동해안에 발달한 해안 사구(D)는 주로 동풍 계열의 바람에 의해 형성되었다.
④ 밀물 시 바다에 잠겼다가 썰물 시 육지로 드러나는 지형은 갯벌이다. 갯벌은 조차가 큰 해안에서 조류의 퇴적 작용으로 형성된다. 동해안은 조차가 작아 갯벌이 발달하기가 어렵다.
⑤ 석호(B)는 해수의 유입으로 염분을 포함하고 있어 농경지(C)의 농업용수로 활용하기는 어렵다.

6 주요 공업의 분포 이해

문제분석 (가)는 대구가 출하액이 가장 많으므로 섬유 제품(의복 제외) 제조업이다. (나)는 울산, 광주 등이 출하액이 많으므로 자동차 및 트레일러 제조업이다. (다)는 울산, 부산 등이 출하액이 많으므로 기타 운송 장비 제조업이다.

정답찾기 ㄱ. 경공업인 섬유 제품(의복 제외) 제조업(가)은 중화학 공업인 자동차 및 트레일러 제조업(나)보다 시설 설비를 갖추기 위해 투자해야 하는 사업체당 자본 규모가 작다.
ㄷ. 기타 운송 장비 제조업(다)은 울산, 경남 등 영남권이 전국 출하액의 약 80%를 차지한다. 섬유 제품(의복 제외) 제조업(가)은 영남권 외에 수도권에서의 출하액 비율도 높은 편이다. 따라서 기타 운송 장비 제조업(다)은 섬유 제품(의복 제외) 제조업(가)보다 전국에서 영남권이 차지하는 출하액 비율이 높다.

오답피하기 ㄴ. 기타 운송 장비 제조업(다)에서 출하액 비율이 가장 높은 조선 공업은 대부분 기업체를 대상으로 제품을 판매한다. 자동차 및 트레일러 제조업(나)에서 출하액 비율이 가장 높은 자동차 공업은 일반 개인을 대상으로 제품을 판매하는 비율이 상대적으로 높다.
ㄹ. 섬유 제품(의복 제외) 제조업(가)은 생산비에서 노동비가 차지하는 비율이 높은 노동 지향형 공업, 기타 운송 장비 제조업(다)은 철강, 기계 등 다양한 부품을 조립하는 집적 지향형 공업이다.

7 화산 지형과 카르스트 지형 비교

문제분석 왼쪽 지도는 한탄강 일대의 용암 대지, 오른쪽 지도는 카르스트 지형이 발달한 석회암 지대를 나타낸 것이다.

정답찾기 ④ B는 현무암질 마그마의 열하 분출로 형성된 용암 대지이므로 주된 기반암은 신생대에 형성된 현무암이다. E는 석회암이 용식 작용을 받아 형성된 돌리네이므로 주된 기반암은 고생대에 형성된 석회암이다. 따라서 B(용암 대지)는 E(돌리네)보다 주된 기반암의 형성 시기가 늦다.

오답피하기 ① 용식 작용으로 형성되는 동굴은 주로 석회 동굴이다. A 일대는 석회암 지대가 아니므로 석회 동굴이 분포하지 않는다.
② 소규모 용암 분출로 형성된 작은 화산체는 화산 지대의 기생 화산이다. D 일대는 화산 지대가 아니므로 기생 화산이 분포하지 않는다.
③ 흑갈색의 간대 토양은 현무암 지대에 분포하는 현무암 풍화토이다. E는 석회암 지대에 형성된 돌리네이다. 석회암 지대에 분포하는 간대 토양은 붉은색의 석회암 풍화토이다.
⑤ 하루에 두 번씩 수위가 주기적으로 오르내리는 감조 하천은 주로 조차가 큰 황·남해로 유입한다. 감조 하천의 하류는 밀물 시 바닷물이 역류하여 하천 수위에 변화가 나타난다. C와 F 지점은 하천 중·상류에 위치하므로 바닷물의 영향을 받지 않는다.

8 서울의 도시 내부 구조 이해

문제분석 지도에 표시된 네 구(區)는 주거 지역이 형성된 도봉구, 도심이 위치한 중구, 부도심이 위치한 강남구, 공업 지역이 형성된 금천구이다. 〈상주인구와 주간 인구〉에서 A는 상주인구와 주간 인구가 모두 많으므로 부도심이 위치한 강남구이다. B는 상주인구 대비 주간 인구의 비율이 가장 높으므로 도심이 위치한 중구이다. C와 D는 각각 도봉구와 금천구 중 하나인데, C는 상주인구보다 주간 인구가 많으므로 공업 지역이 형성된 금천구, D는 주간 인구보다 상주인구가 많으므로 주거 지역이 형성된 도봉구이다.

정답찾기 ㄴ. 공업 지역이 형성된 금천구(C)는 주거 지역이 형성된 도봉구(D)보다 지역 내 제조업체 취업자 수 비율이 높다.
ㄷ. 총부양비는 '{(유소년층 인구+노년층 인구)÷청장년층 인구}× 100'이므로 유소년층 인구 비율과 노년층 인구 비율의 합에 비례한다. 네 구(區) 중 유소년층 인구 비율과 노년층 인구 비율의 합이 가장 높은 구(區)는 도봉구(D)이다. 주간 인구 지수는 네 구(區) 중 상주인구 대비 주간 인구가 가장 적은 도봉구(D)가 가장 낮다.

오답피하기 ㄱ. 주간 순 유입 인구는 '주간 인구−상주인구'로 구할 수 있다. 중구(B)는 주간 순 유입 인구가 약 26만 명(약 38만 명−약 12만 명), 강남구(A)는 주간 순 유입 인구가 약 46만 명(약 96만 명−약 50만 명)이다.
ㄹ. 네 구(區) 중 주간 인구 지수가 가장 높은 구(區)는 중구(B)이고, 유소년 부양비가 가장 높은 구(區)는 강남구(A)이다.

9 무상 기간의 지역 간 차이 비교

문제분석 (가)는 제주도와 남해안이 이르고, 고위도의 내륙과 산지가

늦으므로 마지막 서리일이다. (나)는 고위도의 내륙과 산지가 이르고, 제주도와 남해안이 늦으므로 첫 서리일이다.

정답찾기 ㄴ. 해발 고도가 높으면 기온이 낮으므로 첫 서리일(나)은 대체로 이르다.
ㄷ. 마지막 서리일(가)에서 첫 서리일(나) 사이의 기간은 서리가 내리지 않는 무상 기간이다. 무상 기간은 겨울 평균 기온이 높을수록 대체로 길어진다. 따라서 겨울 평균 기온이 높은 서귀포가 서울보다 마지막 서리일(가)에서 첫 서리일(나) 사이의 기간이 길다.

오답피하기 ㄱ. 마지막 서리일(가)은 겨울 평균 기온이 높은 지역이 대체로 이르다. 따라서 지구 온난화 현상으로 겨울 평균 기온이 상승하면서 마지막 서리일(가)은 일러지는 추세이다.
ㄹ. 첫 서리일(나)에서 마지막 서리일(가) 사이의 기간은 서리가 내리는 시기이다. 서리가 내리지 않는 무상 기간은 마지막 서리일(가)에서 첫 서리일(나) 사이의 기간이다.

10 기온 역전 현상 이해

문제분석 제시된 글의 바람개비는 냉해를 예방하기 위해 가동하는 팬이다. 지표면이 냉각되면 팬을 가동해 지표의 냉기를 날려 냉해를 예방한다. 작가가 녹차밭을 방문한 시각에 팬이 가동되었으므로 해당 지역은 지표에 찬 공기가 집적되어 있었을 것이다.

정답찾기 ③ 야간에 지표면 기온이 급격히 낮아져 찬 공기가 지표 부근에 정체되면 냉해 예방을 위해 팬을 가동한다.

오답피하기 ① 폭염 경보가 내려진 여름에는 냉해 피해가 거의 없다.
② 기온의 일교차가 큰 맑은 날에 지표면 기온은 많이 하강한다. 정체 전선의 영향으로 많은 비가 내리는 시기는 장마철이다. 장마철은 습도가 높아 기온의 일교차가 작다.
④ 집중 호우를 동반한 강풍은 태풍이다. 태풍의 영향을 받는 시기는 기온이 높은 여름~초가을이고, 강풍이 불기 때문에 팬을 가동할 필요가 없다.
⑤ 동풍에 의해 푄 현상이 나타나면 비 그늘에 해당하는 한라산 서사면의 녹차밭은 기온이 높아진다.

11 지역별 기온 및 강수량 비교

문제분석 지도에 표시된 세 지역은 인천, 속초, 완도이다. (가)는 기온의 연교차가 가장 크므로 고위도의 서해안에 있는 인천이다. (다)는 최난월 평균 기온이 가장 높으므로 남해안의 완도이다. 나머지 (나)는 속초이다. A는 여름 강수량이 가장 많고 겨울 강수 집중률이 가장 낮으므로 인천이다. C는 여름 강수량이 가장 적고 겨울 강수 집중률이 가장 높으므로 속초이다. 속초는 북동 기류의 바람받이 사면에 위치하여 강설량이 많다. 나머지 B는 완도이다.

정답찾기 ① 인천((가), A)은 속초((나), C)보다 여름 강수량이 많다.

오답피하기 ② 완도((다), B)는 인천((가), A)보다 겨울 강수 집중률이 높다.
③ 인천((가), A)은 완도((다), B)보다 최난월 평균 기온이 낮다.
④ 속초((나), C)는 완도((다), B)보다 기온의 연교차가 크다.
⑤ 최한월 평균 기온은 고위도 서해안의 인천((가), A)이 가장 낮고, 남해안의 완도((다), B)가 가장 높다.

12 백두산의 지형 특성 이해

문제분석 압록강과 두만강의 발원지이고, 남한에서 해발 고도 2,744m로 표기하는 ⓒ은 백두산이다. 현무암질 마그마의 열하 분출로 형성된 용암 대지가 분포하고, 한반도의 지붕이라고 불리는 Ⓐ은 개마고원이다.

정답찾기 ④ 황해로 유입하는 압록강(ⓒ)은 동해로 유입하는 두만강(ⓔ)보다 하구에서의 조차가 크다.

오답피하기 ① 우리나라의 극북은 함경북도 온성군 풍서리 북단(북위 43° 00′)이다.

② 중생대(ⓗ)에 형성된 대표적인 지체 구조인 경상 분지에는 호수에서 형성된 육성층인 경상 누층군이 분포한다. 대표적인 해성층인 조선 누층군이 분포하는 지체 구조는 고생대에 형성된 평남 분지와 옥천 습곡대이다.

③ 개마고원(Ⓐ)은 기온이 낮고 무상 기간이 짧아 벼농사가 어렵다.

⑤ ㉠은 백두산의 위치를 나타낸 정보이므로 공간 정보, ⓜ은 백두산의 자연적 특성을 나타낸 정보이므로 속성 정보이다.

13 호남 지방의 지역별 특성 이해

문제분석 지도의 A는 김제, B는 영광, C는 해남, D는 보성이다.

정답찾기 ② 지평선이 보이는 넓은 평야가 있고, 고대부터 벽골제라는 수리 시설을 축조해 벼농사가 발달하였던 (가)는 김제(A)이다. 지리적 표시제 제1호로 등록된 녹차가 재배되고, 다향 대축제를 개최하는 (나)는 보성(D)이다. 원자력 발전소가 운영되고, 굴비가 지역 특산물인 (다)는 영광(B)이다.

오답피하기 해남(C)은 한반도 육지 중 최남단에 위치하고, 경상 누층군에 분포하는 공룡 발자국 화석을 활용한 공룡 박물관이 있다.

14 주요 작물의 지역별 재배 면적 파악

문제분석 지도에 표시된 세 지역은 강원, 경북, 제주이다. 제주는 농경지 면적이 가장 좁고, 벼 재배가 활발하지 않다. 따라서 A~D 작물 재배 면적의 합이 가장 작은 (다)는 제주이고, 제주에서 재배 면적이 가장 좁은 A는 벼이다. (가), (나)보다 제주(다)의 면적이 넓은 D는 맥류이다. 맥류(D)는 겨울이 온화한 남부 지방을 중심으로 그루갈이 작물로 주로 재배되는데, 생산량은 적은 편이다. 벼(A) 재배 면적이 두 지역보다 넓은 (가)는 경북이고, 나머지 (나)는 강원이다. B, C 중 강원(나)의 재배 면적 대비 경북(가)의 재배 면적이 상대적으로 더 넓은 B는 과수, C는 채소이다.

정답찾기 ㄱ. 벼(A)는 과수(B)보다 국내 자급률이 높다.

ㄴ. 채소(C)는 맥류(D)보다 시설 재배로 생산되는 비율이 높다. 주로 벼(A)의 그루갈이 작물로 재배되는 맥류(D)는 벼(A)와 마찬가지로 노지에서 대부분 재배된다.

오답피하기 ㄷ. 경북(가)은 강원(나)보다 지역 내 겸업농가 비율이 낮다. 관광 산업이 발달한 강원(나)은 겸업농가 비율이 높은 편이다.

ㄹ. 한라봉은 제주(다)의 특산물이다. 강원(나)의 철원 용암 대지에서 생산된 쌀은 지리적 표시제에 등록되어 있다.

15 신·재생 에너지의 지역별 분포 이해

문제분석 지도에 표시된 네 지역은 강원, 경북, 전남, 제주이다. 수력, 풍력, 태양광 중 생산량이 가장 많은 것은 태양광이다. 따라서 (가)~(라) 모두 생산량 비율이 50% 이상으로 높은 A는 태양광이다. 제주는 하천 대부분이 건천이므로 수력 생산량이 매우 적다. 따라서 (가), (라)의 생산량 비율이 매우 낮은 C는 수력이고, (가), (라) 중 하나는 제주이다. 수력(C)의 생산량 비율이 상대적으로 높은 (다)는 강원이다. 나머지 B는 풍력이다. (가)는 (라)보다 태양광(A) 생산량 비율이 높으므로 전남, (라)는 (가)보다 풍력(B) 생산량 비율이 높으므로 제주이다. 나머지 (나)는 경북이다.

정답찾기 ② 풍력(B)은 수력(C)보다 전력 생산에 이용된 시기가 늦다. 우리나라는 20세기 초부터 수력(C)으로 전력을 생산하였다.

오답피하기 ① 태양광(A)은 풍력(B)보다 생산 시설이 가정에 설치된 비율이 높다.

③ 수력(C)은 태양광(A)보다 발전소 건설로 인한 홍수 예방 효과가 크다. 수력(C) 발전을 위해 건설된 댐은 유량 조절을 통해 홍수 및 가뭄에 대비할 수 있다.

④ 전남(가)은 경북(나)보다 해안의 조차가 크고 섬이 많아 폭이 좁고 조류가 강한 수로가 많다. 따라서 전남(가)은 경북(나)보다 조류를 활용한 전력 생산의 잠재력이 크다.

⑤ 강원(다)은 제주(라)보다 해발 고도가 높은 산지에서 풍력(B) 생산량이 많다. 제주(라)는 주로 해안에 풍력(B) 발전소가 있다.

16 지역별 산업 구조 비교

문제분석 (가)는 농림어업 취업자 수 비율이 가장 높으므로 논농사가 발달한 부여이다. (나)는 광공업 취업자 수 비율이 가장 낮으므로 제조업이 부진한 서귀포이다. (라)는 광공업 취업자 수 비율이 가장 높으므로 조선 공업이 발달한 거제이다. 나머지 (다)는 태백이다.

정답찾기 ③ 태백(다)은 거제(라)보다 지역 내 총생산이 적다. 거제(라)는 태백(다)보다 제조업 출하액이 많고 인구 규모도 크다.

오답피하기 ① 부여(가)는 농경지 중 논이 차지하는 비율이 높고, 서귀포(나)는 농경지 대부분이 밭이다. 따라서 농가당 농업용수 사용량은 부여(가)가 서귀포(나)보다 많다.

② 서귀포(나)는 태백(다)보다 1990년 이후 인구 증가율이 높다. 태백(다)은 광업이 쇠퇴하면서 1980년대부터 인구가 감소하는 경향이 나타났다. 서귀포(나)는 2010년대부터 인구가 대체로 증가하는 추세이다.

④ 조선 공업이 발달한 거제(라)는 노년층 인구 비율이 높은 부여(가)보다 여성 100명당 남성 인구가 많다.

⑤ 서귀포(나)와 거제(라)는 모두 해안에 접해 있다.

17 남한과 북한의 발전 양식 비교

문제분석 원자력 발전이 없는 (가)는 북한, 원자력 발전이 있는 (나)는 남한이다. 북한(가)에서 발전 설비 용량이 가장 크고 남한(나)에서 발전 설비 용량이 가장 작은 A는 수력, 남한에서 발전 설비 용량이 가장 큰 B는 화력이다.

정답찾기 ㄷ. 수력(A)은 연간 전력 생산량 중 강수량이 많은 여름철 전력 생산량이 차지하는 비율이 높다. 따라서 화력(B)은 수력(A)보다 연간 전력 생산량 중 겨울철 전력 생산량이 차지하는 비율이 높다.

ㄹ. 수력(A)은 유량 확보가 유리한 여름철을 중심으로 전력을 생산한다. 따라서 수력(A)은 발전소의 가동률이 낮으므로 설비 용량이 차지하는 비율(5.2%)보다 발전량이 차지하는 비율(㉠)이 낮다. 원자력은 전력 생산에 기후 제약이 적은 편이다. 따라서 원자력은 발전소의 가동률이 높으므로 설비 용량이 차지하는 비율(18.5%)보다 발전량이 차지하는 비율(㉡)이 높다.

오답피하기 ㄱ. 북한(가)은 남한(나)보다 총발전량이 적다.

ㄴ. 수력(A)은 화석 연료를 사용해 전력을 생산하는 화력(B)보다 발전량 대비 온실가스 배출량이 적다.

18 수도권의 통근·통학 인구 이동 이해

문제분석 (나), (다)에서의 통근·통학 유입 인구가 (나), (다)로의 통근·통학 유출 인구보다 많은 (가)는 서울이다. 서울(가)과의 통근·통학 인구 이동이 (다)보다 많은 (나)는 인구 규모가 큰 경기, (다)는 인천이다.

정답찾기 ㄱ. 업무 기능이 발달한 서울(가)은 경기(나)보다 상주인구 대비 주간 인구의 비율이 높다. 따라서 서울(가)은 경기(나)보다 주간 인구 지수가 높다.

ㄴ. 경기(나)는 인천(다)보다 지역 내 총생산이 많다. 경기(나)는 우리나라 시·도 중 지역 내 총생산이 가장 많다.

ㄷ. 인천(다)은 자동차, 제철, 석유 화학 등 제조업이 발달해 있고, 서울(가)은 3차 산업 중심의 산업 구조가 뚜렷하다. 따라서 인천(다)은 서울(가)보다 지역 내 제조업 종사자 수 비율이 높다.

오답피하기 ㄹ. 인구 밀도는 서울(가) > 인천(다) > 경기(나) 순으로 높다.

19 하안 단구와 해안 단구의 특성 이해

문제분석 (가)는 감입 곡류 하천 주변에 형성된 하안 단구면, (나)는 해안에 형성된 계단 모양의 지형인 해안 단구면이다.

정답찾기 ㄴ. 하안 단구면(가)에는 과거 하천의 영향을 받은 둥근 자갈, 해안 단구면(나)에는 과거 파랑의 영향을 받은 둥근 자갈이 분포한다.

ㄷ. 하안 단구면(가)과 해안 단구면(나)은 경사가 완만하여 농경지로 이용하기에 유리하고 취락이 입지하기도 한다.

오답피하기 ㄱ. 화산암은 화산 활동이 있었던 제주도, 울릉도, 철원 일대에 분포한다.

20 강원과 경북의 지역별 특성 이해

문제분석 지도의 A는 춘천, B는 강릉, C는 삼척, D는 문경, E는 포항, F는 경주이다.

정답찾기 ② (가)는 도청 소재지, 막국수, 소양강 등을 통해 춘천(A)임을 알 수 있다. 강원특별자치도청 소재지인 춘천에서 북한강과 소양강이 합류한다. (나)는 석호, 정동진, 경포대 등을 통해 강릉(B)임을 알 수 있다. 강릉은 서울의 정동 방향에 있는 정동진과 경포대 등이 유명하다. (다)는 적환지 지향형 공업, 과메기, 영일만 등을 통해 포항(E)임을 알 수 있다. 포항은 대표적인 적환지 지향형 공업인

제철 공업이 발달하였다. (라)는 원자력 발전소, 석굴암, 불국사 등을 통해 경주(F)임을 알 수 있다. 신라 시대의 수도였던 경주는 석굴암, 불국사 등의 문화재를 관광 자원으로 활용하고 있다.

오답피하기 삼척(C)은 석회 동굴인 환선굴이 유명하고, 시멘트 공업이 발달하였다.

문경(D)은 폐광 시설을 활용한 석탄 박물관(문경 에코월드)과 레일바이크 등이 유명하고, 조선 시대에 한양과 영남의 관문이었던 문경 새재가 있다.

| **실전** 모의고사 | **3회** | | | 본문 129~133쪽 |

1 ②	2 ②	3 ①	4 ⑤	5 ⑤
6 ②	7 ④	8 ④	9 ④	10 ③
11 ②	12 ①	13 ④	14 ④	15 ①
16 ④	17 ②	18 ④	19 ④	20 ④

1 우리나라의 수리적 위치 특성 이해

문제분석 (가)는 극북에 해당하는 함경북도 온성군 풍서리 북단, (나)는 극서에 해당하는 평안남도 신도군 비단섬 서단, (다)는 4극을 기준으로 했을 때 국토 중앙에 위치한 양구, (라)는 극동에 해당하는 경상북도 울릉군 독도 동단, (마)는 극남에 해당하는 제주특별자치도 서귀포시 마라도 남단, (바)는 이어도이다.

정답찾기 ② (다)가 속한 군은 강원도 양구군이다. 양구에서는 영토의 정중앙이라는 지역 특성을 활용하여 배꼽 축제를 개최한다.

오답피하기 ① (가)는 중국과 국경을 접한다.

③ 이어도(바)의 수직 상공은 우리나라의 영공에 해당하지 않는다.

④ (가)는 (나)보다 동쪽에 위치하기 때문에 일출 시각이 이르다.

⑤ 독도(라)와 마라도(마)에서는 영해 설정 시 통상 기선을 적용한다.

2 한반도의 암석 구성 및 지질 시대별 지각 변동 이해

문제분석 A는 지질 시대가 제3기, 제4기로 이루어진 신생대, B는 지질 시대가 트라이아스기, 쥐라기, 백악기로 이루어진 중생대이다. ㉠은 신생대 제3기에 발생한 경동성 요곡 운동, ㉡은 중생대 중기에 발생한 대보 조산 운동이다.

정답찾기 ② 중생대(B) 퇴적암은 경상 누층군으로 공룡 발자국 화석이 발견된다.

오답피하기 ① 신생대(A) 화성암은 대부분 마그마의 지표 분출로 형성된 화산암이다. 관입에 의해 형성된 화성암은 중생대(B) 화강암이다.

③ ㉠은 신생대 제3기 경동성 요곡 운동이다. 랴오둥 방향의 지질 구조선 형성에 영향을 준 지각 변동은 중생대 송림 변동이다.

④ ㉡은 중생대에 발생한 대보 조산 운동으로 중국 방향의 지질 구조선 형성에 영향을 미쳤다. 태백산맥과 함경산맥은 경동성 요곡 운동(㉠)으로 형성되었다.

⑤ A는 신생대, B는 중생대이다.

3 우리나라 주요 산의 특성 이해

문제분석 지도에 표시된 A는 백두산, B는 금강산, C는 북한산, D는 지리산, E는 한라산이다.

정답찾기 갑. 백두산의 정상부에는 화구의 함몰로 형성된 칼데라가 있으며, 여기에 물이 고여 칼데라호인 천지가 형성되었다.
을. 냉대림 분포의 하한 해발 고도는 위도가 높아질수록 낮아진다. 따라서 상대적으로 고위도에 위치한 백두산(A)이 한라산(E)보다 냉대림 분포의 하한 해발 고도가 낮다.

오답피하기 병. 금강산(B)은 주된 기반암이 화강암인 돌산, 지리산(D)은 주된 기반암이 변성암인 흙산이다. 따라서 산정부에 노출된 암석의 비율은 금강산(B)이 지리산(D)보다 높다.
정. 금강산(B)과 북한산(C)의 주된 기반암은 중생대에 마그마의 관입으로 형성된 화강암이다.

4 우리나라의 전통 지역 구분 이해

문제분석 제시된 글은 우리나라의 전통 지역을 구분하는 기준에 대한 것이다. 영남 지방과 호남 지방을 구분하는 기준은 소백산맥과 섬진강이다.

정답찾기 ⑤ 섬진강(ㅁ)의 하구에는 하굿둑이 건설되어 있지 않다. 하굿둑은 금강, 영산강, 낙동강 하구에 건설되어 있다.

오답피하기 ① 백두대간은 백두산에서 시작하여 마천령산맥, 함경산맥, 낭림산맥, 태백산맥, 소백산맥을 연결하고 지리산에서 끝나는 산줄기이다. 대관령(ㄱ)은 태백산맥, 조령(ㄹ)은 소백산맥에 위치하므로 두 고개 모두 백두대간에 위치한다.
② 영동 지방(ㄴ)에서 인구가 가장 많은 지역은 강릉으로, 강릉은 강원도 명칭의 유래가 된 지역이다.
③ 영서 지방(ㄷ)에서 인구가 가장 많은 지역은 원주로, 원주에는 혁신 도시와 기업 도시가 조성되어 있다.
④ 조령(ㄹ)은 문경 새재로도 불리며, 영남 지방의 경북 문경과 충청 지방의 충북 괴산 사이의 고개이다.

5 대동여지도와 지리지의 특성 파악

문제분석 (가)는 택리지, (나)는 신증동국여지승람, (다)는 대동여지도이다. A는 충주, B는 원주이다.

정답찾기 ⑤ 불이나 연기를 피워 연락을 취하는 통신 수단은 봉수이다. 봉수는 원주(B)보다 충주(A)에 가까이 있다.

오답피하기 ① 통치를 위한 정보 수집은 관찬 지리지인 신증동국여지승람(나)이 사찬 지리지인 택리지(가)보다 유리하다.
② 택리지(가)는 조선 후기에, 신증동국여지승람(나)은 조선 전기에 제작되었다. 따라서 (가)는 (나)보다 편찬된 시기가 늦다.
③ 대동여지도(다)는 조선 후기에 제작되었기 때문에 조선 전기에 편찬된 신증동국여지승람(나)의 내용 구성에 대동여지도가 활용되었다는 내용은 옳지 않다.
④ 충주(A)와 원주(B)는 모두 남한강 수계망에 위치하지만 원주(B) 주변을 흐르는 하천은 단선으로 표현되어 있기 때문에 수운이 불가능하다. 따라서 충주(A)에서 원주(B)까지 수운만을 활용하여 이동할 수 없다.

6 주요 하천 지형의 특성 파악

문제분석 왼쪽 지도는 하천의 상류, 오른쪽 지도는 하천의 중·하류 지역이다. A는 감입 곡류 하천, B는 구하도의 일부, C는 하천 중·하류의 곡류천 일부, D는 자연 제방, E는 배후 습지이다.

정답찾기 ② B는 A 하천이 유로 변경 과정에서 형성된 구하도의 일부이다. 따라서 B의 퇴적물에서는 과거 하천의 작용으로 형성된 둥근 자갈 등이 발견된다.

오답피하기 ① A는 감입 곡류 하천에 해당한다.
③ 하방 침식 작용은 A가 C보다 활발하다.
④ 자연 제방(D)이 배후 습지(E)보다 평균 해발 고도가 높다.
⑤ 자연 제방(D)이 배후 습지(E)보다 퇴적물의 평균 입자 크기가 크다.

7 우리나라 주요 지역의 기후 특성 파악

문제분석 지도에 표시된 네 지역은 대관령, 서귀포, 울릉도, 의성이다. 그래프에서 연 강수량이 가장 많은 C는 서귀포, 가장 적은 D는 의성이다. 연중 강수가 고른 울릉도는 네 지역 중 1월 강수량이 가장 많고 8월 강수량이 가장 적다. (가)월 강수량 차이에서 의성(D)의 값이 가장 작으므로 (가)월은 1월이며, A는 울릉도이다. B는 대관령이고, (나)월은 8월이다.

정답찾기 ④ 해발 고도가 높은 대관령(B)은 내륙에 위치한 의성(D)보다 1월에 평균 풍속이 강하다.

오답피하기 ① 대관령(B)이 울릉도(A)보다 관측지의 해발 고도가 높다.
② 8월(나)의 강수량은 서귀포(C)가 울릉도(A)보다 많다.
③ 위도가 낮고 해안에 위치한 서귀포(C)는 위도가 높고 내륙에 위치한 대관령(B)보다 기온의 연교차가 작다.
⑤ 네 지역 중 일출 시각은 울릉도(A)가 가장 이르다.

8 태풍의 특성 이해

문제분석 (가)는 태풍이며, ㄷ은 중심 기압, ㄹ은 최대 풍속이다.

정답찾기 ④ ㄱ 시기는 태풍이 가장 강하게 발달한 시기로 최대 풍속이 강하며, ㄴ 시기는 태풍이 소멸하는 시기로 중심 기압이 가장 높고 최대 풍속은 약해진다.

오답피하기 ① 태풍은 강풍과 폭우를 동반하기 때문에 건물, 농경지, 선박 등에 다양한 피해를 발생시킨다.
② 태풍이 지나가면 바다의 수온이 낮은 심층수와 수온이 높은 표층수가 섞이기 때문에 적조가 발생한 지역에서는 적조가 완화되기도 한다.
③ 태풍 진행 방향의 오른쪽은 태풍 중심으로 불어 들어가는 바람의 방향과 편서풍의 방향이 일치하기 때문에 대체로 풍속이 강하고, 왼쪽은 태풍 중심으로 불어 들어가는 바람의 방향과 편서풍의 방향이 반대되기 때문에 풍속이 대체로 약하다.
⑤ 중위도에 위치한 우리나라에서는 태풍이 남서쪽에서 북동쪽으로 통과하기 때문에 남부 지방의 피해가 크다. 태풍의 피해액은 지역의 인구 규모, 경제 규모와 관련이 깊기 때문에 인구가 적고 상대적으로 경제 규모가 작은 제주도는 잦은 피해에도 불구하고 지역별 피해액

5위 안에 들지 못한다. 우리나라에서 태풍 피해액이 가장 많은 A 지역은 전남이다.

9 구례, 목포, 양산의 인구 특성 비교

문제분석 지도에 표시된 세 지역은 구례, 목포, 양산이다. (가)는 1975년에 세 지역 중 인구가 가장 많았지만 1990년 이후 비율이 감소한 목포이다. (나)는 상대적으로 인구 비율이 가장 빠르게 감소한 구례이다. (다)는 대도시의 주변에 위치하여 인구가 빠르게 증가한 양산이다.

정답찾기 ④ 양산(다)은 부산과 인접해 있으며, 총인구도 목포(가)보다 많다. 따라서 2022년에 통근·통학 인구는 양산(다)이 목포(가)보다 많다.

오답피하기 ① 목포(가)의 시기별 인구는 그래프에서 대략적으로 파악할 수 있다. 목포(가)의 인구가 세 지역 인구 합계에서 차지하는 비율에 세 지역 인구 합계를 곱하면 산출할 수 있다. 1975년 목포(가)의 비율은 약 60%, 세 지역 인구 합계가 약 32만 명이기 때문에 목포(가)의 인구는 20만 명 미만이다. 이에 비해 2005년 목포(가)의 비율은 약 50%이지만 세 지역 인구 합계가 45만 명 이상이기 때문에 목포(가)의 인구는 20만 명 이상이다. 따라서 목포(가)의 인구는 2005년이 1975년보다 많다.
② 노령화 지수는 촌락의 특성이 강한 구례(나)가 목포(가)보다 높다.
③ 유소년 부양비는 양산(다)이 구례(나)보다 높다.
⑤ 목포(가)와 구례(나)는 호남권, 양산(다)은 영남권에 위치한다.

10 강남구, 노원구, 중구의 특성 파악

문제분석 지도에 표시된 세 지역은 강남구, 노원구, 중구이다. (가)는 세 지역 중 대지의 비율이 가장 높은 중구이다. (나)는 세 지역 중 임야의 비율이 가장 높고, (가)와 (다)로의 통근·통학 인구가 많은 노원구이다. (다)는 강남구이다.

정답찾기 ③ 세 지역 중 주간 인구 지수는 중구(가)가 가장 높고 노원구(나)가 가장 낮다.

오답피하기 ① 상업·업무 기능이 집중된 중구(가)는 세 지역 중 상주인구가 가장 적다. 상주인구는 대규모 아파트 단지가 위치한 강남구(다)와 노원구(나)가 중구(가)보다 많다.
② 세 지역 중 상업지의 평균 지가는 도심이 위치한 중구(가)가 가장 비싸다.
④ 시가지의 형성 시기는 도시의 중심에 위치한 중구(가)가 1970년대에 개발된 강남구(다)보다 이르다.
⑤ 중구(가)와 노원구(나)는 한강의 북쪽, 강남구(다)는 한강의 남쪽에 위치한다.

11 권역별 지역 특성 비교

문제분석 (가)는 수도권, (나)는 영남권, (다)는 충청권, (라)는 호남권이다. A는 원자력 발전소와 대규모 화력 발전소가 집중되어 전력 생산량이 많은 영남권, B는 전력 생산량보다 전력 소비량이 많은 수도권, C는 충청권, D는 호남권이다.

정답찾기 ② 수도권(가)에서 충청권(다)으로의 각종 기능 분산으로

인해 수도권(가)에서 충청권(다)으로 유입된 인구가 호남권(라)에서 충청권(다)으로 유입된 인구보다 많다.

오답피하기 ① 충청권(C, (다))은 전력 생산량이 전력 소비량보다 많다. 수도권(가)에 인접한 충청권(다)에서는 대규모 석탄 화력 발전으로 많은 전력을 생산하여 수도권(가)으로 송전한다.
③ 수도권(B, (가))은 영남권(A, (나))보다 전력 생산량이 적다.
④ 영남권(A, (나))은 수도권(B, (가))보다 지역 내 총생산이 적다.
⑤ 호남권(D, (라))은 충청권(C, (다)), 영남권(A, (나))과 행정 구역 경계가 맞닿아 있지만, 수도권(B, (가))과는 행정 구역 경계가 맞닿아 있지 않다.

12 화석 에너지원의 시·도별 공급량 비율 비교

문제분석 (가)는 공급량 상위 지역에 인천, 울산, 서울이 있으므로 천연가스이며, A는 경기이다. (나)와 (다)는 석유와 석탄 중 하나인데, (나)의 공급량 상위 지역에 울산이 있는 것으로 보아 (나)는 석유이다. 나머지 (다)는 석탄이며, 석탄의 공급량이 가장 많은 C는 충남이다. 그리고 B는 전남이다. 충남(C)에는 석탄 화력 발전소가 많으며, 전남(B)에는 석탄을 연료로 사용하는 대규모 제철소가 있다.

정답찾기 ① 천연가스(가)는 석유(나)보다 발전량 비율이 높다. 2021년 기준 발전량 비율은 석탄>천연가스>원자력>신·재생 및 기타>수력>석유 순으로 높다. 석유(나)는 주로 수송용, 산업용으로 이용된다.

오답피하기 ② 1차 에너지 소비 구조에서 차지하는 비율은 석유(나)>석탄(다)>천연가스(가) 순으로 높다.
③ 석탄(다)은 천연가스(가)보다 우리나라에서 상용화된 시기가 이르다.
④ 경기(A)는 전남(B)보다 석탄(다) 공급량이 적다.
⑤ 석탄(다)을 이용한 화력 발전량은 충남(C)이 전남(B)보다 많다.

13 과수(과실), 논벼(쌀), 맥류의 특성 파악

문제분석 (가)는 경북, 경남, 제주, 전남, 충북의 재배 면적이 넓은 과수이다. (나)는 전남, 전북, 경남, 제주, 광주의 재배 면적이 넓은 맥류이다. (다)는 전남, 충남, 전북, 경북, 경기의 재배 면적이 넓은 논벼이다.

정답찾기 ④ 논벼(다)는 맥류(나)보다 우리나라의 자급률이 높다.

오답피하기 ① 전국 생산량은 과수(과실)(가)가 맥류(나)보다 많다.
② 총 재배 면적은 논벼(다)가 맥류(나)보다 넓다.
③ 논벼(다)는 평지인 논에서 재배하고, 과수(가)는 밭이나 산지에서 재배하기 때문에 재배 경지의 평균 경사는 과수(가)가 논벼(다)보다 급하다.
⑤ 맥류(나)가 주로 논벼(다)의 그루갈이 작물로 재배된다.

14 주요 지역의 제조업 업종별 출하액 비율 비교

문제분석 지도에 표시된 세 지역은 경기, 경남, 전남이다. (가)는 화학 물질 및 화학 제품(의약품 제외) 제조업의 비율이 상대적으로 높고 1차 금속 제조업의 비율도 높기 때문에 전남이다. (나)는 기타 운

송 장비 제조업의 비율이 다른 지역에 비해 상대적으로 높은 경남이다. (다)는 기타 운송 장비 제조업의 비율이 매우 낮은 경기이다.

정답찾기 ④ 경기(다)는 경남(나)보다 자동차 및 트레일러 제조업 출하액이 많다. 경기(다)는 경남(나)보다 제조업 출하액이 많고 자동차 및 트레일러 제조업의 지역 내 비율도 높다.

오답피하기 ① 경기(다)는 수도권 공업 지역에 해당한다.

② 제조업 종사자 수는 인구가 많고 전체적으로 제조업 발달이 활발한 경남(나)이 전남(가)보다 많다.

③ 제조업 출하액은 경기(다)가 전남(가)보다 많다. 경기(다)는 우리나라 시·도 중 제조업 출하액이 가장 많다.

⑤ 경남(나)과 경기(다)는 행정 구역 경계가 맞닿아 있지 않다.

15 생산자 서비스업과 소비자 서비스업의 특성 비교

문제분석 (가)는 종사자가 한 지역에 거의 절반 집중되어 있는 전문·과학 및 기술 서비스업이며, A는 서울, B는 경기이다. (나)는 (가)에 비해 종사자가 전국에 비교적 고르게 분포하는 숙박 및 음식점업이다.

정답찾기 ① 기업과의 거래액은 전문·과학 및 기술 서비스업(가)이 숙박 및 음식점업(나)보다 많다.

오답피하기 ② 사업체당 평균 종사자 수는 전문·과학 및 기술 서비스업(가)이 숙박 및 음식점업(나)보다 많다.

③ 전문·과학 및 기술 서비스업(가)은 기업의 생산 활동을 지원하는 서비스업인 생산자 서비스업, 숙박 및 음식점업(나)은 개인 소비자가 이용하는 서비스업인 소비자 서비스업에 해당한다.

④ 지역 내 총생산은 경기(B)가 서울(A)보다 많다.

⑤ 지역 내 3차 산업 종사자 비율은 서울(A)이 경기(B)보다 높다.

16 고양, 당진, 세종의 인구 지표 비교

문제분석 지도에 표시된 세 지역은 고양, 당진, 세종이다. (가)~(다)는 각각 노령화 지수, 성비, 총인구 중 하나이다.

정답찾기 ④ 세 지역 중 상댓값의 최고치와 최저치 차이가 가장 큰 지표는 총인구이다. 따라서 (가)는 총인구이다. 총인구는 고양>세종>당진 순으로 많다. 노령화 지수는 세 지역 중 유소년층 인구 비율이 가장 높은 세종이 가장 낮다. 따라서 (나)는 세종이 가장 낮은 지표인 노령화 지수이다. (다)는 세 지역 중 총인구가 가장 적은 당진의 상댓값이 가장 높다. 1차 금속 제조업이 발달한 당진은 세 지역 중 성비가 가장 높다. 따라서 (다)는 성비이다.

구분	총인구(명)	성비	노령화 지수
세종	382,589	100.9	53.3
고양	1,044,242	95.2	133.7
당진	171,192	116.3	147.1

(2022년) (통계청)

17 해안 지형의 특성 이해

문제분석 A는 석호, B는 해안 사구, C는 사빈, D는 갯벌, E는 해식애이다.

정답찾기 ② 해안 사구는 사빈에서 상대적으로 가벼운 물질들이 바

람에 의해 이동하여 퇴적된 지형이기 때문에 퇴적물의 평균 입자 크기는 사빈(C)이 해안 사구(B)보다 크다.

오답피하기 ① 석호(A)는 후빙기 이후에 해수면이 상승한 후 사주가 만의 입구를 막아 형성된 호수이다.

③ 사빈(C)은 파랑이나 해안을 따라 흐르는 연안류의 퇴적 작용으로 형성되며, 주로 해수욕장으로 이용된다.

④ 갯벌(D)은 생물종 다양성이 풍부하여 육지로부터 배출된 각종 오염 물질들을 정화해 주는 역할을 한다.

⑤ 해식애(E)는 파랑의 침식 작용으로 형성된 해안 절벽이다.

18 북한 주요 지역의 특성 비교

문제분석 지도에 표시된 네 지역은 중강진, 신의주, 평양, 원산이다. 네 지역 중 인구가 가장 많은 (가)는 평양이다. 네 지역 중 기온의 연교차가 가장 큰 (나)는 중강진이다. 홍콩을 본받아 특별 행정구가 설치된 (다)는 신의주이다. 나머지 (라)는 원산이다.

정답찾기 ④ 중강진(나)과 신의주(다)는 모두 압록강 유역에 위치한다.

오답피하기 ① 경원선 철도의 종착역은 원산(라)에 있다.

② 평양(가)은 지형적 조건으로 인해 연 강수량이 적고, 동해안에 위치한 원산(라)은 동해에서 불어오는 습한 바람의 바람받이에 해당하기 때문에 연 강수량이 많다. 따라서 연 강수량은 원산(라)이 평양(가)보다 많다.

③ 여름 강수 집중률은 여름철 남서 기류의 영향을 강하게 받는 신의주(다)가 원산(라)보다 높다.

⑤ 평양(가)은 관서 지방에 위치한다.

19 안동, 전주, 춘천의 특성 비교

문제분석 지도에 표시된 세 지역은 강원도 춘천, 경상북도 안동, 전라북도 전주이다. (가)는 소양호, 닭갈비 등으로 유명한 춘천이다. (나)는 소리 축제, 한지 박물관 등으로 유명한 전주이다. (다)는 도산 서원, 탈춤 페스티벌 등으로 유명한 안동이다.

정답찾기 ④ 춘천(가)에는 강원특별자치도청이, 전주(나)에는 전북특별자치도청이, 안동(다)에는 경상북도청이 위치한다.

오답피하기 ① 춘천(가)은 전주(나)보다 인구는 적고 면적은 넓기 때문에 인구 밀도는 전주(나)가 춘천(가)보다 높다.

② 노년 부양비는 상대적으로 촌락의 특성이 강한 안동(다)이 전주(나)보다 높다.

③ 기온의 연교차는 위도가 높은 춘천(가)이 안동(다)보다 크다.

⑤ A는 북한강이며 황해로 흘러들고, B는 낙동강이며 남해로 흘러든다.

20 경기도의 세 인구 지표 파악

문제분석 (가)~(다)는 각각 등록 외국인 수, 상주인구, 주간 인구 지수 중 하나이다.

정답찾기 ④ (가)는 상위 5개 지역이 경기도의 서남부 지역에 위치한 화성, 평택, 안산, 시흥, 부천이며, 모두 제조업이 발달한 지역이다. 반면에 하위 5개 지역은 과천, 의왕과 같이 행정 기능이 발달한 지역과 연천, 가평, 양평과 같이 촌락의 특성이 강한 지역이다. 따라서

(가)는 등록 외국인 수이다. (나)는 상위 5개 지역이 포천, 과천, 이천, 안성, 평택이며, 하위 5개 지역이 서울의 주변에 위치한 남양주, 의정부, 의왕, 광명, 군포이다. 따라서 (나)는 주간 인구 지수이다. (다)는 상위 5개 지역이 수원, 고양, 용인, 성남, 화성으로 인구 100만 명 이상 3개 지역이 모두 포함되어 있다. 하위 5개 지역은 연천, 동두천, 가평, 여주, 과천이다. 따라서 (다)는 상주인구이다.

실전 모의고사 4회				본문 134~138쪽
1 ③	2 ②	3 ①	4 ③	5 ④
6 ②	7 ②	8 ⑤	9 ③	10 ②
11 ①	12 ⑤	13 ⑤	14 ③	15 ④
16 ④	17 ①	18 ①	19 ②	20 ⑤

1 영역과 위치 이해

문제분석 지도는 우리나라의 영해를 나타낸 것으로, 영해선을 설정하기 위한 기준으로는 통상 기선과 직선 기선이 있다. 통상 기선이 적용되는 수역은 동해안 대부분, 제주도, 울릉도, 독도 등의 주변 수역이고, 직선 기선은 서·남해안, 동해안 일부(영일만, 울산만)에서 적용된다.

정답찾기 ③ E는 직선 기선이 적용되는 해역으로, 거제도~부산 일대의 대한 해협은 일본의 쓰시마섬과 인접하여 직선 기선으로부터 3해리까지 영해로 설정되어 있다.

오답피하기 ① A는 포항 영일만 일대에 설정된 달만갑~호미곶에 설정된 직선 기선이다.
② B는 통상 기선을 기준으로 설정한 우리나라의 영해 밖에 있는 해역으로 우리나라의 영역에 해당하지 않는다.
④ F는 일본의 쓰시마섬 인근 해역으로 일본의 영해에 해당하므로 한·일 중간 수역에 해당하지 않는다.
⑤ B~E 중 B는 우리나라의 영해에 해당하지 않으므로 영공에도 해당하지 않는다.

2 조선 시대 지리지의 특징 이해

문제분석 (가)와 (나)는 신증동국여지승람과 택리지 중 하나이며, (가)와 (나) 모두 춘천에 대해 설명하고 있다. (가)는 특별한 형식 없이 춘천의 객관적 사실과 함께 저자의 개인적인 견해를 바탕으로 설명하였다. 이러한 서술 방식을 설명식 서술이라고 하는데, 조선 후기 지리지의 특징이기도 하다. 따라서 (가)는 택리지이다. (나)는 춘천에 관한 내용을 항목별로 정리하였다. 이러한 서술 방식을 백과사전식 서술이라고 하는데, 조선 전기 지리지의 특징이다. 따라서 (나)는 신증동국여지승람이다.

정답찾기 ② 택리지에서는 가거지의 조건으로 지리(地理), 생리(生利), 인심(人心), 산수(山水) 네 가지를 제시하였는데, 이 중 생리는 사람이 사는 데 경제적으로 이로운 조건을 나타낸다. ⓒ의 땅이 기름지다는 내용은 경제적으로 사람이 살기 좋은 조건인 생리(生利)에 해당한다.

오답피하기 ① 춘천(⊙)이 속해 있는 도는 강원도인데, 강원도의 명칭은 강릉과 원주의 앞 글자를 따서 만들어진 지명이다.
③ 신증동국여지승람(나)은 조선 전기에 국가 주도로 제작된 지리지로 조선 후기에 우리나라에 영향을 끼친 실학과는 거리가 멀다.
④ 국가 통치 자료로서 활용도가 높았던 지리지는 개인이 제작한 택리지(가)보다 국가 주도로 제작된 신증동국여지승람(나)이다.
⑤ 신증동국여지승람(나)은 택리지(가)보다 먼저 제작되었다. 따라서 (나)는 (가)의 내용을 요약하여 제작된 지리지가 아니다.

3 우리나라 화산 지형의 특징 이해

문제분석 첫 번째 자료는 신생대 제4기에 형성된 현무암 지형과 관련된 것으로 한탄강, 철원 일대에 형성된 화산 지형에 대한 설명이다. 두 번째 자료는 울릉도에 대한 것으로 화산 활동으로 형성된 울릉도의 암석과 봉우리에 대한 설명이다.

정답찾기 ㄱ. 자료의 내용으로 볼 때 ⊙에는 한탄강, 철원 일대에 형성된 화산 지형인 용암 대지가 들어갈 수 있다.

오답피하기 ㄴ. 알봉은 점성이 큰 조면·안산암질 용암이 멀리 흐르지 못하고 굳어 형성된 것으로, 화산 분출 이후 분화구의 일부가 함몰되어 형성된 칼데라와는 구분된다.
ㄷ. 현무암질 용암(ⓒ)은 유동성이 크고 점성이 작아 평평한 용암 대지를 형성하였다. 반면에 조면·안산암질 용암(ⓒ)은 점성이 커서 멀리 흐르지 못하고 봉우리 형태를 형성하였다. 따라서 점성은 ⓒ이 ⓒ보다 크다.

4 동해안과 서해안의 지형 특성 비교

문제분석 지도에서 A는 갯벌, B는 사빈, C는 해안 사구, D는 해식애, E는 해안 단구이다.

정답찾기 ③ E는 해안 단구로 과거의 파식대나 해안 퇴적 지형이 지반 융기 또는 해수면 변동으로 현재 해수면보다 높은 곳에 위치하게 된 계단 모양의 지형이다.

오답피하기 ① C는 해안 사구이며, 주로 조류의 퇴적 작용으로 형성되는 지형은 갯벌이다.
② D는 해식애로 파랑 에너지가 집중되는 돌출부에 주로 발달하는 해안 침식 지형이다.
④ A는 갯벌이며, 사빈(B)의 퇴적 물질이 바람에 의해 이동해 형성되는 지형은 해안 사구(C)이다.
⑤ 해안 사구(C)가 사빈(B)보다 퇴적 물질의 평균 입자 크기가 작다. 사빈의 구성 물질 중 바람에 날릴 정도로 가벼운 물질이 퇴적되어 해안 사구를 이루는 경우가 많다.

5 두 관광지의 지형 특성 파악

문제분석 양구 펀치볼 마을에서 A는 침식 분지의 저지대, B는 침식 분지의 주변 산지이고, 설악산 울산 바위에서 C는 화강암이다.

정답찾기 갑. 양구 펀치볼은 침식 분지의 대표적인 곳으로, 마을이 침식 분지 안에 입지해 있다.
병. C의 기반암은 중생대에 관입한 마그마가 굳어서 형성된 화강암이다.

정. A의 주된 기반암은 화강암으로 중생대에 형성된 암석이고, B의 주된 기반암은 변성암으로 시·원생대 이후 변성 작용을 거친 암석이다. 따라서 A는 B보다 형성 시기가 늦다.

오답피하기 을. 설악산 동쪽 사면은 동해에서 불어오는 높새바람의 바람받이에 해당한다.

6 우리나라의 하천 지형 이해

문제분석 (가)는 남한강 상류에 있는 감입 곡류 하천의 항공 사진과 지형도, (나)는 만경강 하류에 있는 자유 곡류 하천의 항공 사진과 지형도이다.

정답찾기 ② A는 하안 단구로 과거의 하상이나 범람원에 해당한다. 따라서 A의 퇴적층에서는 과거 하천이 흘렀던 흔적인 둥근 자갈이나 모래 등이 발견된다.

오답피하기 ① (가)의 하천은 감입 곡류 하천, (나)의 하천은 자유 곡류 하천에 해당한다.

③ B는 우각호로 자유 곡류 하천의 과거 유로였다. 물이 공급되지 못하고 막혀 있어 시간이 지날수록 호수 면적은 줄어든다.

④ C는 배후 습지, A는 하안 단구이다. 주로 모래와 점토로 구성된 배후 습지는 둥근 자갈과 모래가 섞여 있는 하안 단구보다 퇴적물의 평균 입자 크기가 작다.

⑤ A~C 중 하안 단구(A)는 지반 융기로 현재의 하상보다 상대적으로 해발 고도가 높아 하천의 범람으로 형성되는 범람원에 해당하지 않는다.

7 기후 요인의 이해

문제분석 자료는 2023년 신문 기사의 일부이다. 기사 내용을 보면 한파가 발생하여 우리나라 제주와 서울의 기온 차이가 평소보다 매우 크게 나타났다.

정답찾기 ② ㉠의 제주와 서울의 기온 차이가 나타나는 데 가장 크게 영향을 끼친 기후 요인은 두 지역 간 위도 차이이다. ㉡의 서귀포시 남원읍의 유채꽃이 핀 경관과 한라산 백록담의 눈 쌓인 경관에 가장 크게 영향을 끼친 기후 요인은 두 지역 간 해발 고도 차이이다.

오답피하기 ① ㉡의 수륙 분포는 두 지역의 대비되는 경관에 가장 크게 영향을 끼친 기후 요인이 아니다.

③ ㉠의 수륙 분포와 ㉡의 위도 모두 각 사례에 가장 크게 영향을 끼친 기후 요인이 아니다.

④ ㉠의 수륙 분포는 두 지역의 대비되는 경관에 가장 크게 영향을 끼친 기후 요인이 아니다.

⑤ ㉠의 해발 고도와 ㉡의 위도 모두 각 사례에 가장 크게 영향을 끼친 기후 요인이 아니다.

8 우리나라 각 지역의 기후 특성 이해

문제분석 지도에 표시된 지역은 거제, 원산, 제주, 홍천이다. (가)는 네 지역 중 겨울 강수 집중률이 가장 높고 기온의 연교차가 가장 작으므로 가장 남쪽에 위치한 제주이다. (라)는 반대로 네 지역 중 겨

울 강수 집중률이 가장 낮고 기온의 연교차가 가장 크므로 내륙에 위치한 홍천이다. (나), (다) 중 기온의 연교차는 (나)가 (다)보다 작고, 연 강수량은 (나)가 (다)보다 많으므로 (나)는 거제, (다)는 원산이다. 따라서 (가)는 제주, (나)는 거제, (다)는 원산, (라)는 홍천이다.

정답찾기 ⑤ 홍천(라)은 한강 중·상류에 위치한다. 한강 중·상류는 여름 강수 집중률이 높은 지역으로, 홍천은 제주(가), 거제(나), 원산(다)보다 여름 강수 집중률이 높다.

오답피하기 ① 정주간이 있는 전통 가옥은 대부분 북부 지방에서 나타나므로 제주(가)와는 거리가 멀다.

② (나)는 거제이며, 네 지역 중 가장 남쪽에 위치한 지역은 제주(가)이다.

③ 원산(다)은 거제(나)보다 겨울 강수 집중률이 낮고 연 강수량도 적다. 따라서 원산(다)은 거제(나)보다 겨울 강수량이 적다.

④ 홍천(라)은 내륙에 위치하여 해안에 위치한 원산(다)보다 최한월 평균 기온이 낮다.

9 우리나라의 기압 배치에 따른 기후 특성 이해

문제분석 (가)는 우리나라 남쪽에 고기압이 있고 북쪽에 저기압이 있으므로 남고북저형 기압 배치이다. (나)는 우리나라 서쪽에 고기압이 있고 동쪽에 저기압이 있으므로 서고동저형 기압 배치이다. (가)는 한여름, (나)는 겨울에 전형적으로 나타나는 기압 배치이다.

정답찾기 ③ 호남 지방의 전통 가옥에 설치된 까대기는 겨울(나) 바람과 강수 피해를 막기 위한 시설이다.

오답피하기 ① (가)는 한여름의 기압 배치이며, 시베리아 고기압의 영향으로 북서 계절풍이 탁월하게 부는 시기는 겨울(나)이다.

② (나)는 겨울의 기압 배치이며, 북태평양 기단의 영향으로 무더위와 열대야가 발생하는 시기는 한여름(가)이다.

④ 한여름과 겨울 중 상대 습도가 높은 시기는 한여름(가)이다.

⑤ 솜옷과 가죽옷은 겨울(나)에 대비한 전통 의복이고, 삼베와 모시옷은 한여름(가)에 대비한 전통 의복이다.

10 우리나라의 권역별 인구 규모 이해

문제분석 (가)는 1위 도시의 인구가 9백만 명 이상이므로 서울이 있는 수도권이다. (나)는 1위 도시의 인구가 3백만 명 이상이므로 부산이 있는 영남권이다. (다)와 (라)는 1위 도시의 인구는 비슷하지만 (다)는 2, 3위 도시의 인구가 모두 50만 명이 넘으므로 청주와 천안이 있는 충청권이고, (라)는 2, 3위 도시가 전주와 익산인 호남권이다.

정답찾기 ㄱ. 수도권(가)에 있는 전체 도시 인구 규모 1위인 서울 인구가 영남권(나)에 있는 전체 도시 인구 규모 2위인 부산 인구의 두 배 이상이므로 우리나라는 종주 도시화 현상이 나타난다.

ㄷ. 영남권(나)의 3위 도시인 울산은 중화학 공업이 발달한 도시로 충청권(다)의 1위 도시인 대전보다 1인당 지역 내 총생산이 많다.

오답피하기 ㄴ. 수도권(가)의 인구 규모 1~3위 도시는 서울, 인천, 수원으로 서울은 특별시, 인천은 광역시, 수원은 특례시이다. 영남권(나)의 인구 규모 1~3위 도시는 부산, 대구, 울산으로 모두 광역시이다.

ㄹ. (다)는 충청권, (라)는 호남권이다.

11 자연재해별 특징 비교

문제분석 (가)는 장마 기간에 피해 발생률이 가장 높으므로 호우이다. (나)는 장마가 끝난 이후부터 가을 무렵까지 피해가 발생하므로 태풍이다. (다)는 12~2월에 주로 피해가 발생하므로 대설이다.

정답찾기 ① 태풍(나)은 대부분 우리나라 남쪽에서 이동해 와 피해를 주므로 내륙에 있는 충북보다 남해안에 있는 전남의 피해액이 많다.

오답피하기 ② 대설(다)은 겨울철 북동 기류의 영향으로 영동 지방에서 피해가 자주 발생한다.
③ 호우(가)는 대설(다)보다 우리나라 연 강수량에 미치는 영향이 크다.
④ 농경지는 호우(가)에 의한 피해, 선박은 태풍(나)에 의한 피해가 가장 심하다.
⑤ (가)~(다) 중 누적(2012~2021년) 피해액이 가장 적은 것은 대설(다)이다.

12 서울의 구(區)별 인구 특징 이해

문제분석 지도의 A는 노원구, B는 중구, C는 강남구이다. (가)는 주간 인구가 상주인구보다 많고, 세 지역 중 주간 인구가 가장 많으므로 강남구(C)이다. (나)는 주간 인구와 상주인구 모두 세 지역 중 가장 적지만, 주간 인구가 상주인구보다 세 배 이상 많으므로 중구(B)이다. (다)는 상주인구는 (가)와 비슷하지만 주간 인구가 (가)의 절반 이하이므로 노원구(A)이다.

정답찾기 ⑤ (가)는 C, (나)는 B, (다)는 A이다.

13 수도권 지역별 토지 이용의 특징 이해

문제분석 지도에 표시된 세 지역은 포천, 안산, 성남이다. (가)는 시기별로 밭, 논의 비율은 점차 감소하고 대지의 비율이 증가하였으며, (가)~(다) 중 대지의 비율이 가장 높으므로 성남이다. (나)는 (가)~(다) 중 공장용지의 비율이 가장 높으므로 안산이다. (다)는 (가)~(다) 중 밭, 논의 비율이 가장 높으므로 포천이다.

정답찾기 ⑤ 세 지역 중 성남(가)은 대지의 토지 면적 비율이, 안산(나)은 공장용지의 토지 면적 비율이 상대적으로 높게 나타나는 것을 통해 성남(가)은 주거 기능, 안산(나)은 공업 기능을 분담하는 경향이 상대적으로 강함을 알 수 있다.

오답피하기 ① 수도권 1기 신도시로 건설된 대표적 도시로는 고양 일산, 성남 분당 등이 있다. 수도권 2기 신도시에는 성남 판교, 경기 김포, 인천 검단, 수원 광교 등이 있다.
② 성남(가)은 포천(다)보다 모든 시기에서 지역 내 밭, 논의 비율이 낮고 지역 내 농가 인구 비율이 낮다.
③ 판교 테크노밸리를 중심으로 지식 정보 산업이 발달한 성남(가)이 안산(나)보다 정보·서비스업 분야 종사자 수가 많다.
④ 포천(다)은 안산(나)보다 인구가 적고 공장용지의 비율이 낮아 제조업 종사자 수가 적다.

14 우리나라의 위치 특성 파악

문제분석 (가)는 서해 5도 가운데 가장 큰 섬이므로 백령도, (나)는 동도와 서도로 구분되므로 독도, (다)는 마라도 남서쪽 수중 암초이므로 이어도에 관한 설명이다.

정답찾기 ③ 독도(나)는 이어도(다)보다 동쪽에 위치하여 일출 시각이 이르다.

오답피하기 ① 종합 해양 과학 기지가 건설된 곳은 이어도(다)이다.
② 천연 보호 구역으로 지정된 곳은 독도(나)이다.
④ 우리나라 영토는 한반도와 그 부속 도서를 기준으로 하고 있어 4극은 경상북도 울릉군 독도(나) 동단, 평안북도 신도군 비단섬(마안도) 서단, 제주특별자치도 서귀포시 마라도 남단, 함경북도 온성군 풍서리 북단이다. 백령도(가)에는 우리나라 영토의 4극 지점이 없다.
⑤ 독도(나) 주변은 최종 빙기 때 바다였던 곳으로 육지와 연결되지 않은 섬이었다.

15 지역별 축제 이해

문제분석 (가)는 갯벌을 활용한 머드 축제를 홍보하는 자료로 서해안에 있는 충남 보령에서 열리는 축제이다. (나)는 국악을 바탕으로 열리는 세계 소리 축제를 홍보하는 자료로 전북 전주에서 열리는 축제이다. (다)는 지역 특산품인 마늘을 이용한 축제를 홍보하는 자료로 충북 단양에서 열리는 축제이다.

정답찾기 ④ (가)는 B, (나)는 C, (다)는 A이다.

16 대구와 울산의 제조업 특징 이해

문제분석 ㉠은 대구광역시와 울산광역시에서 모두 지역 내 제조업 출하액 비율 1위를 차지하므로 자동차 공업이다. 특히 울산광역시에는 우리나라를 대표하는 자동차 공업 단지가 조성되어 있다.

정답찾기 ㄱ. 자동차(㉠) 공업은 다수의 부품을 조립하여 제품을 생산하는 종합 조립 공업이다.
ㄴ. 제철(㉣) 공업 제품은 조선(㉤) 공업에서 선박을 제작하는 주요 재료로 활용된다.
ㄷ. 섬유(㉡) 공업은 제1차 경제 개발 계획 시기의 집중 육성 산업으로 석유 화학(㉢) 공업보다 우리나라 산업화를 주도한 시기가 이르다.

오답피하기 ㄹ. 대구광역시에서 자동차(㉠) 공업 출하액은 전체 제조업 출하액 28.2조 원의 19.5%를 차지하므로 약 5.5조 원이다. 울산광역시에서 조선(㉤) 공업 출하액은 전체 제조업 출하액 164.4조 원의 7.1%를 차지하므로 약 11.7조 원이다. 따라서 울산광역시의 조선(㉤) 공업 출하액이 대구광역시의 자동차(㉠) 공업 출하액보다 두 배 이상 많다.

17 호남 지방의 지역별 인구 구조 특성 이해

문제분석 (다)는 세 지역 중 노년층 인구 비율이 가장 낮으므로 광역시인 광주이다. (나)는 세 지역 중 노년층 인구 비율이 가장 높으므로 촌락의 특성이 가장 강한 해남이다. (가)는 세 지역 중 노년층 인구 비율이 중간 정도의 값을 나타내고, 성비가 100을 넘어 남초 현상이 뚜렷하므로 영암이다.

정답찾기 ① 조선 공업이 발달한 영암(가)은 해남(나)보다 제조업 출하액이 많다.

오답피하기 ② 광주(다)는 광역시로 인구 100만 명 이상인 도시이며,

영암(가)은 군(郡) 지역으로 전체 인구에서 확연한 차이를 보인다. 따라서 여성 인구는 (다)가 (가)보다 많다.

③ 광주(다)는 해남(나)보다 노년층 인구 비율이 낮아 중위 연령이 낮다.

④ 영암(가)과 해남(나)은 바다에 접해 있고, 광주(다)는 내륙에 위치해 있다.

⑤ (가)~(다) 중 광주(다)가 면적은 가장 좁고 인구는 가장 많으므로 인구 밀도가 가장 높다.

18 우리나라의 도(道)별 경지 이용 비율 이해

문제분석 제주는 논이 거의 없고 거의 모든 경지가 밭으로 이용된다. 따라서 제주는 (라)이며, A는 밭, B는 논이다. (가)~(다) 중 (가)는 밭의 비율이 가장 높으므로 강원이다. (나)는 (다)보다 논의 비율이 높으므로 전남이다. (다)는 밭이 더 많지만, 강원(가)보다 논의 비율이 높으므로 경북이다.

정답찾기 ① 전남(나)은 강원(가)보다 쌀 생산량이 많다.

오답피하기 ② 제주(라)는 경북(다)보다 지역 내 전업농가 비율이 낮다.

③ 전남(나)과 경북(다)은 행정 구역 경계가 맞닿아 있지 않다.

④ (가)~(라) 중 과실 생산량이 가장 많은 곳은 경북(다)이다.

⑤ 경북(다)은 밭(A)보다 논(B)의 비율이 낮다.

19 1차 에너지의 권역별 공급 특징 파악

문제분석 1차 에너지의 권역별 공급 비율 중 충청권에서 비율이 가장 높은 (가)는 석탄이고, 수도권에서 비율이 가장 높은 (나)는 천연가스이다. (라)는 영남권과 호남권에만 공급되고, 영남권이 더 높은 비율을 차지하므로 원자력이다. (다)는 강원·제주권과 영남권의 비율이 높고, 권역별로 고른 분포를 보이므로 수력이다. (마)는 인구와 산업 시설의 분포가 적은 강원·제주권에서 상대적으로 비율이 낮고, 영남권을 비롯한 네 권역의 공급 비율이 비슷하므로 석유이다.

정답찾기 ② 천연가스(나)는 냉동 액화 기술이 발달하면서 이동이 편리해져 소비량이 급증하였다.

오답피하기 ① 석탄(가)은 대부분 수입에 의존하지만 국내에서 일부 생산이 이루어지고 있다.

③ 유량이 많고 낙차가 큰 곳이 발전에 유리한 1차 에너지는 수력(다)이다.

④ 발전 과정에서 발생하는 폐기물의 처리 비용은 원자력(라)이 수력(다)보다 많다.

⑤ (가)~(마)를 이용한 발전 중 발전량이 가장 많은 것은 석탄(가)이다.

20 영남 지방의 지역별 특성 이해

문제분석 (가)는 '경상도' 지명의 유래가 되었고, 역사 유적 지구로 지정된 곳으로 경주이다. (나)는 경상남도청 소재지이고, 군항제가 열리는 곳으로 창원이다. (다)는 우포늪이 있고, 남북으로 인구 100만 명 이상의 도시와 접해 있는 곳으로 창녕이다. 지도의 A는 안동, B는 경주, C는 창녕, D는 창원이다.

정답찾기 ⑤ (가)는 B, (나)는 D, (다)는 C이다.

---

1 우리나라 4극의 특징 파악

문제분석 (가)는 33° 06′ N, 126° 16′ E에 위치한 마라도이고, (나)는 37° 14′ N, 131° 52′ E에 위치한 독도이다.

정답찾기 을. 독도(나)는 천연 보호 구역으로 지정되어 있다.

정. 마라도(가)와 독도(나)는 모두 신생대 화산 활동으로 형성되었다.

오답피하기 갑. 종합 해양 과학 기지가 건설된 곳은 수중 암초인 이어도이다.

병. 마라도(가)는 독도(나)보다 서쪽에 위치하므로 일출 시각이 늦다.

2 하천 상류와 하천 하류의 특징 이해

문제분석 하천은 지표에 내린 빗물이 모여 바다로 흘러가는 물길이다. 하천은 상류에서 하류로 가면서 여러 지류가 합쳐져 하나의 큰 물길을 이룬 후 바다로 빠져나간다. 하천은 일반적으로 상류에서 하류로 갈수록 유량이 많아지고 하폭은 넓어지며, 퇴적 물질의 평균 입자 크기가 작아진다. 또한 퇴적 물질의 평균 원마도는 하류로 갈수록 높아진다. 따라서 (나)는 하천 상류에 위치한 지점이고, (가)는 하천 하류에 위치한 지점이다.

정답찾기 ① 하천 하류(가)와 비교하여 하천 상류(나)는 하구로부터의 거리가 멀고 퇴적 물질의 평균 원마도가 낮으며 하폭이 좁다.

3 한반도의 주요 암석 분포 특징 파악

문제분석 지표를 구성하는 암석은 변성암, 화성암, 퇴적암으로 구분되며, 우리나라는 시·원생대에 형성된 변성암이 한반도 지각의 약 42.6%를 차지해 분포 면적이 가장 넓다. 화성암은 중생대에 관입한 화강암(심성암)의 분포 범위가 가장 넓고, 신생대의 화산 활동으로 형성된 화산암이 일부 지역에 분포한다. 퇴적암은 고생대와 중생대의 퇴적암이 대부분이며, 신생대 퇴적암의 분포 면적은 협소하다. A는 설악산의 울산 바위를 이루는 암석으로, 중생대에 관입한 화강암이다. B는 단양의 도담 삼봉 일부이며, 도담 삼봉은 고생대에 형성된 퇴적암인 석회암이 물에 녹으며 형성된 지형이다. 따라서 B는 석회암이다. 중생대 경상 분지에서는 호수(또는 습지)에서 퇴적된 육성층인 경상 누층군이 형성되었으며, 경상 누층군 일부에는 공룡 발자국 화석이 분포한다. 따라서 C는 중생대 퇴적암이다. D는 신생대 화산 활동으로 형성된 현무암이다. 신생대 화산암은 제주도, 울릉도, 독도 등의 주된 기반암을 이루고 있다.

정답찾기 ③ 화강암(A)은 현무암(D)보다 우리나라 암석 분포에서 차지하는 비율이 높다. 신생대에 형성된 화산암은 한반도 지각의 약 4.8%를 차지하고, 중생대에 관입한 화성암은 한반도 지각의 약 30%를 차지한다.

오답피하기 ① 중생대 퇴적암(C)은 주로 육성층에 분포한다.
② 주로 시멘트 공업의 원료로 이용되는 암석은 석회암(B)이다.
④ 중생대 퇴적암(C)은 석회암(B)보다 형성 시기가 늦다. 석회암은 고생대 초기에 형성된 해성층에 주로 분포한다.
⑤ 화강암(A)은 화성암으로, 석회암(B)은 퇴적암으로 분류된다.

4 통계 지도의 유형별 특징 파악

문제분석 통계 지도는 지리 정보의 공간적 분포를 효과적으로 나타내기 위해 활용되며, 점묘도, 도형 표현도, 유선도, 등치선도, 단계 구분도 등이 있다. 통계 자료를 통계 지도로 표현할 때는 자료의 특성을 고려하여 이를 시각적으로 가장 잘 표현할 수 있는 통계 지도의 유형을 선택하여야 한다. A는 지리 정보의 지역별 분포를 각종 도형을 이용하여 나타낸 도형 표현도이고, B는 지리 정보의 공간적 흐름을 화살표나 선으로 연결하여 나타낸 유선도, C는 같은 값을 지닌 지점을 선으로 연결하여 지리 정보의 공간적 패턴을 나타낸 등치선도이다.

정답찾기 ③ (가)는 지역 간 인구 이동을 나타낸 자료로 지리 정보의 공간적 흐름을 화살표나 선으로 연결해 나타내는 유선도(B)가 가장 적합하다. (나)는 지역별 산업 구조를 나타낸 자료로 각 지역의 부문별 비율을 원 그래프 형태로 표현할 수 있으므로 도형 표현도(A)가 가장 적절하다.

5 주요 해안 지형의 특징 이해

문제분석 바다가 육지 쪽으로 들어온 만입부는 파랑 에너지가 분산되어 모래 해안이나 갯벌 해안이 형성되고, 육지가 바다 쪽으로 돌출된 곳은 파랑 에너지가 집중되어 암석 해안이 형성된다. 모래 해안에는 사빈, 사주, 해안 사구 등이 발달하고, 암석 해안에는 해식애, 파식대, 시 스택 등이 발달한다. 왼쪽 사진은 서해안에 위치한 지역이고, 오른쪽 사진은 동해안에 위치한 지역이다. 지도의 A는 바다에 입자가 작은 퇴적물이 주로 쌓여 형성된 갯벌이다. B는 파랑의 퇴적으로 사주가 형성되며 육지와 연결된 섬인 육계도이고, C는 파랑의 퇴적으로 형성된 사빈, D는 파랑의 침식으로 형성된 시 스택이다.

정답찾기 ㄱ. 갯벌(A)은 파랑 에너지가 분산되는 만에 잘 발달한다.
ㄴ. 육계도(B)는 파랑의 퇴적으로 형성된 사주에 의해 육지와 연결되었다.
ㄷ. 시 스택(D)은 파랑의 차별 침식으로 형성되었다.
오답피하기 ㄹ. 사빈(C)은 갯벌(A)보다 퇴적 물질의 평균 입자 크기가 크다.

6 화산, 카르스트, 해안 지형의 특성 파악

문제분석 천연기념물 제537호는 경기도 포천의 한탄강 일대에 발달한 현무암 협곡과 비둘기낭 폭포이다. 한탄강 일대에는 점성이 작은 용암이 틈새 분출(열하 분출)하여 골짜기나 분지를 메워 형성된 용암 대지가 분포하며, 이에 따라 한탄강 주변에서는 주상 절리를 볼 수 있다. 천연기념물 제440호는 정선 백복령 카르스트 지대로, 기반암인 석회암이 물에 녹아 형성된 돌리네 등의 다양한 카르스트 지형이 분포한다. 천연기념물 제437호는 강릉 정동진 해안 단구이며, 해안

단구는 과거의 파식대나 해안 퇴적 지형이 지반 융기나 해수면 변동으로 현재 해수면보다 높은 곳에 위치하게 된 지형을 뜻한다.

정답찾기 ③ 백복령 일대에는 지하에 스며든 유수나 빗물에 의해 기반암인 석회암이 녹아 형성된 우묵한 모양의 와지(ⓒ)인 돌리네가 다수 분포한다. 돌리네가 분포하는 곳에서는 배수가 양호하여 밭농사가 주로 이루어진다.

오답피하기 ① 한탄강 일대의 넓고 평평한 대지(㉠)는 점성이 작은 현무암질 용암이 틈새 분출(열하 분출)하여 형성된 용암 대지이다.
② 한탄강 주변에서 볼 수 있는 다각형의 수직 절리(ⓛ)는 용암이 냉각되는 과정에서 수축되어 형성된 주상 절리이다.
④ 정동진 해안 단구의 평탄한 지형(ⓔ)은 해안 단구의 단구면을 가리키며, 이곳의 퇴적층에는 과거의 파식대나 해안 퇴적 지형에서 만들어진 둥근 자갈이 분포한다.
⑤ 해안 단구에서 해변을 따라 나타나는 급경사의 절벽(ⓜ)은 파랑의 침식으로 형성되었다.

7 우리나라 주요 지역의 계절별 기온 분포 특성 파악

문제분석 지도에 표시된 다섯 지역은 각각 강릉, 안동, 군산, 장수, 포항이다. 지역 간 차이는 겨울이 여름보다 크며, 따라서 ㉠은 겨울, ㉡은 여름이다. 다섯 지역 중 여름 평균 기온과 겨울 평균 기온이 가장 높은 A는 포항이고, 여름 평균 기온과 겨울 평균 기온이 가장 낮은 D는 장수이다. 장수는 다섯 지역 중 가장 저위도에 위치하지만 해발 고도가 높아 평균 기온이 상대적으로 낮다. 나머지 B, C와 (가)는 여름 평균 기온 차이가 크지 않아 겨울 평균 기온 차이를 통해 판단할 수 있다. 세 지역 중 겨울 평균 기온이 가장 높은 B는 동해안에 위치한 강릉이고, 겨울 평균 기온이 가장 낮은 C는 내륙에 위치한 안동이며, 나머지 (가)는 서해안에 위치한 군산이다.

정답찾기 ⑤ 포항(A)은 군산(가)보다 겨울 평균 기온이 높으며, 무상 기간이 길다.

오답피하기 ① 포항(A)은 동해안에 위치하여 겨울 강수량이 많은 편이다. 따라서 포항은 안동(C)보다 여름 강수 집중률이 낮다.
② 동해안에 위치한 강릉(B)은 내륙에 위치한 장수(D)보다 기온의 연교차가 작다.
③ 안동(C)은 강릉(B)보다 연 강수량이 적다. 안동은 영남 내륙에 위치하여 강수량이 적은 지역이고, 강릉은 동해안에 위치하여 겨울철 북동 기류의 바람받이 사면에 해당해 겨울 강수량이 많고 여름철 남해상에 태풍이 위치할 때 유도되는 북동 기류의 바람받이 사면에 해당하여 여름 강수량도 많다.
④ 해발 고도가 높은 장수(D)는 포항(A)보다 연평균 기온이 낮다.

8 자연재해의 특징 파악

문제분석 (가)는 A에서의 피해액이 대부분을 차지하는 자연재해이므로 지진이고, A는 경북이다. (라)는 전남, 경북, 경남 등 남부 지방에서 피해액 비율이 높은 자연재해이므로 태풍이다. (나)는 강원, 충남, 경북에서 피해액 비율이 높은 대설이고, (다)는 충북, 전남, 경기에서 피해액 비율이 높은 호우이다.

정답찾기 ① 경북(A)은 영남 지방에 위치한다.
오답피하기 ② 전남은 호우(다) 피해액 비율이 두 번째로 높으며, 서

울은 상위 3개 지역에 포함되지 않아 기타로 표시되었다. 따라서 전
남은 서울보다 호우 피해액이 많다.

③ 지진(가) 피해를 예방하기 위해 내진 설계가 필요하다.

④ 태풍(라)은 강한 바람과 많은 비를 동반하는 자연재해이다.

⑤ 겨울철 피해 발생 비율은 대설(나)이 호우(다)보다 높다.

9 강원 지방의 도시 체계 특징 파악

문제분석 지도에 표시된 네 지역은 각각 철원, 춘천, 원주, 영월이
다. (가)는 인구가 증가 추세에 있으며 유형별 의료 기관 수의 합이
가장 많으므로 인구 규모가 가장 큰 원주이다. (라)는 인구가 급감하
였으며 유형별 의료 기관 수의 합이 가장 적으므로 영월이다. (나)는
원주 다음으로 유형별 의료 기관 수의 합이 많은 춘천이고, 나머지
(다)는 철원이다.

정답찾기 ② 원주(가)는 철원(다)보다 우리나라 도시 체계에서 상위
계층에 해당하므로 중심지 기능이 다양하다.

오답피하기 ① 강원특별자치도청은 춘천(나)에 있다.

③ 춘천(나)은 원주(가)보다 인구가 적다.

④ 한탄강 일대의 용암 대지에서 벼농사가 활발하게 이루어지는 철
원(다)은 산지가 많이 분포하는 영월(라)보다 경지 중 밭 면적 비율이
낮다.

⑤ 촌락의 성격이 강한 영월(라)은 도시 지역인 춘천(나)보다 금융 기
관 수가 적다.

10 충청 지방의 지역별 특징 파악

문제분석 지도에 표시된 네 지역은 각각 아산, 청양, 대전, 세종이
다. 네 지역 중 사업체 수가 가장 많은 (다)는 대도시인 대전이다. 대
덕 연구 단지 등을 중심으로 과학 및 기술 분야의 연구 활동이 활발
한 대전은 다른 지역보다 전문, 과학 및 기술 서비스업 종사자 비율
이 높다. 네 지역 중 사업체 수가 가장 적고 농업, 임업 및 어업 종사
자 비율이 상대적으로 높은 (나)는 청양이다. 나머지 (가)와 (라) 중
제조업 종사자 비율이 높은 (가)는 아산이고, 공공 행정, 국방 및 사
회 보장 행정 종사자 비율이 높은 (라)는 세종이다.

정답찾기 ④ 유소년층 인구 비율이 높은 세종(라)은 촌락의 성격이
강해 노년층 인구 비율이 높은 청양(나)보다 노령화 지수가 낮다.

오답피하기 ① 청양(나)에는 혁신 도시가 조성되어 있지 않다. 충청권
에서 혁신 도시가 조성되었거나 조성 예정인 곳은 대전, 예산·홍성,
진천·음성이다.

② 아산(가)은 청양(나)보다 지역 내 총생산이 많다.

③ 대전(다)은 세종(라)보다 총인구가 많다.

⑤ 광역시는 대전(다), 특별자치시는 세종(라)이다. 아산(가)은 시
(市)이다.

11 도시 내부의 지역별 특징 비교

문제분석 지도에 표시된 네 지역군(群)은 각각 구로구·금천구, 강남
구·서초구, 노원구·도봉구, 중구·종로구이다. (나)는 행정동 수에
비해 법정동 수가 매우 많고 금융 및 보험업 종사자 비율이 높은 지
역이므로 도심이 있는 중구·종로구이다. 중구·종로구는 일찍부터
시가지가 조성된 지역으로, 법정동 수가 매우 많다. (다)는 행정동

수에 비해 법정동 수가 적은 편이고, 제조업과 금융 및 보험업, 전
문·과학 및 기술 서비스업 종사자 비율이 낮은 지역이므로 주거 기
능이 발달한 노원구·도봉구이다. (가)와 (라) 중 제조업 종사자 비율
이 높은 (가)는 서울 디지털 국가 산업 단지가 위치한 구로구·금천
구이고, 금융 및 보험업과 전문·과학 및 기술 서비스업 종사자 비율
이 높은 (라)는 부도심이 있는 강남구·서초구이다.

정답찾기 ④ 강남구·서초구(라)는 구로구·금천구(가)보다 총면적이
넓다.

오답피하기 ① 구로구·금천구(가)는 도심이 위치한 중구·종로구(나)
보다 주간 인구 지수가 낮다.

② 도심이 위치하여 인구 공동화 현상이 나타나는 중구·종로구(나)
는 주거 기능이 발달한 노원구·도봉구(다)보다 초등학교 학급 수가
적다.

③ 주거 기능이 발달한 노원구·도봉구(다)는 출근 시간대 순 유출
이 나타나며, 부도심이 형성되어 있는 강남구·서초구(라)는 출근 시
간대 순 유입이 나타난다. 따라서 출근 시간대 순 유입 인구는 강남
구·서초구가 노원구·도봉구보다 많다.

⑤ 한강의 북쪽에는 중구·종로구(나)와 노원구·도봉구(다)가 위치
하며, 한강의 남쪽에는 구로구·금천구(가)와 강남구·서초구(라)가
위치한다.

12 재생 에너지의 지역별 발전 특징 파악

문제분석 〈조건〉의 첫 번째 항목인 '(가)는 (나)보다 전국 생산량이
많다.'를 통해 (나)는 세 재생 에너지 중 전국 생산량이 가장 많은 태
양광이 될 수 없다는 점을 파악할 수 있다. 〈조건〉의 두 번째 항목인
'(나)는 (다)보다 제주에서의 발전량이 많다.'를 통해 (나)는 제주에서
발전량이 가장 적은 수력이 될 수 없다는 점을 파악할 수 있다. 따라
서 (나)는 풍력이고, (가)와 (다)는 각각 수력과 태양광 중 하나이다.
〈조건〉의 세 번째 항목인 '(다)는 (가)보다 전력 생산에 이용된 시기
가 이르다.'를 통해 (다)는 전력 생산에 이용된 시기가 이른 수력, 나
머지 (가)는 태양광임을 알 수 있다.

정답찾기 ⑤ 그래프의 A는 제주권의 비율이 매우 낮으므로 수력이
고, B는 제주권과 강원권의 비율이 높으므로 풍력이다. C는 영남권
과 호남권의 비율이 높으므로 태양광이다. 따라서 (가)는 C, (나)는
B, (다)는 A에 해당한다.

13 대도시권의 공간 구조 이해

문제분석 지도에 표시된 세 지역은 각각 고양, 파주, 연천이다. 그
래프의 (가)는 1980~2022년 주택 수가 가장 많이 증가한 지역이
며, 특히 2000년 이후 주택 수의 증가가 두드러진 지역이다. 따라
서 (가)는 수도권 2기 신도시가 조성된 파주이다. 그래프의 (나)는
1990~2000년에 주택 수가 급격히 증가한 지역이므로 수도권 1기
신도시가 조성된 고양이다. 나머지 (다)는 1980~2022년 주택 수 변
화가 크지 않은 지역이므로 연천이다.

정답찾기 ④ 고양(나)은 서울, 연천(다)은 강원과 행정 구역의 경계를
접한다.

오답피하기 ① 고양(나)은 파주(가)보다 서울과의 거리가 가까우며,
서울로의 통근·통학 인구가 많다.

② 연천(다)은 고양(나)보다 서울과의 거리가 멀고 촌락의 성격이 상대적으로 강하므로 2022년 지역 내 경지 면적 비율이 높다.

③ 수도권 2기 신도시가 조성된 파주(가)는 촌락의 성격이 강한 연천(다)보다 2022년 주택 유형 중 아파트 비율이 높다.

⑤ 고양(나)은 파주(가)보다 1980년 대비 2022년 주택 수가 더 높은 비율로 증가했으며, 고양은 인구가 100만 명 이상으로 특례시로 지정되었으므로 파주보다 2022년 인구 규모가 크다는 점을 추론할 수 있다. 이에 따라 고양이 파주보다 1980~2022년 인구 증가율이 높을 것임을 추론할 수 있다. 1980~2022년 인구 증가율은 고양(나)＞파주(가)＞연천(다) 순으로 높다.

14 주요 지역의 농업 특징 파악

문제분석 지도에 표시된 네 지역은 각각 여주, 양평, 횡성, 평창이다. 네 지역 중 논벼의 재배 농가 비율이 가장 높은 (가)는 넓은 평지에서 벼농사가 활발하게 이루어지는 여주이다. 네 지역 중 채소·산나물 재배 농가 비율이 가장 높은 (나)는 고위 평탄면에서 채소 재배가 활발한 평창이다. (다)와 (라) 중 축산 농가의 비율이 높은 (라)는 횡성이고, 수도권의 평야에 위치하여 논벼와 채소·산나물의 재배 농가 비율이 높은 (다)는 양평이다.

정답찾기 ③ 양평(다)은 수도권의 넓은 평야에 위치하며, 평창(나)은 대관령 일대의 고위 평탄면을 중심으로 고랭지 채소 재배가 활발하게 이루어진다. 따라서 양평은 평창보다 고랭지 채소 재배 면적이 좁다.

오답피하기 ① 여주(가)에서는 지리적 표시제에 등록된 쌀이 생산된다.

② 산지가 많은 평창(나)은 평야에 위치한 여주(가)보다 지역 내 경지 면적 중 밭 면적 비율이 높다.

④ 대도시와의 거리가 먼 촌락의 성격이 강한 횡성(라)은 대도시와의 접근성이 높은 촌락의 성격이 강한 양평(다)보다 노령화 지수가 높다.

⑤ 여주(가)는 수도권, 횡성(라)은 강원권에 위치한다.

15 우리나라의 지역별 산업 구조 파악

문제분석 지도의 A는 충남, B는 경북, C는 경남, D는 전남이다.

정답찾기 ③ 〈사회 간접 자본 및 기타 서비스업〉과 〈광공업〉의 취업자가 가장 적은 (라)는 전남(D)이다. 〈농림어업〉 취업자가 전남보다 많은 (나)는 경북(B)이다. 충남과 경남 중 〈광공업〉과 〈사회 간접 자본 및 기타 서비스업〉 취업자가 가장 많은 (가)는 경남(C)이고, 나머지 (다)는 충남(A)이다.

16 권역별 인구 구조의 특징 파악

문제분석 (가)는 네 권역 중 총부양비가 가장 낮으므로 지역 내 청장년층 인구 비율이 가장 높은 수도권이고, 노령화 지수와 총부양비가 가장 높은 (라)는 호남권이다. 영남권과 충청권 중 유소년층과 청장년층 인구의 비율이 높아 노령화 지수와 총부양비가 낮은 (다)는 충청권이고, 나머지 (나)는 영남권이다.

정답찾기 ㄱ. 수도권(가)은 호남권(라)보다 인구 규모가 매우 크므로 노년층 인구가 많다.

ㄷ. 영남권(나)은 충청권(다)과 총부양비가 비슷하므로 청장년층 인구 비율이 비슷한데, 노령화 지수는 영남권이 더 높게 나타나므로 유소년 부양비는 충청권이 영남권보다 높다.

ㄹ. 호남권(라)은 충청권(다)보다 노년층 인구 비율이 높으므로 중위 연령이 높다.

오답피하기 ㄴ. 수도권(가)이 영남권(나)보다 인구가 많다.

17 지역별 외국인 주민 유형 분포 특징 파악

문제분석 지도에 표시된 세 지역은 각각 거창, 통영, 부산이다. 세 지역 중 결혼 이민자 비율이 상대적으로 높은 (다)는 거창이고, 유학생 비율이 높은 (가)는 부산이다. 나머지 (나)는 통영이다.

정답찾기 ④ 외국인 근로자 비율이 높은 통영(나)은 거창(다)보다 외국인 주민의 성비가 높다.

오답피하기 ① 외국인 근로자 수는 대도시인 부산(가)이 거창(다)보다 많다.

② 부산(가)은 거창(다)보다 지역 내 외국인 주민 중 결혼 이민자 비율이 낮다.

③ 부산(가)은 통영(나)보다 지역 내 1차 산업 종사자 비율이 낮다.

⑤ 거창(다)은 부산(가)보다 지역 내 유학생 비율이 낮으며, 이를 토대로 대학교 수를 추론하여 비교할 수 있다. 군(郡) 지역인 거창은 광역시인 부산보다 대학교 수가 적다.

18 남·북한의 1차 에너지 공급 구조 파악

문제분석 그래프의 (나)는 A, B, C 1차 에너지원만 공급되고 있으므로 북한이고, (가)는 남한이다. 남한(가)에서는 공급량 비율이 매우 낮지만 북한(나)에서는 공급량 비율이 두 번째로 높은 C는 수력이다. 남한에서 공급량 비율이 가장 높은 B는 석유이고, 북한에서 공급량 비율이 가장 높은 A는 석탄이다. 2002년과 비교할 때 2020년에 남한에서의 공급량 비율이 크게 증가한 E는 천연가스이고, 나머지 D는 원자력이다.

정답찾기 ③ 북한(나)은 관북 지방을 중심으로 석탄(A)이 많이 매장되어 있다. 따라서 석탄의 생산량은 북한이 남한(가)보다 많다.

오답피하기 ① 남한(가)은 북한(나)보다 전체 발전량에서 수력(C)을 이용한 발전량 비율이 낮다.

② 북한(나)은 남한(가)보다 2020년 1차 에너지 총공급량이 적다.

④ 수력(C)은 원자력(D)보다 남한에서의 발전소 가동률이 낮다.

⑤ 석유(B)는 천연가스(E)보다 발전 과정에서 대기 오염 물질 배출량이 많다.

19 주요 제조업의 지역별 생산 특징 이해

문제분석 그림에서 A는 경기, 경북, 충남에서 출하액이 많은 제조업이므로 전자 부품·컴퓨터·영상·음향 및 통신 장비 제조업이고, B는 경기, 경북, 대구에서 출하액이 많은 제조업이므로 섬유 제품(의복 제외) 제조업이다. 나머지 C는 경북, 전남, 충남에서 출하액이 많으므로 1차 금속 제조업이다.

(정답찾기) ④ 전자 부품·컴퓨터·영상·음향 및 통신 장비 제조업(A)과 1차 금속 제조업(C)은 모두 섬유 제품(의복 제외) 제조업(B)보다 전국 출하액이 많다.

(오답피하기) ① 전자 부품·컴퓨터·영상·음향 및 통신 장비 제조업(A)은 연구 개발 및 관련 정보, 고급 기술 인력 등이 풍부한 수도권에서 발달하였다. 따라서 전자 부품·컴퓨터·영상·음향 및 통신 장비 제조업(A)은 노동 집약적 경공업인 섬유 제품(의복 제외) 제조업(B)보다 전국 출하액에서 경기가 차지하는 비율이 높다.

② 섬유 제품(의복 제외) 제조업(B)은 1차 금속 제조업(C)보다 최종 제품의 무게가 가볍다.

③ 1차 금속 제조업(C)은 전자 부품·컴퓨터·영상·음향 및 통신 장비 제조업(A)보다 항공을 이용한 제품 운송 비율이 낮다.

⑤ 섬유 제품(의복 제외) 제조업(B)과 1차 금속 제조업(C)은 모두 영남권이 수도권보다 출하액이 많다.

20 여러 지역의 특색 이해

(문제분석) 지도에 표시된 여섯 지역은 각각 군산, 전주, 보성, 순천, 안동, 포항이다. 세계 문화유산에 등재된 전통 마을은 경주와 안동에 있다. 또한 대규모 제철 공장 및 호미곶 조형물이 있는 곳은 포항이다. 따라서 □□ 모둠이 방문하는 지역은 안동과 포항이다. 지리적 표시제 1호로 등록된 녹차 생산지는 보성이고, 람사르 습지로 등록된 연안 습지 및 국가 정원이 있는 곳은 순천이다. 따라서 △△ 모둠이 방문하는 지역은 보성과 순천이다. 나머지 두 지역은 군산과 전주이다. 따라서 (가)에 들어갈 두 방문 지역은 군산과 전주이다.

(정답찾기) ㄴ. 전주에는 슬로 시티로 지정된 전통 한옥 마을과 전북특별자치도청이 있다.

ㄹ. 군산에는 수위 변화에 따라 오르내리는 접안 시설인 뜬다리 부두와 금강 하굿둑이 건설되어 있다.

(오답피하기) ㄱ. 원자력 발전소가 위치한 곳은 영광, 울산, 울진, 부산이다.

ㄷ. 고팡은 제주의 전통 가옥에 설치되어 있다.

인용 사진 출처

한국해양과학기술원 8쪽 05번(신안 가거초 해양 과학 기지)

서울역사박물관 8쪽 06번(팔도총도, 삼국접양지도)

한국학중앙연구원 8쪽 06번(아국총도)

서울대학교 한국학 중앙연구원 11쪽 02번, 124쪽 1번(지구전후도)

경기도남한산성세계유산센터 15쪽 자료 분석 2(남한산성)

연합뉴스 36쪽 자료 분석 2(우데기, 우데기 내부 통로)

경남고성엑스포 117쪽 08번(고성 공룡 엑스포)

보령머드축제관광재단 137쪽 15번(보령 머드축제 포스터)

(사)전주세계소리축제조직위원회 137쪽 15번(전주 세계소리축제 포스터)

단양군청 137쪽 15번(단양 마늘축제 포스터)

국토지리정보원 10쪽 자료 분석 2, 25쪽 04번, 27쪽 08번, 57쪽 05번, 119쪽 04번, 133쪽 17번, 135쪽 6번, 139쪽 1번, 140쪽 5번

KNU 강원대학교

수시 원서접수

2024. 9. 9.(월) - 9. 13.(금)

원서접수 방법

인터넷원서접수(유웨이어플라이)

강원대학교 입시 상담

| **전   화**   춘천 : (교과) 033-250-6041~5 (종합) 7979
　　　　　　　　삼척 : (도계포함) 033-570-6555
| **카카오채널**   http://pf.kakao.com/_Lbqxks/chat
| **홈 페 이 지**   http://www.kangwon.ac.kr/admission/

카카오채널

입학홈페이지

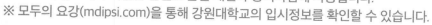

명쾌하고, 명백하게,

명지 좋다